O GUIA DA VIAGEM PERFEITA

# PARIS

Pesquisado e escrito por

JAMES McCONNACHIE
E RUTH BLACKMORE

com colaboração de

CLAIRE WILLIAMS

PUBLIFOLHA

# Sumário



<< CAFÉ DE LA MAIRIE, ST-GERMAIN
< O LOUVRE E AS PIRÂMIDES

INTRODUÇÃO A

# PARIS

Uma viagem a Paris, famosa como destino turístico romântico, é algo a ser feito pelo menos uma vez na vida. Há muito tempo o coração pulsante da civilização europeia, a cidade continua sendo uma das mais apaixonantes do mundo. A começar por seu refinado traçado urbano, com avenidas magníficas, ruas secundárias charmosas, jardins grandiosos e praças intimistas pelos bairros. E, apesar do orgulho e da fama de arrogante de seus habitantes, hoje em dia Paris é mais calorosa: os cafés, os restaurantes e a vida noturna têm atmosfera cosmopolita, enquanto novos projetos para tornar a cidade apropriada para ciclistas e pedestres deram mais vida às ruas.

BRASSERIE DE L'ÎLE ST-LOUIS

O JARDIN DU LUXEMBOURG



## Melhores lugares para um piquenique em Paris

Nem sempre são permitidos piqueniques no centro de Paris – exceto na elegante place des Vosges. Bancos públicos, porém, são uma alternativa civilizada, como os da Pont des Arts para pedestres; da Praça Jean XXIII à sombra de limeiras e atrás da Notre-Dame; do intimista Jardin du Palais Royal; ou os do esplêndido Jardin du Luxembourg. Além disso, os parques de Buttes Chaumont, Monceau, Montsouris e André-Citroën são cenários idílicos para se deitar na relva e saborear delícias francesas.

A cidade se divide em vinte arrondissements, que formam uma espiral cujo centro é o Louvre. O eixo interno abrange do 1º ao 6º arrondissements e concentra a maioria das atrações turísticas e museus. Pelo coração da cidade flui o rio Sena, que rodeia as duas ilhas onde Paris foi fundada. Pilares históricos da cidade, a igreja de Notre-Dame e o palácio real do Louvre ficam à margem do rio, assim como um dos marcos mais conhecidos do mundo – a Torre Eiffel. Às vezes, Paris nem parece uma criação humana, devido à suntuosidade dos monumentos cercando a grandiosidade bombástica do Panthéon, à elegância industrial da Torre Eiffel e à quase espiritual pirâmide de vidro do Louvre. As galerias de arte também podem intimidar: as enormes coleções do Louvre, do Musée d'Orsay e do Centre Pompidou são incomparáveis.

Há, porém, vários museus menores, muitos deles dedicados a apenas um artista e, ao lado dos grandes monumentos cívicos, estão *quartiers* singulares, que fazem Paris parecer mais um apanhado de povoados sofisticados do que propriamente uma metrópole moderna. Comunidades tradicionais ainda vivem em torno de velhos cafés e restaurantes queridos, e os bairros de estudantes, gays e imigrantes são muito animados e bem delimitados, assim como os bairros mais ricos, com butiques e restaurantes exclusivos. O elegante Marais, o afetado St-Germain e o romântico Montmartre são bairros ideais para fazer compras, para se sentar em cafés ou mesmo flanar sem rumo. Porém, por toda a cidade podemos encontrar espaços que são verdadeiros oásis de tranquilidade, desde jardins formais e parques municipais modernos até antigos cemitérios.

Acima de tudo, Paris é uma cidade conhecida pela boa mesa. Poucos lugares podem competir com os 1.001 cafés, brasseries, bistrôs, restaurantes, padarias, delicatessens e mercados presentes nos bulevares e nas ruas secundárias. Você encontra tudo, desde templos ultramodernos na moda até tradicionais palácios espelhados, além de minúsculos bistrôs de bairro e lotados botecos vietnamitas. A vida noturna parisiense também é famosa: teatros e salas de concerto apresentam artistas de altíssimo nível, ao passo que lugares pequenos têm shows de jazz, eventos de arte e noitadas de *chanson*, formando uma cena mais de vanguarda. Os cafés-bares e clubes da Champs-Élysées, Bastille e Rive Gauche fervilham de jovens e fashionistas do mundo inteiro.

## Quando visitar

A primavera é a época clássica para visitar Paris; o clima é ameno (por volta de 6-20°C), com muitos dias ensolarados e alguns temporais ocasionais. O outono, também ameno, e o inverno (1-7°C) costumam ser bem agradáveis, mas em dias nublados a cidade pode ter um ar melancólico, e ventos gelados de fato castigam os bulevares. O sol de inverno, porém, produz a luz mais favorável à cidade, e nessa estação os hotéis e restaurantes ficam menos lotados. O auge do verão (15-25°C) não é a época mais aconselhável para vir a Paris: entre 15 de julho e o final de agosto, os parisenses em massa viajam para praias ou montanhas, e muitos restaurantes e lojas ficam fechados por boa parte desse período.

VISTA DE PARIS AO ANOITECER

# PARIS EM DESTAQUE



## >>GASTRONOMIA

Fala-se muito sobre a atual diversidade gastronômica de Paris, tendo em vista que jovens chefs talentosos estão abrindo novos bistrôs, sobretudo no **Marais e nos bairros do leste**. Para a cuisine francesa mais tradicional, não é preciso ir longe: todo *quartier* tem o próprio bistrô servindo clássicos como steak au poivre. Para uma experiência bem autêntica, vá a uma brasserie como a *Gallopin* (p. 75), perto dos **Grands Boulevards**, onde a decoração original é esplêndida. É possível almoçar gastando menos, pois a maioria dos lugares tem menus fixos a partir de €15. Até mesmo alguns restaurantes de haute cuisine ficam mais acessíveis na hora do almoço.

## >>CAFÉS E BARES

É fácil sair para beber em Paris: a maioria dos cafés fica aberta até tarde e serve bebidas alcoólicas e café, e há velhos bares de vinho e pubs em estilo inglês para todo lado. Além disso, certas áreas têm movimento até de madrugada. No **Marais** há cafés e bares da moda descontraídos; mais a leste, a **Bastille** e **Oberkampf** abrigam muitos lugares de clientela mais jovem, vários dos quais também são danceterias. Na Rive Gauche, o **Quartier Latin** é reduto de estudantes, ao passo que **St-Germain** é a área dos endinheirados.

## >>COMPRAS

Uma das áreas mais interessantes para realizar suas compras é **St-Germain**, pois você vai encontrar uma ampla variedade de lojas de roupas e de alimentos finos. Moda de estilistas e alta-costura se concentram em torno da Champs--Élysées ou ainda na **rue du Faubourg-St-Honoré**, ao passo que butiques de moda mais alternativa ficam no Marais, especialmente em torno da **rue Charlot**, e em Montmartre, sobretudo na **rue des Martyrs**. Caso seu tempo seja curto, é melhor optar por alguma das lojas de departamentos, como a Printemps ou as Galeries Lafayette, na Rive Droite, ou a Bon Marché, na Rive Gauche. Para comprar curiosidades, visite às charmosas *passages* (galerias comerciais do século XIX), perto dos **Grands Boulevards**.

## >>VIDA NOTURNA

As melhores casas noturnas de Paris são animadas a noite toda, mas costumam ferver a partir da 1h. Entre os lugares mais ecléticos encontramos os barcos ancorados ao lado da **Bibliothèque Nationale** e os clássicos de **Oberkampf**, como *L'Alimentation Générale* e *Le Nouveau Casino*. Boêmios profissionais têm um pouco de dificuldade, mas as casas noturnas *Rex*, *Showcase* e *Social Club* não costumam decepcionar. A **rue des Lombards** possui alguns locais clássicos, a exemplo do clube de jazz *Le Sunside*.

**HÁ INDICAÇÕES DE LUGARES PARA COMER, BEBER E FAZER COMPRAS NO FINAL DE CADA CAPÍTULO.**

# **Primeiro dia** em Paris

**1 Île de la Cité** > p. 36. Paris foi fundada nesta ilhota que se destaca no rio Sena.

**2 Notre-Dame** > p. 38. A magnífica catedral gótica de Notre-Dame é o sublime coração histórico da cidade.

**3 Sainte-Chapelle** > p. 37. Esta capela é uma refinada caixa de joias com vitrais medievais.

**4 Pont Neuf** > p. 36. Os cais na margem do rio levam para oeste, à Pont Neuf, a ponte mais antiga da cidade, e mais além à Square du Vert-Galant, onde você pode se sentar e apreciar o Sena.

**Almoço** > p. 120. Siga para o sul até o Quartier Latin e almoce em uma brasserie clássica, como a *Brasserie Balzar*.

**5 Jardin du Luxembourg** > p. 127. Estes jardins ficam repletos de pessoas jogando tênis ou xadrez, e de casais passeando nos gramados.

**6 Pont des Arts** > p. 122. Esta linda ponte para pedestres vai de St-Germain ao Louvre; você pode pegar o Batobus sob ela e descer o rio.

**7 Musée d'Orsay** > p. 123. Esta antiga estação ferroviária abriga algumas das obras mais interessantes do movimento impressionistas.

**8 Torre Eiffel** > p. 54. Continue no Batobus até chegar a esta lendária estrutura, que fica mais bela à noite ou ao entardecer.

**Jantar** > p. 130. Siga de volta para St-Germain e vá a um bistrô elegante, como o *Au 35*.

4

7

8

# **Segundo dia** em Paris

**1 Centre Pompidou** > p. 78. Comece o dia com uma imersão em arte moderna – o Musée National d'Art Moderne abriga uma coleção imbatível de Matisse, Picasso, entre outros.

**2 Rue Montorgueil** > p. 81. Ande por esta pitoresca feira de rua, onde legumes, carnes e peixes são vendidos diante de restaurantes tradicionais e cafés elegantes.

**Almoço** > p. 74. Pare no *Bistrot des Victoires*, um bistrô à moda antiga que serve *confit de canard* e outras especialidades.

**3 Galerie Vivienne** > p. 70. Entre as galerias de lojas do século XIX presentes na área, esta é provavelmente a mais sofisticada, com cobertura de vidro, piso com mosaicos e motivos helênicos.

**4 Palais Royal** > p. 69. Os belos edifícios com arcadas do Palais Royal englobam jardins serenos e antiquários que vendem cachimbos, medalhas da Légion d'Honneur e soldados de chumbo.

**5 Jardin des Tuileries** > p. 50. Ande pelas alamedas do Jardin des Tuileries, ladeadas por castanheiros, admirando a vista grandiosa, os canteiros de flores e as fontes.

**6 Place de la Concorde** > p. 50. Esta obra impressionante de planejamento urbano tem um obelisco no centro, avenidas amplas se irradiando dela e monumentos, como o Arco do Triunfo, em todas as direções.

**Jantar** > p. 52. Regale-se como um gourmet em *La Table du Lancaster*, lugar perfeito para um jantar intimista.

1

3

6

# Museus e galerias

**Paris foi por muito tempo a capital internacional da arte. Hoje, os cafés de Montmartre e Montparnasse ainda evocam os fantasmas dos grandes impressionistas e modernistas, cujas obras podem ser admiradas nas galerias e nos museus da cidade.**

**1 Musée d'Art Moderne de la Ville de Paris** > p. 58. O museu exibe os modernistas de Paris, além de um mural de Matisse e uma vista formidável do Sena.

**2 Site de Création Contemporaine** > p. 58. O interior de elegância despojada desta galeria abriga a arte contemporânea mais radical.

**3 Musée Rodin** > p. 62. As maravilhosas esculturas de Rodin são mantidas na mais refinada das mansões parisienses.

**Almoço** > p. 64. Pare para um lauto almoço no descontraído *La Fontaine de Mars*.

**4 Musée Jacquemart-André** > p. 48. Uma coleção excepcional do Renascimento italiano exposta em uma suntuosa mansão do século XIX.

**5 Louvre** > p. 42. Em sua visita ao poderoso Louvre, explore alguma ala menos conhecida, como a de esculturas francesas ou a de objets d'art.

**Jantar** > p. 82. Ande para o leste até o *quartier* Beaubourg para jantar em uma brasserie como a centenária *Au Chien Qui Fume*.

# Paris **econômica**

**Apesar de ter fama de cara, Paris oferece muitas atrações gratuitas, além de opções de hospedagem, alimentação e transporte com boa relação custo-benefício.**

**1 Hotel Bonséjour Montmartre** > p. 173. Em uma rua tranquila, este hotel cobra €56 por um quarto de casal simples com pia e €68 por um com ducha.

**2 Ônibus** > p. 182. Passear de ônibus é agradável e barato; pegue o nº 29 na Gare St-Lazare, o qual passa pela Opera Garnier, atravessa o Marais e vai até Bastille.

**3 Sacré-Coeur** > p. 146. Não é preciso pagar para visitar este marco de Paris, mas a grande atração é a vista a partir do terraço.

**4 Musée Carnavalet** > p. 88. Um dos melhores museus gratuitos da cidade é o Musée Carnavalet, que enfoca a história de Paris.

**Almoço** > p. 96. Para um almoço bom e barato, peça comida para viagem no *L'As du Fallafel*, no bairro judeu do Marais.

**5 Place des Vosges** > p. 89. Deite-se no gramado sob as elegantes fachadas da place des Vosges e observe os músicos de rua tocando nas arcadas.

**6 Maison de Victor Hugo** > p. 90. Visite gratuitamente a imponente mansão na place des Vosges, onde Victor Hugo morou.

**7 Petit Palais** > p. 48. O Petit Palais oferece concertos clássicos grátis na hora do almoço às quintas-feiras, e pode-se apreciar de graça a fina coleção de arte do museu.

**Jantar** > p. 109. A cozinha francesa no charmoso restaurante *L'Encrier* é bem acessível, com menus fixos a partir de €19,30.

# DESTAQUES

# Principais atrações

**1 Torre Eiffel** Embora possa parecer familiar de longe, a Torre Eiffel vista de perto proporciona uma experiência surpreendente. > **p. 54**

**2 Pont Neuf** Na verdade, a "ponte nova" é a mais antiga da cidade e, com seus arcos de pedra, é realmente encantadora. > p. 36

**3 Degraus da Sacré-Coeur** Destes degraus no alto de Montmartre, veem-se os telhados de Paris se estenderem até o horizonte. > p. 146

**4 Notre-Dame** Na Île de la Cité, no Sena, a Notre-Dame é uma das catedrais góticas mais belas do mundo. > p. 38

**5 Panthéon** Dotado de uma bela cúpula, o Panthéon abriga os despojos dos heróis da República Francesa e descortina uma vista belíssima. > p. 116

# Paris cultural

**1 Musée Moreau** As telas excêntricas de Gustave Moreau cobrem as paredes de seu estúdio; abaixo fica o apartamento que ele dividia com os pais. > **p. 148**

**3 Musée Guimet** Ver as estátuas e esculturas budistas no belíssimo Musée Guimet equivale a uma experiência puramente espiritual. > **p. 57**

**2 Musée Jacquemart-André** A suntuosa mansão do Segundo Império do casal Jacquemart-André exibe sua coleção de mestres italianos, holandeses e franceses. > **p. 48**

**4 Musée Carnavalet** Este museu fascinante dá vida à história de Paris através de uma coleção extraordinária de pinturas, artefatos e interiores restaurados. > **p. 88**

**5 Musée National du Moyen Age** Em uma fina mansão renascentista, o Museu da Idade Média em Paris expõe refinados objets d'art. > **p. 113**

# Gastronomia

**1 Le Train Bleu** O glamour da Belle Époque sobrevive no restaurante na Gare de Lyon, que tem decoração dourada e lustres de cristal. > **p. 109**

**2 L'Os à Moëlle** Até mesmo gente da Rive Droite faz questão de vir a este bistrô na orla da cidade, que é dirigido por um chef. > **p. 140**

**4 Le Gaigne** Este pequeno bistrô contemporâneo, no norte do Marais, serve excelente culinária de vanguarda. > **p. 95**

**3 Gallopin** É quase impossível se decepcionar nesta brasserie com serviço encantador e culinária clássica muito bem preparada. > **p. 75**

**5 L'Arpège** O menu singular de Alain Passard inclui porções inventivas de legumes raros com molhos elegantes. > **p. 64**

# Paris romântica

1 **Lapérouse** Os salões privados deste finíssimo restaurante exalam uma elegância de outros tempos: feche a porta e chame o garçom com uma campainha. > **p. 130**

**2 Tapeçaria *A dama e o unicórnio*, Musée National du Moyen Age** O conjunto de seis tapeçarias medievais, que enfoca os sentidos, talvez seja a obra de arte mais sensual de todos os tempos. > **p. 113**

**3 Sauna a vapor mista, Les Bains du Marais** Nos fins de semana, as elegantes salas de sauna do Les Bains du Marais recebem casais heterossexuais. > **p. 89**

**4 Passeio sem pressa no Tuileries** Passear nestes elegantes jardins de Paris é um programa extremamente romântico. > **p. 50**

**5 Contemplar o Sena** Você pode se sentar em vários pontos da cidade e contemplar o rio. **p. 136**

# Compras

**1 Anne Willi** Essa estilista cria roupas simples e belas com tecidos luxuosos, assim como lindos trajes para crianças. > **p. 107**

**2 Galeries Lafayette** A rainha das lojas de departamentos em Paris tem vários andares com roupas e cosméticos. > **p. 72**

**4 Butiques no Haut Marais** Atualmente o melhor polo de moda da cidade, o Haut Marais é repleto de butiques elegantes. > **p. 92**

**3 Butiques na Abbesses** Quem busca novidades deve ir aos estilistas e butiques independentes nos arredores da place des Abbesses. > **p. 149**

**5 Isabel Marant** Estilista cujo renome se deve às empolgantes coleções prêt-à-porter a preços que não deixam seus olhos arregalados nem sua carteira vazia. > **p. 107**

# Bares e vida noturna

**1 La Fourmi** Jovens boêmios descolados se reúnem neste café e bar perfeito para se aquecer com uns drinques antes de ir para a balada. > **p. 151**

**2 Au Limonaire** Neste lugar pequeno em uma rua escondida, você janta e vê jovens cantores de *chanson*, poetas e peças de vaudeville. > **p. 77**

**3 Point Ephémère** Uma coleção de artes alternativa usa este antigo hangar de barcos para exposições e shows com charme boêmio. > **p. 111**

**4 Batofar** Não há muito espaço para um clube em um velho barco-farol, mas o simpático Batofar já é um lugar clássico. > **p. 141**

**5 Le Nouveau Casino** Lugar pequeno e interessante com shows esotéricos ao vivo, seguidos de noitadas com DJs. > **p. 111**

# Calendário

**1 Paris na primavera** A praia artificial do Sena no verão, os terraços dos cafés no inverno e as folhas de outono certamente têm seu charme, mas a primavera é a época mais bonita para vir a Paris.

**2 Nuit Blanche** Durante a Nuit Blanche (noite em claro) há eventos em centenas de galerias, cafés e edifícios públicos. > **p. 188**

2

**4 Patinoire de l'Hôtel de Ville** Do início de dezembro até o fim de fevereiro há um rinque de patinação em frente à Prefeitura. > **p. 91**

4

3

**3 Praia em Paris** Por quatro semanas no verão, toneladas de areia formam uma praia em um trecho do Sena. > **p. 188**

5

**5 Dia da Bastilha** O feriado nacional mais importante é o 14 de Julho, celebrado com dança, fogos de artifício e um desfile militar na Champs-Élysées. > **p. 188**

# Para crianças

**1 Disneyland** Esta ampla versão da Disneylândia não é genuinamente francesa, mas as crianças a adoram. > **p. 162**

**2 Barcos no Jardin du Luxembourg** Um dos prazeres no Jardin du Luxembourg é alugar um barco de brinquedo e conduzi-lo pelo lago. > p. 127

**3 Parc de la Villette** O cinema Géode Omnimax é uma das várias atrações para crianças neste parque futurista. > p. 102

**4 Jardin d'Acclimatation** Qualquer criança se encanta com o minicanal, os passeios de trem, os brinquedos e os animais deste jardim. > p. 153

**5 Jardin des Plantes** Além de ter obviamente muitas plantas, este lindo jardim oferece um pequeno zoo e a curiosa Grande Galerie de l'Évolution. > p. 117

# Paris verde

**1 Jardin des Tuileries** O jardim francês por excelência: vista ampla, canteiros de flores simétricos e longas alamedas. > **p. 50**

**2 Jardin du Luxembourg** Apesar de seu esplêndido traçado clássico, o Luxembourg é o parque mais descontraído de Paris. > **p. 127**

**3 Jardin du Palais Royal**
Cercado por várias galerias de lojas, o Jardin du Palais Royal é um retiro maravilhoso do burburinho da cidade. > **p. 69**

**4 Place des Vosges** Os edifícios rosados em torno da place des Vosges são o elegante pano de fundo do atraente jardim no centro da praça. > **p. 89**

**5 Promenade Plantée** Uma linha ferroviária desativada virou uma passarela elevada da qual se vê uma parte pouco conhecida da cidade. > **p. 98**

# Paris dos locais

**1 Café de la Mosquée** O café na mesquita de Paris serve petiscos do Norte da África, chá de menta e tem um *hammam* (banho turco) ao lado. > **p. 119**

**2 Cinema** Os cinemas históricos da cidade, como The Rex, são ideais para ver clássicos do cinema francês. > **p. 184**

**3 Feira orgânica no Raspail** Nas manhãs de domingo, os gourmets de Paris vão ao refinado Marché Bio, de alimentos orgânicos, que é montado no boulevard Raspail. > **p. 128**

2

4

3

5

**4 Vélib'** Lançado em 2007, o sistema de aluguel de bicicletas faz um enorme sucesso. > **p. 182**

**5 Les Trois Baudets** O melhor lugar para assistir às estrelas emergentes da *chanson* – o gênero musical parisiense por excelência. > **p. 151**

# ÁREA POR ÁREA

# As ilhas

Inicie seus passeios por Paris visitando as duas ilhas fluviais da cidade, a Île de la Cité, o antigo núcleo da cidade, e a charmosa Île St-Louis, que ainda mantém um ar de povoado.
A Île de la Cité está na origem de Paris. Em cerca de 300 a.C. foi ocupada por uma tribo celta, os *parisii*, da qual foi tomada em 52 a.C. pelos romanos, que construíram uma fortaleza-palácio na ponta oeste da ilha. No século X, os reis frâncicos transformaram essa fortaleza em um esplêndido palácio, do qual ainda restam a Sainte-Chapelle e a prisão de Conciergerie. Na outra ponta da ilha eles ergueram a grandiosa catedral de Notre-Dame. O labirinto de ruas medievais que se formou em torno desses monumentos foi amplamente eliminado no século XIX pelo barão Haussmann, Préfet de la Seine (cargo equivalente a prefeito de Paris) na época de Napoleão III, e boa parte da ilha agora é ocupada por imponentes edifícios neoclássicos, incluindo o Palais de Justice.

## PONT NEUF

Ⓜ Pont Neuf. MAPA PP. 38-9, MAPA DE BOLSO C16

Apesar de seu nome, a Pont Neuf é a mais antiga de Paris e foi construída em 1607 por Henrique IV, um dos primeiros grandes planejadores urbanos locais. Uma bela construção de pedra com doze arcos, a ponte liga a ponta oeste da Île de la Cité com as duas margens do rio. Foi a primeira em Paris feita de pedra, em vez de madeira, o que originou seu nome, e tem uma estátua equestre de Henrique IV.

PONT NEUF

## SQUARE DU VERT-GALANT

Ⓜ Pont Neuf. MAPA PP. 38-9, MAPA DE BOLSO C16

Localizada na parte triangular da ilha, a Square du Vert-Galant é um jardim tranquilo e arborizado que atrai casais apaixonados. O nome da praça ("vert-galant" quer dizer cavalheiro imaturo ou vigoroso) vem do apelido dado a Henrique IV, cujas façanhas amorosas eram lendárias.

## PLACE DAUPHINE

Ⓜ Cité. MAPA PP. 38-9, MAPA DE BOLSO C16

Veneráveis casas de tijolos vermelhos do século XVII ladeiam a entrada da place Dauphine, uma das praças mais afastadas e atraentes da cidade. Aqui, o ruído do trânsito fica abafado e só se ouvem as risadas das pessoas fazendo piquenique e dos homens jogando petanca à sombra dos castanheiros. Veem-se também parisienses passeando com seus cães.

## SAINTE-CHAPELLE

4 bd du Palais Ⓜ Cité. Diariam: mar-out 9h30-18h; nov-fev 9h-17h. €8,50; ingresso combinado com a Conciergerie €12,50. MAPA PP. 38-9, MAPA DE BOLSO D16

A torre esguia da Sainte-Chapelle paira bem acima dos edifícios do Palais de Justices. Embora danificada durante a Revolução, ela foi cuidadosamente restaurada em meados do século XIX. Até hoje, um dos exemplos mais fiéis do auge do período Gótico francês, é famosa por seus vitrais refinados.

O edifício foi construído por Luís IX entre 1242 e 1248 para abrigar uma coleção de relíquias sagradas, incluindo a coroa de espinhos de Cristo e um fragmento da Verdadeira Cruz, comprados do falido Império Bizâncio. Primeiro você entra na capela inferior, onde possivelmente oravam os criados. Decorada com simplicidade, não revela o esplendor presente na capela superior logo a seguir, que o recebe com uma visão verdadeiramente ofuscante – uma vastidão quase ininterrupta de magníficos vitrais apoiados em colunas de pedra enganadoramente frágeis. Quando a luz do sol entra, os azuis e vermelhos faiscantes dos vitrais sarapintam o interior, dando a impressão de que você está cercado por uma profusão de borboletas brilhantes. As janelas, das quais dois terços são originais e as demais provêm da restauração no século XIX, contam toda a história da Bíblia, começando no lado norte, com o Gênesis e vários outros livros do Velho Testamento, continuando com a Paixão de Cristo (ponta leste) e finalizando com o Apocalipse na rosácea.

INTERIOR DA SAINTE-CHAPELLE

## CONCIERGERIE

2 bd du Palais Ⓜ Cité. Diariam 9h30-18h; €8,50; ingresso combinado com a Sainte--Chapelle €12,50.

MAPA PP. 38-9, MAPA DE BOLSO D16

Dentro do complexo do Palais de Justice, a Conciergerie é a prisão mais antiga de Paris. Foi lá que Maria Antonieta e, por sua vez, os líderes da Revolução ficaram presos antes da execução. O local foi transformado em uma prisão – sob a supervisão de um "concierge", ou administrador – depois que a revolta de Etienne Marcel, em 1358, fez Carlos V deixar Paris para maior segurança do Louvre. Uma de suas torres, na beira do cais de l'Horloge, exibe o primeiro relógio público de Paris, construído em 1370 e hoje totalmente restaurado.

No interior da Conciergerie há várias salas góticas com abóbadas esplêndidas, que estão entre os poucos vestígios remanescentes do palácio original dos Capetos. Em outro ponto, alguns recintos e celas de prisioneiros, incluindo a de Maria Antonieta, foram reconstruídos conforme sua provável aparência na época da Revolução Francesa.

## CATHÉDRALE DE NOTRE-DAME

Ⓜ Cité e Ⓜ/RER St-Michel. Catedral diariam 8h-18h45, grátis. Torres: diariam abr-set 10h-18h30, até 23h sáb e dom jul-ago; out-mar 10h-17h30; €8, até 18 anos grátis. Visitas guiadas em inglês qua e qui 14h, sáb 14h30; a cada 30min; grátis; saindo do balcão de recepção. MAPA PP. 38-9, MAPA DE BOLSO E17

Obra-prima do período Gótico, a Cathédrale de Notre-Dame ergue-se majestosa da Île de la Cité como um navio ancorado em imensos arcobotantes. Uma das primeiras catedrais nesse estilo construídas no norte da França, ela está entre as mais ambiciosas – sua nave tinha 33m de altura. Iniciada em 1160 e concluída por volta de 1345, entrou em declínio nos séculos XVII e XVIII, sofrendo as maiores depredações durante a Revolução. Somente

nos anos 1820 a catedral passou pela necessária restauração, uma tarefa confiada ao grande arquiteto e restaurador Viollet-le-Duc, que executou uma reforma completa – para alguns, excessiva –, refazendo parte da estatuária na fachada (as obras originais estão expostas no Musée National du Moyen Age) e acrescentando as gárgulas de ar maléfico, que você pode ver de perto se subir até as torres (entrada externa).

A fachada da catedral é um de seus traços externos mais impressionantes; a influência romana é ainda visível, inclusive no sólido formato em H, mas o efeito que se tem no final é de leveza e graça, em parte criado pelas delicadas filigranas da rosácea central e da galeria acima.

O interior apresenta um contraste impactante entre a escuridão da nave e a luz que incide nos primeiros pilares agrupados do coro. A luz entra pelos arcabouços finais dos transeptos, com quase

NOTRE-DAME

dois terços de vidro, incluindo duas magníficas rosáceas de tonalidade roxa imperial. As rosáceas, as abóbadas e os fustes que se erguem até as curvaturas das abóbadas são elementos claramente góticos, apesar de haver uma forte influência romana nos robustos pilares redondos da nave e da impressão geral de existir uma planta quadrangular.

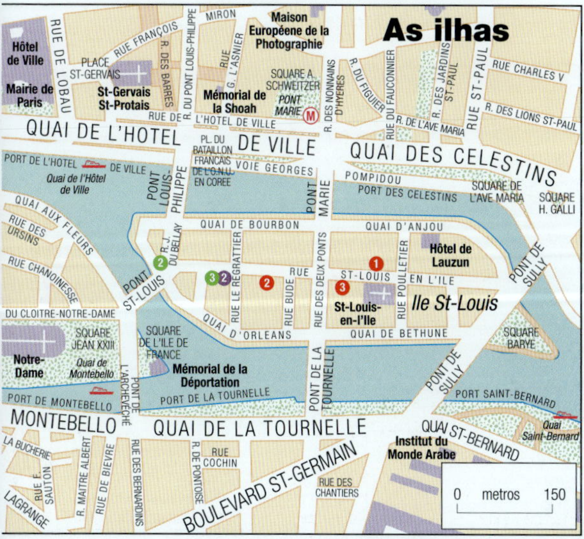

ÎLE ST-LOUIS

## KILOMÈTRE ZÉRO

Ⓜ Cité. MAPA PP. 38-9, MAPA DE BOLSO D17

Na calçada diante da porta oeste da Notre-Dame, um ponto marcado por uma estrela de bronze, o conhecido Kilomètre Zéro, mostra as principais distâncias rodoviárias da França.

## CRYPTE ARCHÉOLOGIQUE

Place du Parvis-Notre-Dame Ⓜ Cité e Ⓜ/RER St-Michel. Ter-dom 10h-18h. €4. MAPA PP. 38-9, MAPA DE BOLSO D17

Com iluminação sugestiva, a Crypte Archéologique é uma grande área escavada sob a place du Parvis, que guarda os vestígios da catedral original e das ruas e casas que ficavam em volta da Notre-Dame: a maioria é medieval, mas há exemplos do período Gálico-Romano.

## MÉMORIAL DE LA DÉPORTATION

Ⓜ Cité. Diariam 10h-12h e 14h-19h, fecha às 17h no inverno. Grátis. MAPA PP. 38-9, MAPA DE BOLSO E17

Pouco visível acima do solo, o Mémorial de la Déportation é a tumba simbólica dos 200 mil franceses mortos em campos de concentração nazistas na Segunda Guerra Mundial – incluindo judeus, membros da Resistência e trabalhadores escravizados. As escadas estreitas descem até um espaço que parece um pátio de prisão e depois até uma cripta da qual parte um corredor longo e abafado, cujas paredes têm milhares de pontos de luz representando os mortos. Acima da saída há a inscrição "*Pardonne, n'oublie pas*" ("Perdoem, não esqueçam").

## ÎLE ST-LOUIS

Ⓜ Pont-Marie. MAPA PP. 38-9, MAPA DE BOLSO E17-F18

A menor das duas ilhas, a Île St-Louis é ótima para passeios. Diferente da Île de la Cité, não tem grandes atrações turísticas, mas é encantadora pelo belo conjunto de casas do século XVII, o cais arborizado e as ruas estreitas com restaurantes, galerias de arte e lojas de presentes. Durante séculos a Île St-Louis foi apenas um pasto pantanoso e esconderijo de amantes, duelistas e vilões em fuga, até que, no século XVII, o empreendedor imobiliário Christophe Marie construiu elegantes mansões por lá.

# Lojas

### BERTHILLON

31 rue St-Louis-en-l'Île Ⓜ Pont-Marie. Qua-dom 10h-20h. MAPA PP. 38-9, MAPA DE BOLSO F17

Há longas filas diante do Berthillon, que produz sorvetes e sorbets refinados com diversos sabores incomuns, como ruibarbo e chá Earl Grey.

### LIBRAIRIE ULYSSE

26 rue St-Louis-en-l'Île Ⓜ Pont-Marie. Ter-sex 14h-20h. MAPA PP. 38-9, MAPA DE BOLSO F17

Pequena livraria com pilhas do chão ao teto de guias de viagem novos e usados.

### PREMIÈRE PRESSION PROVENCE

51 rue St-Louis-en-l'Île Ⓜ Pont-Marie. Diariam 11h-19h. MAPA PP. 38-9, MAPA DE BOLSO F17

Loja dedicada aos azeites de alta qualidade da Provença. Escolha entre as 36 variedades, muitas a granel. Também vende pestos, tapenades, trufas e chutneys.

# Restaurantes

### BRASSERIE DE L'ÎLE ST-LOUIS

55 quai de Bourbon Ⓜ Pont-Marie
Ⓣ 01.43.54.02.59. Diariam 12h-24h, exceto qua; fecha em ago. MAPA PP. 38-9, MAPA DE BOLSO E17

Lugar agitado e rústico, com interior de madeira e garçons servindo chucrute com presunto e salsicha e outros clássicos de brasserie (pratos principais por volta de €20).

### MON VIEIL AMI

69 rue St-Louis-en-l'Île Ⓜ Pont-Marie
Ⓣ 01.40.46.01.35. Qua-dom 11h30-14h30 e 19h-22h30; fecha 3 semanas em jan e ago. MAPA PP. 38-9, MAPA DE BOLSO E17

A cargo do chef Antoine Westermann com estrelas do Michelin, este charmoso bistrô oferece pratos ousados à base de ingredientes sazonais e uma carta de vinhos que inclui safras da Alsácia. Três pratos saem por €43.

# Bar

### TAVERNE HENRI IV

13 place du Pont Neuf Ⓜ Pont Neuf. Seg-sex 11h30-21h30, sáb 12h-17h; fecha em ago. MAPA PP. 38-9, MAPA DE BOLSO C16

Bar de vinhos em estilo antigo, lota no almoço quando advogados do Palais de Justice vêm atrás da carne farta, das travessas de queijo (cerca de €12) e dos sanduíches na chapa.

# Música ao vivo

### SAINTE-CHAPELLE

4 bd du Palais Ⓜ Cité Ⓣ 01.42.77.65.65; reservas também nas lojas FNAC (p. 107) e na Virgin Megastore, 60 av des Champs-Élysées. MAPA PP. 38-9, MAPA DE BOLSO D16

Quase todo dia há concertos de música clássica no esplêndido entorno da capela. Ingressos a €29-44.

BRASSERIE DE L'ÎLE ST-LOUIS

# Louvre

O Louvre é um dos melhores museus do mundo. Aberto em 1793, durante a Revolução Francesa, logo adquiriu a maior coleção de arte da Terra, graças às conquistas de Napoleão. Seu acervo abrange pinturas, esculturas e preciosos objetos de arte, desde joias do Egito Antigo até os primórdios do Impressionismo. Separados do Louvre em si, mas dentro do palácio, há três museus de design sob a égide de Les Arts Décoratifs, dedicados a moda e tecelagem, artes decorativas e publicidade.

## O PALÁCIO

MAPA P. 44, MAPA DE BOLSO B15-C15

Sede da corte francesa durante séculos, o palácio era originalmente pouco mais do que uma fortaleza feudal, que foi iniciada por Filipe Augusto em 1200. Somente no reinado de Francisco I foram colocados os alicerces do edifício atual e, desde então, quase todos os reis acrescentaram algo ao Louvre, tornando o palácio surpreendentemente harmonioso. Mesmo com o acréscimo, em 1989, da inicialmente polêmica **pirâmide** de vidro no pátio Napoléon – um extraordinário feito de imaginação concebido pelo arquiteto I. M. Pei –, o efeito geral do Louvre é de uma grandiosidade e simetria nitidamente francesas.

LOUVRE

## PINTURA

A maior coleção do museu é a de pinturas. As **italianas** antigas talvez sejam as mais interessantes, entre elas a *Mona Lisa*, de Leonardo da Vinci. Para aproximar-se dela, vá ao museu à noite ou logo pela manhã. Outros destaques da coleção italiana são dois afrescos de Botticelli e *A coroação da Virgem*, de Fra Angelico. Pinturas italianas dos séculos XV a XVII estão na Grande Galerie, incluindo *A Virgem, o Menino Jesus e Sant' Ana* e *A Virgem dos rochedos*, de Da Vinci. Obras francesas em escala épica do século XIX estão expostas no conjunto paralelo de salas, entre elas *A coroação de Napoleão I*, de David, o lânguido nu *A grande odalisca*, de Ingres, e a pungente e angustiante *A jangada do "Medusa"*, de Théodore Géricault.

Um bom ponto de partida

DIANTE DA MONA LISA

para um circuito de **pinturas francesas** pode ser o mestre do Classicismo francês, Poussin, cujos temas profundos tirados da antiguidade, da Bíblia e da mitologia influenciaram diversas gerações de artistas. É preciso adorar o Classicismo para enfrentar o conjunto de salas a seguir, no entanto há alguns retratos impressionantes. Ao explorar o menos severo século XVIII, as pinturas mais intimistas de Watteau dão um alívio, assim como as intensas naturezas-mortas de Chardin. Na parte posterior da coleção, o vento gélido do Neoclassicismo varre as pinturas de artistas como Gros, Gérard, Prud'hon, David e Ingres, contrastando com o estilo mais sentimental que tem início com Greuze e se estende até o Romantismo de Géricault e Delacroix. As salas finais expõem Corot e a Escola de Barbizon, os precursores do Impressionismo. A coleção de pinturas francesas do Louvre vai até o ano de 1848, uma data selecionada pelo Musée d'Orsay (p. 123), que expõe obras posteriores a essa data.

## Como visitar o Louvre

Ⓜ Louvre Rivoli/Palais Royal-Musée du Louvre ⓣ 08.92.68.36.22, Ⓦ www.louvre.fr. Seg, qui, sáb e dom 9h-18h, qua e sex 9h-22h. €10; grátis até 18 anos e até 26 para quem é de países da UE ou estuda em um deles, e para todos no primeiro domingo de cada mês. Permitido entrar de novo no mesmo dia.

Você pode comprar ingressos com antecedência por telefone, on-line ou em lojas da FNAC e da Virgin Megastore. A entrada principal é pela pirâmide, mas há outra sob o Arc du Carrousel, cujo acesso é pela 99 rue de Rivoli e pela parada de metrô Palais Royal-Musée du Louvre. Quem já reservou ingresso pode entrar pela Passage Richelieu.

Devido ao volume colossal de exposições, é impossível ver tudo em um dia. A ala Denon, com a *Mona Lisa*, é um bom ponto de partida; alternativas relativamente calmas são as grandes cronologias de pintura e escultura francesas, a sensual coleção de objets d'art e a impactante parte medieval do Louvre. Pegue um mapa grátis do museu no início da visita.

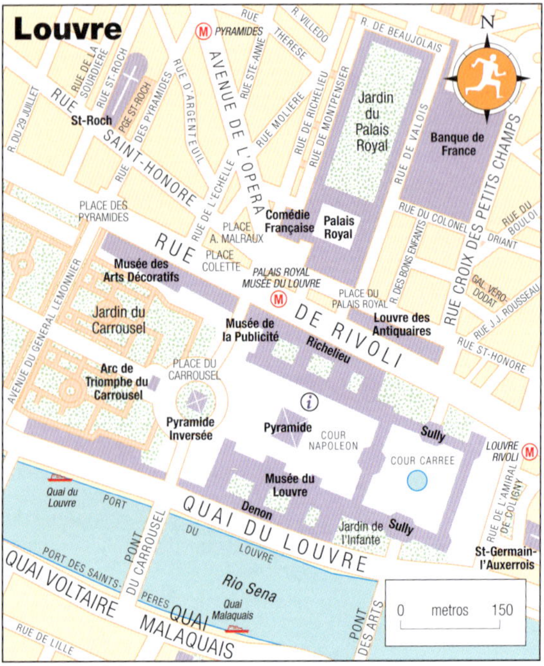


## ANTIGUIDADES

As categorias **Antiguidades Orientais** e **Artes do Islã** abrangem as civilizações da Mesopotâmia, Suméria, Babilônia, Assíria e Fenícia, e a arte das antigas Pérsia, Índia e Espanha. Uma das peças mais importantes da coleção é o Código de Hamurábi, uma estela de basalto de cerca de 1800 a.C., em escrita acadiana, com as regras de conduta impostas por esse rei da Babilônia a seus súditos.

A GALERIE D'APOLLON

A coleção de **Antiguidade Egípcia** começa com a intrigante cripta da Esfinge. A vida cotidiana é ilustrada por utensílios de cozinha, joias, os princípios dos hieroglifos, sarcófagos e vários gatos mumificados. A coleção prossegue com o desenvolvimento da arte egípcia.

As campeãs de público após a *Mona Lisa* estão na parte de **Antiguidades Gregas e Romanas**: A *Vitória de Samotrácia* e a *Vênus de Milo* do final do século II a.C., que exibe uma pose surpreendente de modelo clássico.

### OBJETS D'ART

A vasta seção de objets d'art apresenta as mais finas joias, tapeçarias, cerâmicas e móveis encomendados pelos mecenas mais ricos da França. Ela começa com a parte mais religiosa da Idade Média e se estende por 81 salas maravilhosas até chegar a um salão decorado em estilo Luís Filipe, o último rei da França. Caminhar ao longo da cronologia completa dá uma forte noção da evolução do gosto estético no que há de mais refinado e opulento. O circuito também passa pelos fantásticos apartamentos do ministro de Estado de Napoleão III.

### ESCULTURA

A parte de escultura enfoca o desenvolvimento da arte na França desde o período Românico até Rodin na ala Richelieu, e a escultura italiana e do norte Europeu na ala Denon, incluindo *Escravos*, desenhada por Michelangelo para a tumba do papa Júlio II. Os pátios imensos com cobertura de vidro da ala Richelieu – o pátio Marly com os Cavalos de Marly, que antes embelezavam a place de la Concorde, e o pátio Puget com *Milo de Crotona* desse artista no centro – são impressionantes.

### LES ARTS DÉCORATIFS

107 rue de Rivoli Ⓜ www.lesartsdecoratifs.fr. Ter-dom 11h-18h, qui até 21h. €9,50.

Separadas do restante do Louvre, Les Arts Décoratifs contam com três museus dedicados ao design e às artes aplicadas.

O núcleo da coleção está no **Musée des Arts Décoratifs**, que exibe móveis e objetos de execução extraordinária. As salas medievais e renascentistas mostram peças entalhadas curiosamente moldadas, pinturas sacras e vidro veneziano. Entre as salas de Art Nouveau e Art Déco há um quarto de 1903 de Hector Guimard – o designer do Art Nouveau responsável pelas estações de metrô originais de Paris. Designers influentes das décadas de 1980 e 1990, como **Philippe Starck**, também estão representados aqui.

O **Musée de la Mode et du Textile** realiza excelentes exposições temporárias sobre a vanguarda da moda de Paris de todas as épocas, como os famosos vestidos de Jackie Kennedy na década de 1960.

No último andar, o **Musée de la Publicité** apresenta sua coleção de pôsteres de publicidade em exposições temáticas temporárias, além de objetos relacionados à propaganda e ao cinema.

## Cafés

### CAFÉ MOLLIEN

Primeiro andar, ala Denon. Diariam, exceto ter, 10h15-17h, até 19h qua e sex.

O mais movimentado dos cafés no Louvre fica perto da Grande Galerie e tem janelões que dão para um terraço (abre apenas no verão).

### CAFÉ RICHELIEU

Primeiro andar, ala Richelieu. Mesmos horários do *Café Mollien*.

Mais elegante do que os demais cafés no Louvre, o *Café Richelieu* serve refeições completas, assim como drinques e lanches. O espetacular terraço ao ar livre fica aberto nos meses de verão.

# Champs-Élysées e Tuileries

A ambiciosa Champs-Élysées é parte de um grandioso eixo de 9km, conhecido como "Voie Triomphale", ou Via Triunfal, que se estende do Louvre, no coração da cidade, até o distrito financeiro de La Défense, no oeste. Aliando pompa imperial e suprema elegância, esta avenida oferece vista impressionante em toda sua exensão e abrange alguns dos marcos locais mais famosos – a place de la Concorde, o Jardin des Tuileries e o Arco do Triunfo. O conjunto inteiro é tão regular e geométrico que parece ter sido traçado por um único planejador urbano, e não, como de fato, por uma sucessão de reis, imperadores e presidentes, todos ávidos por deixar a própria marca e promover o poder e o prestígio da França.

## CHAMPS-ÉLYSÉES

MAPA PP. 48-9, MAPA DE BOLSO B5-E6

A célebre avenida Champs-Élysées, ponto de manifestações populares em épocas de crise nacional e palco de grandes desfiles militares no Dia da Bastilha, estende-se do Arco do Triunfo na direção da place de la Concorde. Seu auge foi durante o Segundo Império, quando membros da alta burguesia construíram esplêndidas mansões ao longo de sua extensão e a sociedade frequentava seus cafés e teatros. Até hoje, a visão desta avenida ampla e arborizada é impressionante, especialmente a partir da place de la Concorde e, apesar da presença maciça de lojas de fast-food e de redes de lojas, ela vem reconquistando parte de seu antigo prestígio como endereço chique: a loja-conceito da Louis Vuitton (p. 51) passou por uma repaginação glamorosa, enquanto estabelecimentos antiquados como o showroom da Renault no nº 53 e o império de publicidade Publicis, perto do Arco do Triunfo, agora esbanjam estilo. Além disso, bares e restaurantes badalados não param de surgir nas ruas que partem da avenida.

ARCO DO TRIUNFO

GRAND PALAIS E A PONT ALEXANDRE III

## ARCO DO TRIUNFO

Ⓜ Charles-de-Gaulle. Diariam: abr-set 10h-23h; out-mar 10h-22h30. €9,50. MAPA PP. 48-9, MAPA DE BOLSO B5

Coroando a Champs-Élysées, o imponente Arco do Triunfo fica no meio da place Charles de Gaulle, também conhecida como l'Etoile (estrela) devido às doze avenidas que dali se irradiam. Inspirado nos antigos arcos triunfais romanos, este colosso imperial foi construído por Napoleão em homenagem aos exércitos da França e tem gravados os nomes de 660 generais e de numerosas batalhas francesas. O melhor dos relevos externos é a Marseillaise, de François Rude, na qual uma figura que parece uma amazona e simbolizando a Revolução avança com uma espada e o rosto tenso em um grito feroz. Abaixo do arco, um lembrete do lado menos glorioso da guerra é a tumba do soldado desconhecido, marcada por uma chama alimentada todas as noites por veteranos de guerra. Vale a pena subir ao topo e apreciar a vista panorâmica.

## GRAND PALAIS

Ⓜ Champs-Élysées-Clemenceau Ⓦ www.grandpalais.fr. Galeries nationales du Grand Palais: Diariam, exceto ter, horários variam. €12. MAPA PP. 48-9, MAPA DE BOLSO D6

Na ponta inferior da Champs-Élysées, o Grand Palais, um grandioso edifício neoclássico com uma bela cúpula de vidro e ferro, foi criado para a Exposition Universelle de 1900. A cúpula é a peça central da *nef* (nave), um enorme espaço expositivo usado para instalações em grande escala, desfiles de moda e feiras comerciais. Na ala norte do edifício, as Galeries Nationales são palco de grandes retrospectivas de arte em Paris.

A ala oeste do Grand Palais abriga o Palais de la Découverte (Ⓦ palais-decouverte.com, ter-sáb 9h30-18h, dom 10h-19h; €8), o museu de ciência original de Paris, datado do final dos anos 1930, oferece mostras interativas, um excelente planetário, além de exposições interessantes, como as realizadas recentemente sobre dinossauros e a história da argila.

## PETIT PALAIS

Av Winston Churchill Ⓜ Champs-Élysées-Clemenceau ☎ 01.53.43.40.00, Ⓦ www.petit-palais.paris.fr. Ter-dom 10h-18h. Grátis. MAPA PP. 48-9, MAPA DE BOLSO D6-7

O Petit Palais abriga o Musée des Beaux-Arts. Construído ao mesmo tempo que seu vizinho maior, o Grand Palais, o edifício palaciano não é tão pequeno e tem belas escadas de ferro batido em espiral e uma grande galeria na linha do Salão de Espelhos de Versailles. O museu tem uma extensa coleção de pinturas, esculturas e obras de arte decorativa, desde a Antiguidade grega e romana até o início do século XX. À primeira vista, a coleção parece ser composta de sobras deixadas por outras galerias, porém tem algumas verdadeiras preciosidades, como *Poente em Lavacourt*, de Monet, e a provocante tela *As senhoritas das margens do Sena*, de Courbet. Há também bijuterias finas do período do Art Nouveau, uma bela coleção de pinturas holandesas de paisagens do século XVII, ícones russos e móveis e porcelanas do século XVIII. Um café elegante tem vista para o jardim interno, e a Radio France promove concertos grátis na maioria das quintas-feiras às 12h30 (chegue uma hora antes para retirar ingresso).

## MUSÉE JACQUEMART-ANDRÉ

158 bd Haussmann Ⓜ Miromesnil/St-Philippe-du-Roule ☎ 01.45.62.11.59, Ⓦ www.musee-jacquemart-andre.com. Diariam 10h-18h. €11. MAPA PP. 48-9, MAPA DE BOLSO D5

O Musée Jacquemart-André fica instalado em um magnífico *hôtel particulier* (mansão) do século XIX, onde estão expostas obras de arte

fabulosas reunidas nas viagens do banqueiro Edouard André e de sua mulher, a ex-retratista de socialites Nélie Jacquemart. Uma compilação estupenda da genialidade italiana nos séculos XV e XVI, incluindo obras de Tiepolo, Botticelli, Donatello, Mantegna e Uccello, forma o cerne da coleção. Quase tão empolgante quanto o esplêndido interior e a coleção de pinturas é ter a chance de ver de perto um recorte de um estilo de vida grandioso no século XIX.

MUSÉE JACQUEMART-ANDRÉ

## PLACE DE LA CONCORDE

Ⓜ Concorde. MAPA PP. 48-9, MAPA DE BOLSO E6-7

A grandiosa place de la Concorde tem uma história bem menos pacífica do que seu nome sugere. Entre 1793 e 1795, 1.300 pessoas morreram aqui na guilhotina durante a Revolução Francesa, incluindo Luís XVI, Maria Antonieta e Robespierre. Hoje, constantemente rodeada pelo trânsito, a peça central da praça é um obelisco de ponta dourada do templo de Ramsés em Luxor, oferecida em 1829 pelo vice-rei do Egito em uma tentativa de cair nas graças da França.

## JARDIN DES TUILERIES

Ⓜ Concorde/Tuileries. Diariam: abr-jun e set 7h30-21h; jul e ago 7h30-23h45; out-mar 7h30-19h30. MAPA PP. 48-9, MAPA DE BOLSO E7-F7

O Jardin des Tuileries, um jardim francês formal por excelência, foi criado nos anos 1570, quando Catarina de Medicis removeu do local o aglomerado medieval de manufaturas de telhas *(tuileries)* para dar lugar a um palácio e seu entorno. Cem anos depois, Luís XIV encarregou André Le Nôtre de redesenhar o conjunto, e grande parte dos resultados são visíveis até hoje: avenidas retas, canteiros de flores formais e vista esplêndida. A via central é ladeada por castanheiros e gramados, e emoldurada nas duas pontas por lagos ornamentais cercados por uma galeria impressionante de cópias de estátuas de mestres como Rodin.

## ORANGERIE

Jardin des Tuileries Ⓜ Concorde
☎ 01.44.77.80.07, 🌐 www.musee-orangerie.fr. Diariam, exceto ter, 9h-18h. €7,50.
MAPA PP. 48-9, MAPA DE BOLSO E7

No Jardin des Tuileries, a Orangerie é um elegante edifício em estilo neoclássico erguido para proteger as laranjeiras do jardim. Hoje, ele abriga uma coleção particular de arte do final do século XIX, incluindo oito pinturas enormes das ninfeias de Monet. Outros destaques incluem nus sensuais de Renoir e algumas naturezas-mortas de Cézanne.

## JEU DE PAUME

Jardin des Tuileries Ⓜ Concorde
☎ 01.47.03.12.50, 🌐 www.jeudepaume.org. Ter 12h-21h, qua-sex 12h-19h, sáb e dom 10h-19h. €8,50. MAPA PP. 48-9, MAPA DE BOLSO E6-7

O neoclássico Jeu de Paume é um importante espaço expositivo de fotografia e arte eletrônica. Embora não seja tão bem iluminado como faz supor o saguão claro e elevado, é um dos lugares ideais para ver retrospectivas de grandes fotógrafos.

JARDIN DES TUILERIES

# Lojas

## LE 66

66 av des Champs-Élysées Ⓜ George V. Seg-sáb 11h-20h, dom 14h-20h. MAPA PP. 48-9, MAPA DE BOLSO C6

Esta loja-conceito com paredes de vidro e elegância minimalista tem uma seleção excelente de marcas de streetwear masculina e feminina, como Evisu, Raf Simons, American Retro e Acne, assim como acessórios, livros de arte e revistas internacionais. Jeans a partir de €100 e camisetas a partir de €50.

## BALENCIAGA

10 av George V Ⓜ Alma Marceau/George V. Seg-sáb 10h-19h. MAPA PP. 48-9, MAPA DE BOLSO C7

A grife espanhola (agora de uma multinacional francesa e dirigida por Nicolas Ghesquière) era famosa por suas saias, mas agora produz algumas das peças mais empolgantes de Paris.

## CHANEL

42 av Montaigne Ⓜ Franklin D. Roosevelt. Seg-sáb 10h-19h. MAPA PP. 48-9, MAPA DE BOLSO C6

Nascida em 1883, Gabrielle "Coco" Chanel concebeu um estilo de vida caracterizado por elegância, classe e gosto refinado. Suas criações mais famosas são o lendário perfume Chanel Nº 5, o vestido de noite preto e o clássico tailleur de tweed.

## JEAN PAUL GAULTIER

44 av George V Ⓜ George V. Seg-sáb 10h30-19h. MAPA PP. 48-9, MAPA DE BOLSO C6

O irreverente estilista de Paris tem uma coleção à base de brim acessível para quem não tem de fugir dos paparazzi.

## LOUIS VUITTON

101 av des Champs-Élysées Ⓜ George V. Seg-sáb 10h-20h, dom 11h-19h. MAPA PP. 48-9, MAPA DE BOLSO C5

A elegante loja-conceito da

VITRINE DA LOUIS VUITTON

Louis Vuitton não vende apenas bolsas e malas de luxo, mas também abriga um espaço de arte contemporânea no sétimo andar, cujo acesso é pela própria loja ou virando a esquina na 60 rue de Bassano. Obras de arte, como uma parede com vídeo de Olafur Eliasson (que fez a instalação solar *The weather project* na Tate Modern em Londres), também estão presentes na loja.

## SÉPHORA

70 av des Champs-Élysées Ⓜ Franklin D. Roosevelt. Seg-sáb 10h-24h, dom 11h-24h. MAPA PP. 48-9, MAPA DE BOLSO C6

Este imenso empório de perfumes e cosméticos de todas as marcas imagináveis tem também uma linha de cosméticos bem femininos com a própria marca a preços razoáveis. Há muitos produtos disponíveis para teste e você pode ser maquiada de graça, além de outros mimos e consultas de beleza a cargo da equipe muito gentil de atendentes. A loja fica aberta até meia-noite, o que é ótimo se você sair à noite e se der conta de que está sem batom.

SALÃO DE CHÁ LADURÉE

# Cafés

### LADURÉE

75 av des Champs-Élysées Ⓜ George V. Diariam 7h30-23h30. MAPA PP. 48-9, MAPA DE BOLSO C6

Esta filial do salão de chá Ladurée na Champs-Élysées, com luxuosa decoração em dourado e verde, é perfeita para uma pausa nas compras. Sua fama é merecida pelos macaroons que derretem na boca e têm recheios divinos (um dos melhores é o de chocolate e groselha-preta) e pelos levíssimos merengues e mille-feuilles quase tão bons.

### MUSÉE JACQUEMART-ANDRÉ

158 bd Haussmann Ⓜ Miromesnil/St-Philippe-du-Roule. Diariam 11h45-17h30. MAPA PP. 48-9, MAPA DE BOLSO D5

O *salon de thé* mais suntuoso da cidade fica no esplêndido Musée Jacquemart-André. Os pés-direitos altos são decorados com afrescos de Tiepolo, e as paredes têm tapeçarias antigas. No verão você pode se sentar no encantador terraço localizado no pátio interno da mansão. O menu apresenta deliciosas saladas e quiches, e é obrigatório provar os bolos e doces refinados.

# Restaurantes

### MINI PALAIS

Av Winston Churchill Ⓜ Champs-Élysées-Clemenceau ⓣ 01.42.56.42.42. Diariam 10h-14h. MAPA PP. 48-9, MAPA DE BOLSO D6

Fazer uma refeição no salão do Grand Palais ou no terraço com colunas, do lado de fora, é um verdadeiro prazer. O menu mistura com sofisticação os clássicos franceses e pratos internacionais. Você também pode só petiscar e tomar um drinque no bar. Pratos por €15-35.

### LE RELAIS DE L'ENTRECÔTE

15 rue Marbeuf Ⓜ Franklin D. Roosevelt. Diariam 12h-14h30 e 19h-23h30; fecha em ago. MAPA PP. 48-9, MAPA DE BOLSO C6

Não se preocupe se o cardápio demorar para chegar, pois ele na verdade não existe. O único prato é steak frites, considerado o melhor de Paris e servido com um molho delicioso cujos ingredientes são um segredo mantido a sete chaves. A conta sai em torno de €25, incluindo uma salada. O lugar não faz reservas, então é preciso entrar na fila ou chegar cedo.

### LA TABLE DU LANCASTER

7 rue de Berri Ⓜ George V ⓣ 01.40.76.40.18. 12h-14h30 e 19h-22h30, fecha sáb almoço. MAPA PP. 48-9, MAPA DE BOLSO C5

Este restaurante elegante de haute cuisine no hotel-butique cinco-estrelas *Hospes Lancaster* é perfeito para um jantar intimista. O menu, com supervisão do chef Michel Troisgros, abrange vários temas, mas os pratos se caracterizam pelos ingredientes exóticos (como bacalhau com arroz koshihikari). No verão, jante no jardim japonês. Almoço (seg-sex) €56; jantar a partir de €115.

### TAILLEVENT

15 rue Lamennais Ⓜ George V Ⓣ 01.44.95.15.01. Seg-sex 12h15-14h30 e 19h15-23h30; fecha em ago. MAPA PP. 48-9, MAPA DE BOLSO C5

A cozinha de influência provençal e ênfase no estilo clássico de Alain Solivérés é notável. Uma boa entrada é o risoto de espelta com pernas de rã. O salão principal, com painéis de madeira e palheta cromática de cinza e verde, cria um ambiente relaxante, e os garçons o tratam como um rei. Exceto pelo menu fixo de almoço por €82, a conta sai por €125-200 por pessoa, fora o vinho.

## Bares

### COSTES

*Hôtel Costes*, 239 rue St-Honoré Ⓜ Concorde/Tuileries. Diariam até 2h. MAPA PP. 48-9, MAPA DE BOLSO A13

Reduto de fashionistas e celebridades, este é um lugar glamouroso para um aperitivo ou uma noitada. A decoração do século XIX inclui veludo vermelho e colunas. Drinques em torno de €20.

### PERSHING LOUNGE

Pershing Hall, 49 rue Pierre Charron Ⓜ George V. Diariam 18h-2h. MAPA PP. 48-9, MAPA DE BOLSO C6

O bar de hotel *Pershing Hall* é um retiro encantador da agitação urbana, com um jardim vertical de 30m de altura. Como atrai a alta sociedade, os drinques são bem caros.

### SIR WINSTON

5 rue du Presbourg Ⓜ Kléber/Charles-de-Gaulle-Etoile. Diariam 9h-2h (qui-sáb 4h). MAPA PP. 48-9, MAPA DE BOLSO B5

Bar e restaurante de tema indo-britânico, com sofás de couro confortáveis e nichos aconchegantes perfeitos para desfrutar um martíni (€10). À noite os DJs tocam world music.

## Casas noturnas

### L'ARC

12 rue du Presbourg Ⓜ Charles-de-Gaulle-Etoile Ⓦ www.larc-paris.com. Restaurante: seg-sex 12h-14h, sáb 19h-23h; casa noturna: qui-sáb 23h30-5h. MAPA PP. 48-9, MAPA DE BOLSO B5

Com uma entrada triunfante na cena noturna da Champs-Élysées, este elegante restaurante e casa noturna tornou-se rapidamente um dos favoritos entre os parisienses glamourosos. Depois de jantar no restaurante, desça para a casa noturna em estilo anos 1960, iluminada por néons.

### SHOWCASE

Sob a Pont Alexandre III Ⓜ Champs-Élysées-Clemenceau Ⓣ 01.45.61.25.43, Ⓦ www.showcase.fr. Sex e sáb 22h-amanhecer, dom 23h-3h. MAPA PP. 48-9, MAPA DE BOLSO D7

Voltado para o rio, este superclube elegante comporta 1.500 pessoas e atrai uma clientela divertida. A música eletrônica, sobretudo tecno, predomina, com Chloe de Paris regularmente como DJ. Vista-se bem para ir lá, ou inscreva-se on-line. A entrada custa até €20.

PERSHING LOUNGE

# Torre Eiffel e arredores

O trecho do 7º arrondissement entre o leste da Torre Eiffel e St-Germain tem pouco em comum com o restante da Rive Gauche. Quase não há bares chiques e boêmios e predominam mansões e monumentos públicos. Apequenado pela grandeza da torre, que lança seu feitiço atemporal, o distrito abriga dois grandes edifícios militares, a École Militaire e o Hôtel des Invalides. Em uma escala mais humana há o interessante museu de artes asiáticas, o Musée du Quai Branly, e o intimista Musée Rodin. Do outro lado do rio, a faixa do 16º arrondissement que acompanha o Sena também tem um ar monumental e alguns museus – com destaque para o Site de Création Contemporaine, o Musée Guimet e a Cité de l'Architecture – onde se realizam algumas das exposições mais concorridas da cidade.

### TORRE EIFFEL

RER Champ de Mars-Tour Eiffel
www.tour-eiffel.fr. Diariam: meados de jun a ago 9h-0h45; set a meados de jun 9h30-23h; última entrada 45min antes do encerramento. Elevador: último andar €13,40; segundo andar €8,20 ou €4,70 de escada; escadas e elevador para o último andar €9,90 (acesso ao último andar somente por elevador; fecha 18h set--meados jun). MAPA PP. 56-7, MAPA DE BOLSO B8

É difícil acreditar que a Torre Eiffel, símbolo máximo de Paris e do brilhantismo da engenharia industrial, foi projetada como uma estrutura temporária para a Exposition Universelle de 1889. Ao ser concluída, a torre de 300m era o edifício mais alto do mundo. Críticos indignados protestaram contra essa "encardida chaminé de fábrica", embora o próprio Eiffel a julgasse bela pela própria eficiência estrutural: "A um certo grau", ele escreveu, "a torre era formada meramente pelo vento".

BASE DA TORRE EIFFEL

PALAIS DE CHAILLOT VISTO DA TORRE EIFFEL



A menos que você chegue antes da abertura ou que o clima esteja ruim, é preciso entrar na fila na base para subir de elevador pelos andares, bem como para descer. Mas esse incômodo vale totalmente a pena não só pela vista como pela emoção de estar dentro da estrutura. A vista geralmente é mais clara no segundo andar, mas é irresistível ir de elevador até o topo. De tom marrom acinzentado de dia, à noite a torre fica espetacular, um farol urbano iluminado por um holofote duplo. Nos primeiros dez minutos de cada hora milhares de luzes efervescentes atingem a estrutura, definindo a famosa silhueta de tonalidade champanhe luminescente.

## PALAIS DE CHAILLOT

Ⓜ Trocadéro. MAPA PP. 56-7, MAPA DE BOLSO A7

Por trás do parque e fontes elaborados, os arcos amplos do Palais de Chaillot parecem desenhados para abranger a vista da Torre Eiffel, que fica na extremidade do rio. A arquitetura clássico-modernista totalitária do palácio é datada de 1937, quando ele foi construído como a grande atração da Exposition Universelle, uma das feiras regulares de comércio e cultura de Paris. O terraço central entre as duas alas do palácio serve de plataforma para tirar fotos e atrai vendedores de curiosidades e skatistas.

## CITÉ DE L'ARCHITECTURE ET DU PATRIMOINE

Palais de Chaillot, 1 place du Trocadéro Ⓜ Trocadéro Ⓣ 01.58.51.52.00, Ⓦ www.citechaillot.fr. Seg, qua e sex-dom 11h-19h, qui 11h-21h; €8. MAPA PP. 56-7, MAPA DE BOLSO A7-B7

A Cité de l'Architecture et du Patrimoine, na ala leste do Palais de Chaillot, é um ótimo museu de arquitetura. No piso térreo abobadado, a Galerie des Moulages exibe moldes gigantescos de gesso tirados de importantes edifícios franceses do final do século XIX. Perfeitos a ponto de parecer construções reais, eles ilustram vividamente o desenvolvimento da arquitetura nacional (sobretudo de igrejas) desde a Idade Média até o século XIX. O último andar fornece um panorama elegante do moderno e contemporâneo, incluindo a reconstrução de um apartamento na Cité Radieuse, projetado por Le Corbusier, em Marseille. A Galerie des Peintures Murales, com cópias exuberantes em escala natural de grandes afrescos franceses, ocupa os andares superiores.

## MUSÉE NATIONAL DE LA MARINE

Palais de Chaillot, place du Trocadéro Ⓜ Trocadéro ⓣ 01.53.65.69.69, ⓦ www.musee-marine.fr. Seg e qua-sex 11h-18h, sáb e dom 11h-19h. €7, €9 incluindo exposições temporárias. MAPA PP. 56-7, MAPA DE BOLSO A7

Embora seus modelos em grande escala de navios franceses, desde antigas galés e barcaças imperiais de Napoleão até submarinos nucleares, sejam de fato impressionantes, a maioria das exposições neste museu especializado é enfadonha. Para quem tem interesse especial por alguma das exposições temporárias, sempre ligadas à navegação, vale a pena uma visita. O museu também mostra o troféu original Júlio Verne, concedido à volta ao mundo por mar sem escala – um casco de vidro suspenso por ímãs dentro de uma caixa.

## CINÉAQUA

Jardins du Trocadéro Ⓜ Trocadéro ⓣ 01.40.69.23.01, ⓦ www.cineaqua.com. Diariam 10h-19h. €19.90, 3-12 anos €12.90, 13-17 anos €15.50. MAPA PP. 56-7, MAPA DE BOLSO B7

Uma entrada misteriosa que parece uma gruta escondida nos Jardins du Trocadéro o leva até este bizarro espaço subterrâneo que tem um aquário e um avançado complexo multimídia. Por incrível que pareça, a combinação inusitada de oficinas de animação, tanques modernissimos, um museu sobre cinema, projeções de filmes clássicos e até um restaurante japonês funciona muito bem. Apesar do lugar ser mais voltado a francófonos, a maioria das crianças que gosta de desenhos animados o adora.

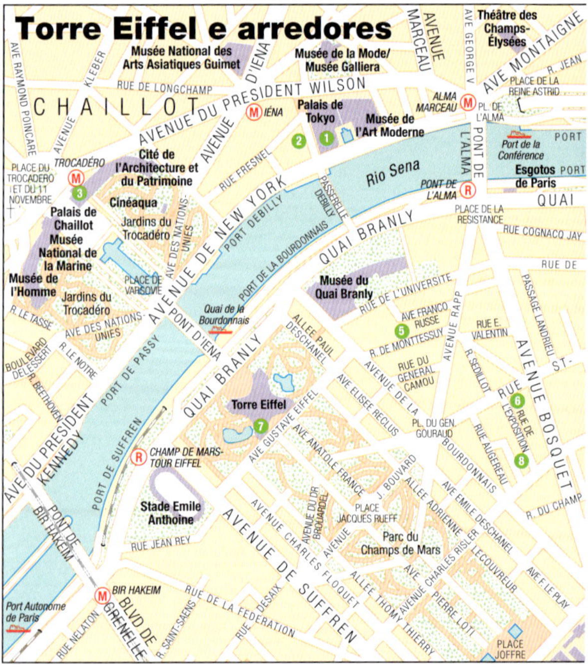

MUSÉE GUIMET

## MUSÉE GUIMET

6 place d'Iéna Ⓜ Iéna Ⓣ 01.56.52.53.00, Ⓦ www.guimet.fr. Diariam, exceto ter, 10h-18h; €7,50, €8 para exposições temporárias.

MAPA PP. 56-7, MAPA DE BOLSO B7

O Musée National des Arts Asiatiques-Guimet reúne peças deslumbrantes de arte asiática, com destaque para a vertente budista. Quatro andares sustentam o peso de estátuas de Budas e deuses expostas criativamente, e um pátio coberto é usado pelo museu para mostrar sua mundialmente renomada coleção de esculturas do Camboja. No primeiro andar, as estátuas budistas da civilização gandhara revelam uma ligação fascinante com a escultura grega, ao passo que os demônios do Nepal, os deuses dourados de muitos braços do sul da Índia e os Budas barrigudos da China são fabulosos. Um dos itens mais simples e tocantes é um peixe de vidro soprado há dois milênios no Afeganistão.

A rotunda, localizada no terceiro andar, foi usada pelo fundador, Emile Guimet, para a primeira cerimônia budista realizada na França. Sua coleção original, trazida da Ásia em 1876, está exposta nas Galeries du Panthéon Bouddhique, na 19 avenue d'Iéna (mesmo horário e ingresso do museu).

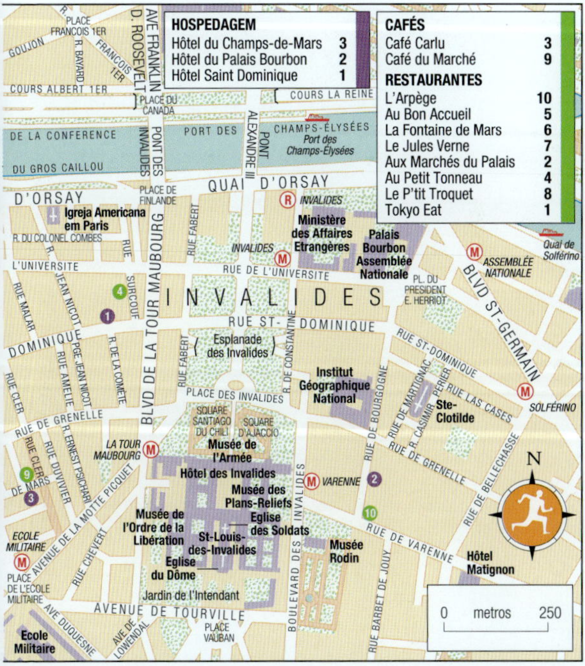

## MUSÉE DE LA MODE DE LA VILLE DE PARIS

Palais Galliera, 10 av Pierre 1er de Serbie
Ⓜ Iéna/Alma-Marceau Ⓣ 01.56.52.86.00,
Ⓦ www.galliera.paris.fr. Ter-dom 10h-18h.
€7. MAPA PP. 56-7, MAPA DE BOLSO B7

Atrás do Palais de Tokyo, o grandioso Palais Galliera – majestoso prédio neoclássico – é a sede do Musée de la Mode, que faz um rodízio de sua magnífica coleção de roupas e acessórios desde o século XVIII até o presente em algumas apresentações temáticas por ano. Não há exposição permanente, somente mostras temporárias. Portanto, é recomendável verificar a programação antes de visitar o museu.

## MUSÉE D'ART MODERNE DE LA VILLE DE PARIS

Palais de Tokyo, 13 av du Président Wilson
Ⓜ Iéna/Alma-Marceau Ⓣ 01.53.67.40.00,
Ⓦ www.mam.paris.fr. Ter-dom 10h-18h; durante exposições também qui 10h-22h. Acervo permanente grátis; mostras temporárias €5-11.
MAPA PP. 56-7, MAPA DE BOLSO B7

O Palais de Tokyo é um agradável espaço branco de cunho mais contemplativo, que serve de cenário para a coleção de arte moderna municipal. Artistas baseados em Paris, como Braque, Chagall, Delaunay, Derain, Léger e Picasso, estão bem representados na forte coleção do início do século XX, e muitas obras têm temas parisienses. As enormes peças centrais são duas versões de *A dança*, de Matisse, e o mural *A fada eletricidade*, de Dufy, encomendado pela concessionária de energia, que ocupa uma sala curva com 250 painéis líricos que narram a história da eletricidade desde Aristóteles até os anos 1930. As exposições temporárias são realizadas no piso térreo.

## SITE DE CRÉATION CONTEMPORAINE

Palais de Tokyo, 13 av du Président Wilson
Ⓜ Iéna/Alma-Marceau Ⓣ 01.47.23.54.01,
Ⓦ www.palaisdetokyo.com. Ter-dom 12h-24h
€6. MAPA PP. 56-7, MAPA DE BOLSO B7

A ala oeste do Palais de Tokyo abriga o Site de Création Contemporaine, uma galeria ousada cujo espaço brutalista enfoca apenas arte conceitual e de vanguarda. Um fluxo renovado de exposições e eventos – desde uma mostra da parisiense Louise Bourgeois até uma "ocupação" temporária de artistas que lá acampam – mantém a atmosfera animada e com um viés evidente de contracultura. Artistas e estudantes de arte pagam apenas €1 para entrar.

SITE DE CRÉATION CONTEMPORAINE

## PLACE DE L'ALMA

Ⓜ Alma-Marceau. MAPA PP. 56-7, MAPA DE BOLSO C7

Da maioria dos ângulos, a place de l'Alma parece apenas um agitado cruzamento parisiense, com carros sacudindo sobre o calçamento de pedras e uma entrada de metrô na calçada. Em um canto da praça, porém, há uma réplica da tocha da Estátua da Liberdade, que foi dada à França em 1987 como símbolo das relações franco-americanas.

Essa tocha dourada foi adotada por pessoas de luto no mundo inteiro como um memorial à princesa Diana, que morreu no túnel da praça em 1997.

## ESGOTOS

Place de la Résistance, RER Pont de l'Alma/ Ⓜ Place d'Iéna Ⓣ 01.53.68.27.81. Sáb-qua: mai-set 11h-17h; out-abr 11h-16h. €4,30. MAPA PP. 56-7, MAPA DE BOLSO C7

Defronte à Pont de l'Alma no lado nordeste do agitado cruzamento da place de la Résistance, fica a entrada de uma das atrações mais inusitadas de Paris – uma pequena parte dos esgotos subterrâneos, ou *les égouts*. O local é escuro, úmido e ouve-se o ruído da água jorrando; a exposição principal acompanha uma passarela suspensa acima de um esgoto. As fotografias, lanternas, ferramentas especializadas e outros objetos antigos tornam a história do fornecimento de água e dos esgotos muito interessante. Como o ar por aqui tem um odor desagradável, pessoas mais sensíveis são desestimuladas a vir.

## RUE CLER E ENTORNO

Ⓜ La Tour-Maubourg. MAPA PP. 56-7, MAPA DE BOLSO C8

Um pouco mais acima, a **Igreja Americana** no cais d'Orsay, junto com o American College por perto, na 31 avenue Bosquet, é um ponto de apoio

LANTERNAS EXPOSTAS NOS ESGOTOS

para a grande comunidade americana que vive em Paris. Seu quadro de avisos fica repleto de ofertas e pedidos de emprego e hospedagem. Logo ao sul, e em um forte contraste com a austeridade de grande parte do bairro, há uma faixa pitoresca de ruas do início do século XIX entre a avenue Bosquet e os Invalides. A principal é a **rue Cler**, cujas lojas de alimentos funcionam como uma espécie de mercado permanente. As ruas transversais, a rue de Grenelle e a rue St-Dominique, são repletas de lojas de bairro, bistrôs chiques e pequenos hotéis.

## PARC DU CHAMPS DE MARS

Ⓜ École Militaire. MAPA PP. 56-7, MAPA DE BOLSO B8-C9

No caminho de volta da Torre Eiffel, avistam-se os jardins longos, retangulares e apinhados de turistas do **Champs de Mars**. Na sequência, a **École Militaire**, do século XVIII, foi fundada em 1751 por Luís XV para o treinamento de oficiais militares oriundos da aristocracia, tendo sido frequentada por Napoleão e outros líderes do país.

## MUSÉE DU QUAI BRANLY

37 Quai Branly Ⓜ Iéna/RER Pont de l'Alma Ⓣ 01.56.61.71.72, Ⓦ www.quaibranly.fr. Ter, qua e dom 11h-19h, qui-sáb 11h-21h. €8,50, €10 incluindo mostras temporárias. MAPA PP. 56-7, MAPA DE BOLSO B7-8

No cais Branly e a curta distância da Torre Eiffel, o intrigante Musée du Quai Branly foi projetado por Jean Nouvel, o arquiteto favorito do Estado francês. Reunindo centenas de milhares de objetos não europeus comprados ou pilhados pela França ao longo dos séculos, o museu foi ideia do presidente Chirac, cuja paixão pelo que chamava de *arts primitifs* ajudou a angariar fundos. O elaborado projeto de Nouvel, que funde a estrutura e seu entorno, se desfralda em uma longa curva vitrificada, pontuada por cubos coloridos, no meio de um enorme jardim. No interior, áreas dedicadas à Ásia, à África, às Américas e ao Pacífico ("Oceania") serpenteiam por salas com pouca luz e paredes curvas de "barro" feitas de couro marrom. Os 3.500 artefatos à mostra simultaneamente – bonecas kachina dos índios hopi, antigos elmos com penas havaianos – são tão belos quanto fascinantes, embora o museu peque por uma distribuição confusa das peças. Os objetos são expostos – e facilmente vistos – como obras de arte, mas fica uma sensação de que, acima de tudo, há uma ênfase em sua "estranheza" exótica. Fica evidente a falta de uma diretriz adequada, pois o museu se apoia em uma visão antropológica ultrapassada usando painéis com textos (muitas vezes mal traduzidos) que denotam um viés cultural com tom arrogante.

## HÔTEL DES INVALIDES

Ⓜ Varenne/La Tour-Maubourg Ⓦ www.invalides.org. MAPA PP. 56-7, MAPA DE BOLSO D8

É impossível não notar a fachada imponente do Hôtel des Invalides e sua resplandecente cúpula dourada. Apesar de sua aparência esmagadoramente grandiosa e palaciana, ele foi construído como asilo para soldados feridos no reino de Luís XIV – cujas guerras no exterior alimentavam constantemente o edifício de moradores. Há uma estátua equestre desse rei acima de um grande arco central. Hoje, o local tem duas igrejas – uma para os soldados e outra que servia de mausoléu para o rei, mas que agora abriga os restos mortais de Napoleão – e o Musée de l'Armée, um enorme museu

MUSÉE DU QUAI BRANLY

CÚPULA DO HÔTEL DES INVALIDES

militar nacional. As partes mais interessantes do museu estão descritas a seguir, porém o restante, dedicado à história do exército francês desde Luís XIV até os anos 1870, só interessa a fanáticos.

## MUSÉE DE L'ARMÉE

Hôtel des Invalides Ⓜ La Tour-Maubourg/ Varenne Ⓣ 01.44.42.38.77, Ⓦ www.invalides.org. Diariam: abr-set 10h-18h; out-mar 10h-17h; out-jun fecha primeira seg de cada mês. €9 válido também para o túmulo de Napoleão. MAPA PP. 56-7, MAPA DE BOLSO D8

A galeria de maior interesse do vasto Musée de l'Armée cobre as duas guerras mundiais, começando com a anexação da Alsácia e da Lorena pela Prússia, em 1871, e terminando com a derrota do Terceiro Reich. As batalhas, a resistência e a lenta libertação são documentadas através de peças dispostas de forma criativa, combinadas com imagens de noticiários contemporâneos, a maioria dos quais tem opção de áudio em inglês. Os artefatos mais simples – uma boneca em farrapos encontrada em um campo de batalha, moldes em gesso de rostos mutilados, um sobretudo enlameado das trincheiras – causam emoção, enquanto um filme mudo sobre a Batalha do Somme e um bombardeio sobre uma cidadezinha francesa é projetado nas paredes nuas. Também vale a pena ver a coleção de armaduras medievais e renascentistas na ala oeste do pátio real. Nos destaques podemos apreciar trajes italianos adornados originários do século XVII e duas câmaras sombrias com refinadas armas chinesas e japonesas.

## MUSÉE DES PLANS-RELIEFS

Mesmo horário e ingresso do Musée de l'Armée. MAPA PP. 56-7, MAPA DE BOLSO D8

Na ala leste, o Musée des Plans-Reliefs mostra uma coleção extraordinária de maquetes ampliadas de portos e cidades fortificadas franceses. Basicamente enormes mapas tridimensionais, elas foram criadas nos séculos XVII e XVIII para planejar defesas e potenciais posições de artilharia. O brilho verde fantasmagórico de suas paisagens mal ilumina o longo sótão que parece um túnel, o que causa até calafrios.

## EGLISE DES SOLDATS

Entrada pelo pátio principal de Les Invalides. Mesmo horário do Musée de l'Armée. Grátis. MAPA PP. 56-7, MAPA DE BOLSO D8

A "Igreja dos Soldados", lar espiritual do exército francês, tem uma simplicidade altiva que contrasta com a elaborada Eglise du Dôme, que fica do outro lado de uma parede divisória de vidro – uma inovação que permite que os fiéis partilhem o mesmo altar-mor sem ter de fazer contato social. As paredes exibem em torno de cem estandartes inimigos capturados em batalhas, parte de uma coleção de 3 mil que antes adornava a Catedral de Notre-Dame.

TÚMULO DE NAPOLEÃO

## EGLISE DU DÔME

Entrada pelo lado sul de Les Invalides. Mesmo horário e ingresso do Musée de l'Armée. MAPA PP. 56-7, MAPA DE BOLSO D8

Alguns acham a Eglise du Dôme, ou "igreja real", gloriosamente suntuosa e outros a consideram arrogante. Um exemplo perfeito da pomposidade arquitetônica da época de Luís XIV, com afrescos grandiosos e uma profusão de colunas e pilastras coríntias, a igreja é um monumento a Napoleão.

## TÚMULO DE NAPOLEÃO

Eglise du Dôme. Mesmo horário e ingresso do Musée de l'Armée. MAPA PP. 56-7, MAPA DE BOLSO D8

Em 14 de dezembro de 1840, Napoleão finalmente pôde repousar na cripta da Eglise du Dôme. Trazidos de Santa Helena vinte anos após sua morte, seus despojos foram levados pelas ruas desde o então recém-concluído Arco do Triunfo até os Invalides. Meio milhão de pessoas assistiu à última jornada do imperador, e Victor Hugo comentou que "parecia que Paris inteira fora despejada em um lado da cidade, como líquido vertido de um jarro que foi inclinado". Napoleão está em um imenso sarcófago de pórfiro vermelho cercado por citações napoleônicas de teor desconcertante, porém bem realista, ofuscando as tumbas próximas de dois de seus irmãos e também a de seu filho, o rei de Roma, cujo corpo foi trazido para cá por ordem de Hitler em 1940. Na capela no andar de cima está o marechal Foch, comandante supremo das Forças Aliadas na Primeira Guerra Mundial.

## MUSÉE RODIN

79 rue de Varenne Ⓜ Varenne
Ⓣ 01.44.18.61.10, Ⓦ www.musee-rodin.fr.
Ter-dom 10h-17h45, jardim fecha às 18h (mar-set), 17h (out-mar). Casa e jardins €7; só jardim €1. MAPA PP. 56-7, MAPA DE BOLSO D8

Cenário extremamente elegante do Musée Rodin, esta mansão do século XVIII foi arrendada pelo Estado para o escultor como contrapartida da doação de toda a sua obra após sua morte. Versões em bronze de projetos como *Os burgueses de Calais*, *O pensador*, *Porta do inferno* e *Ugolino* estão expostas nos grandes jardins – sendo a última a peça central do lago ornamental.

No interior, a energia vigorosa das esculturas contrasta com o revestimento gasto de madeira das *boisieries* e os espelhos e lustres manchados. Há sempre muitos visitantes ansiosos para ver obras famosas como *A mão de Deus* e o sutilmente erótico *O beijo*, que foi criado para retratar Paolo e Francesca da Rimini, da *Divina comédia,* de Dante, pouco antes de serem descobertos e mortos pelo marido da moça. Certa vez, Rodin se referiu desdenhosamente a essa obra como "uma grande bugiganga esculpida segundo a fórmula usual"; a crítica de arte atual, porém, a considera a última obra-prima da escultura figurativa antes da reinvenção de todas as formas de arte – em grande parte pelo próprio Rodin. *O beijo* em Paris é uma das quatro versões em mármore da obra, mas centenas de bronzes menores foram transformados em um negócio rendoso.

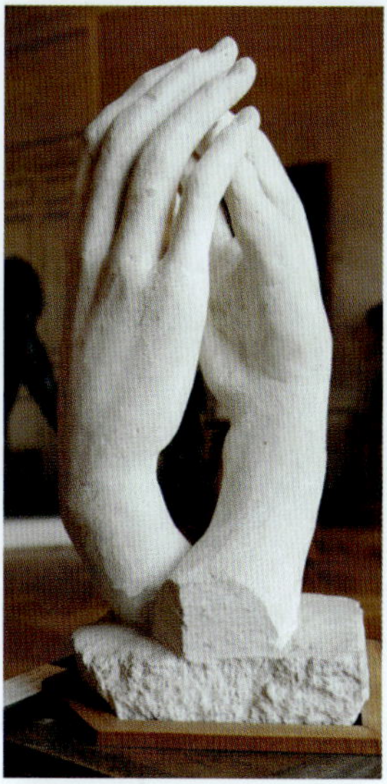

ESCULTURA NO MUSÉE RODIN

Vale a pena observar no museu as obras de argila impressionistas, pequenos estudos que Rodin fazia inspirado no cotidiano. De fato, a maioria das obras aqui é de argila ou gesso, as quais são consideradas as melhores realizações de Rodin. Após concluir seu aprendizado, ele raramente usava o cinzel, adotando a prática comum no século XIX de delegar a assistentes a tarefa de desbastar as versões em pedra e bronze. Assim, ele retomava muitas vezes seus moldes de gesso, modificando-os, refinando-os e, às vezes, deixando-os propositalmente "inacabados".

ESTÁTUA NO PÁTIO DO MUSÉE RODIN

É obrigatório visitar a sala dedicada a Camille Claudel, pupila, modelo e amante de Rodin. Entre suas obras está a alegórica *A idade madura*, que remete à dor de ser rejeitada por Rodin, além de um busto do artista. Claudel tinha tamanha percepção sobre o mestre que o próprio Rodin considerava esse busto seu autorretrato.

# Cafés

## CAFÉ CARLU

Palais de Chaillot, 1 place du Trocadéro Ⓜ Trocadéro. Seg, qua e sex-dom 11h-19h, qui 11h-21h. MAPA PP. 56-7, MAPA DE BOLSO A7

Vale a pena pagar os preços meio altos neste moderno café situado no museu para se sentar no terraço ao ar livre e apreciar a vista fenomenal da Torre Eiffel. Dá vontade de passar o dia aqui beliscando um lanche leve e tomando um café ou suco.

## CAFÉ DU MARCHÉ

38 rue Cler Ⓜ La-Tour-Maubourg. Seg-sáb 7h-24h, dom 7h-16h. MAPA PP. 56-7, MAPA DE BOLSO C8

Café e brasserie agitado no mercado da rue Cler, serve refeições a preços razoáveis, com saladas fartas (€9,50) e saudáveis *plats du jour* por €11. Há mesas ao ar livre e um terraço coberto no inverno.

# Restaurantes

## L'ARPÈGE

84 rue de Varenne Ⓜ Varenne ⓣ 01.47.05.09.06. Seg-sex 12h-14h30 e 19h30-22h30. MAPA PP. 56-7, MAPA DE BOLSO E8

O chef Alain Passard dá destaque aos legumes neste restaurante estrelado pelo Michelin – nabos grelhados com castanhas e beterraba assada com crosta de sal são divinos –, mas há também outros tipos de pratos. O menu de almoço custa €130 e o incrível *menu dégustation* passa de €350. Reserve com alguma antecedência e vista-se bem.

## AU BON ACCUEIL

14 rue de Monttessuy Ⓜ Duroc/Vaneau ⓣ 01.47.05.46.11. Seg-sex 12h-14h30 e 19h-22h30. MAPA PP. 56-7, MAPA DE BOLSO C8

Praticamente à sombra da Torre Eiffel, este badalado bistrô de vinhos oferece pratos elaborados, como a salada de pitus e limoneto, e fígado de vitela com purê de alcachofra-de-jerusalém. Há poucas mesas ao ar livre. A refeição sai por volta de €50, incluindo o vinho.

## LA FONTAINE DE MARS

129 rue Saint-Dominique Ⓜ La Tour-Maubourg ⓣ 01.47.05.46.44. Diariam 12h-15h e 19h30-23h. MAPA PP. 56-7, MAPA DE BOLSO C8

Toalhas xadrez de tom rosa, banquetas de couro, piso azulejado, mesas externas e atendimento atencioso: isso é o melhor da França, conforme a família Obama comprovou. A cozinha é do sudoeste francês, com escargot, magret de canard e morcelas boudin. Entradas a €10-15 e *plat du jour* por cerca de €20.

## LE JULES VERNE

Torre Eiffel Ⓜ Bir-Hakeim ⓣ 01.45.55.61.44. Diariam 12h-14h e 19h-22h. MAPA PP. 56-7, MAPA DE BOLSO B8

Tanto a comida quanto o restaurante são de alto nível: o

L'ARPÈGE

novo endereço gastronômico de Alain Ducasse fica a 125m de altura na Torre Eiffel. O jantar (€200) é o máximo, e o almoço em dias de semana custa €85. Faça reserva.

### AUX MARÉS DU PALAIS

5 rue de la Manutention Ⓜ Iéna/Alma-Marceau Ⓣ 01.47.23.52.80. Diariam 12h-14h30 e 19h30-22h30. Fecha 2 semanas em ago.
MAPA PP. 56-7, MAPA DE BOLSO B7

Uma boa opção para almoço, este bistrô tradicional tem mesas na calçada defronte à parede lateral do Palais de Tokyo e um menu de pratos substanciosos tipicamente franceses. Dá para comer muito bem por cerca de €35.

### AU PETIT TONNEAU

20 rue Surcouf Ⓜ Invalides Ⓣ 01.47.53.05.59. Qua-dom 12h-15h e 19h-23h30. Fecha em ago.
MAPA PP. 56-7, MAPA DE BOLSO D7

Madame Boyer comanda este simpático restaurante em estilo bistrô servindo deliciosa cozinha francesa. Há especialidades como cogumelos selvagens e tarte tatin. Os preços são à la carte: entradas abaixo de €10 e principais por €15-20.

### LE P'TIT TROQUET

28 rue de l'Exposition Ⓜ Ecole Militaire Ⓣ 01.47.05.80.39. Ter-sex 12h-14h30 e 18h30-22h30, 18h30-22h30. MAPA PP. 56-7, MAPA DE BOLSO C8

Este minúsculo restaurante familiar de ar nostálgico tem mesas de mármore, piso azulejado e um balcão de zinco. Servindo cozinha refinada aos diplomatas do *quartier*, o menu criterioso muda sazonalmente; em um *menu du maré* (€33) no verão, por exemplo, pode haver tabule com ervas, grapefruit e pitus, seguido de coelho com mostarda.

ALMOÇO NO TOKYO EAT

### TOKYO EAT

Site de Création Contemporaine, Palais de Tokyo Ⓜ Iéna/Alma-Marceau Ⓣ 01.47.20.00.29. Ter-sáb 12h-15h e 20h-23h30, dom 12h-17h30 e 20h-22h30.
MAPA PP. 56-7, MAPA DE BOLSO B7

O restaurante dentro dessa ousada galeria é assumidamente contemporâneo, com cadeiras de espaldar em curva, cores primárias, iluminação de boate e formas contrastantes. A comida mediterrânea moderna e a fusion asiática – a exemplo de costeletas de cordeiro com moyashi e confit de berinjela – é razoável, com uma *formule* no almoço por €20 e principais a partir de €18, mas a questão aqui é mais ver e ser visto do que saborear uma refeição intimista. No térreo, a lanchonete *Tokyo Self* (mesmo horário do museu) é boa para um drinque rápido ou uma salada criativa.

# Grands Boulevards e passages

Construídos nos velhos muros da cidade, os Grands Boulevards são oito ruas amplas que formam um longo arco a partir da Eglise de la Madeleine no sentido leste. No século XIX, os bulevares, com seus cafés na moda, teatro de rua e shows de marionetes, congregavam a "Paris vivant". Como legado desse período, ainda há muitos cafés, brasseries, teatros e cinemas (com destaque para os esplêndidos cinemas art déco Le Grand Rex e Max Linder; ver p. 184). Ao sul dos Grands Boulevards fica o principal distrito comercial e financeiro da cidade, enquanto logo ao norte, além da cintilante Opéra Garnier, estão as grandes lojas de departamentos Galeries Lafayette e Printemps. O consumo de alto luxo se concentra na rue St-Honoré no oeste e nas ruas com grandes estilistas, joalherias e negociantes de arte em torno da aristocrática place Vendôme. Espalhadas por toda a área, as encantadoras *passages* são galerias do século XIX que evocam o prazer de ir às compras em uma época distante.

OPÉRA GARNIER

BUTIQUE CARTIER NA PLACE VENDÔME

## MUSÉE GRÉVIN

Bd Montmartre Ⓜ Grands-Boulevards. Seg-sex 10h-18h30, sáb e dom 10h-19h. €21,50, crianças €14. MAPA PP. 68-9, MAPA DE BOLSO G5

Remanescentes da época de ouro dos Grands Boulevards, as estátuas de cera no Musée Grévin retratam principalmente personalidades francesas e o time usual de atores de Hollywood. A melhor coisa do museu são as salas originais: o mágico Palais des Mirages (Palácio das Miragens), construído para a Exposition Universelle em 1900; o teatro com esculturas de Bourdelle; e a Sala das Colunas de 1882 em estilo barroco.

## OPÉRA GARNIER

Ⓜ Opéra. Diariam 10h-16h30. €9; ver p. 77 para reservas. MAPA PP. 68-9, MAPA DE BOLSO F5

Construída por Charles Garnier para Napoleão III, a Opéra Garnier sintetiza bem o Segundo Império, ostentando riqueza com um toque de vulgaridade. A fachada do teatro é uma mistura de mármore branco, rosa e verde, colunatas, cavalos rampantes e reluzentes bustos dourados. Igualmente opulento, o interior abriga amplos saguões espelhados e mármore com douraduras. O auditório exibe veludo vermelho, muito dourado e um lustre de seis toneladas; o teto pintado por Chagall em 1964 tem cenas de conhecidas óperas e balés mescladas com marcos parisienses. Quando não há ensaios, a melhor opção para visitar o interior e o auditório é entre 13h e 14h.

## PLACE VENDÔME

Ⓜ Opéra. MAPA PP. 68-9, MAPA DE BOLSO A13

Projetada pelo arquiteto de Versailles Hardouin-Mansart, a place Vendôme é um dos locais mais impressionantes da cidade. Agradavelmente simétrica e com oito faces, a praça é cercada por um conjunto harmonioso de mansões elegantes adornadas com pilastras coríntias e telhados inclinados. Outrora moradia de arrecadadores de impostos e financistas, hoje elas abrigam estabelecimentos de luxo como o hotel Ritz, a Cartier, a Bulgari e outras joalherias de alto padrão, o que dá um ar de exclusividade à praça. O nº 12, endereço da joalheria Chaumet, é onde Chopin morreu em 1849.

Quebrando a proporção da praça, sua peça central é uma alta coluna triunfal encimada por uma estátua de Napoleão vestido como César. Erguida em 1806 em honra da batalha de Austerlitz, ela tem relevos em bronze de cenas da batalha em toda a sua extensão.

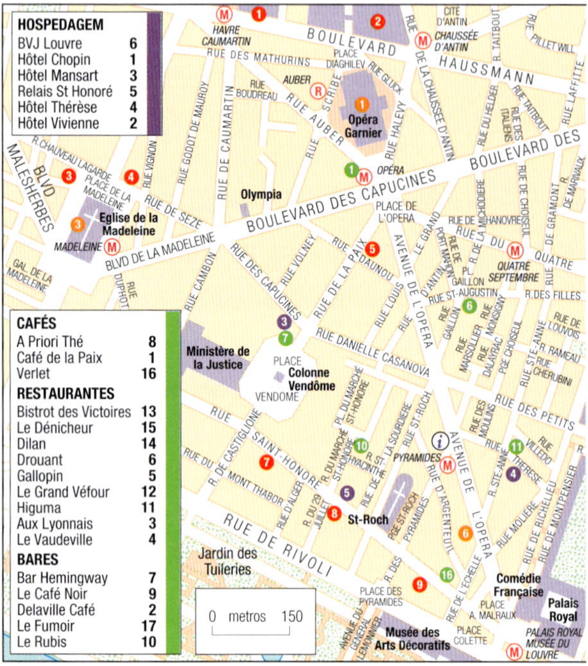


## EGLISE DE LA MADELEINE

Ⓜ Madeleine. Seg-sáb 7h30-19h, dom 8h-13h e 16h-19h. MAPA PP. 68-9, MAPA DE BOLSO E6

Projetada como um monumento ao exército de Napoleão, a imponente Eglise de la Madeleine foi inspirada no Parthenon e é cercada por colunas coríntias e um enorme frontão que representa o juízo final. No interior, a única nave é ampla, decorada com colunas jônicas e encimada por três cúpulas imensas – a única fonte de luz natural. Uma arrebatadora escultura de pedra de Madalena sendo levada para o céu por dois anjos atrai o olhar para o altar-mor, e acima há um semidomo com um afresco alusivo ao acordo de paz assinado pela Igreja e Napoleão e que pôs fim ao cisma após a Revolução.

## PLACE DE LA MADELEINE

Ⓜ Madeleine. Mercado de flores ter-sáb 8h-19h30. MAPA PP. 68-9, MAPA DE BOLSO E6

A place de la Madeleine sedia algumas das melhores delicatessens de Paris, como as conhecidas Fauchon e Hédiard (p. 72). No lado leste fica um dos mercados de flores mais antigos da cidade, datado de 1832. Vale a pena conferir os belos banheiros públicos art nouveau no entorno.

## RUE ST-HONORÉ

MAPA PP. 68-9, MAPA DE BOLSO A13-D15

A rue St-Honoré – sobretudo sua ponta oeste e o Faubourg St-Honoré – reúne lojas de estilistas e galerias de arte. Admire os belos lenços de seda na Hermès, no nº 24, ou junte-se a parisienses elegantes na loja-conceito de Colette, no nº 213 (p. 72).

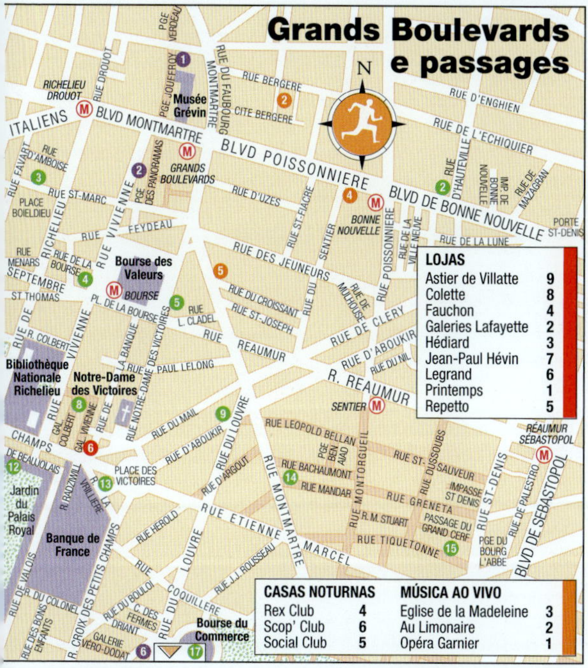


## PALAIS ROYAL

Ⓜ Palais Royal-Musée du Louvre. Jardins: diariam amanhecer-anoitecer. Grátis.

MAPA PP. 68-9, MAPA DE BOLSO B14-C14

O Palais Royal foi construído para o cardeal Richelieu em 1624, passou para as mãos da coroa com a sua morte e hoje há poucos traços do palácio original. O edifício atual, datado sobretudo do século XVIII, abriga vários órgãos governamentais e a Comédie Française, um velho templo do teatro clássico francês. Nos fundos, há jardins com fontes e alamedas de limeiras, limitadas por mansões imponentes do século XVIII erguidas sobre galerias com antiquários e lojas de estilistas. No passado, esses jardins e galerias tranquilos abrigavam casas de jogos, bordéis e parques de diversão, mas a proibição dos jogos de azar em 1838 acabou com a festa. Atualmente, o toque de extravagância é dado pelos pilares com listras pretas e brancas do artista contemporâneo Daniel Buren. Lembrando os rochedos de Brighton e com alturas variadas, eles pontuam o pátio principal defronte o palácio.

PALAIS ROYAL

## Passages

Concebidas por planejadores urbanos no início do século XIX para proteger os pedestres da lama e dos veículos puxados por cavalos, as *passages* eram elegantes galerias de lojas com teto de vidro. Relegadas ao ostracismo durante décadas, muitas foram reformadas e restauradas, recuperando sua antiga glória, e atualmente butiques chiques ficam lado a lado com comerciantes da velha guarda e negociantes de objetos usados. A maioria das galerias fecha à noite e aos domingos.

### GALERIE VÉRO-DODAT

Entre a rue Croix-des-Petits-Champs e a rue Jean-Jacques Rousseau Ⓜ Palais Royal-Musée du Louvre. MAPA PP. 68-9, MAPA DE BOLSO C14

Com pisos de cerâmica, teto decorado e fachadas de mogno divididas por colunas de mármore falso, a Galerie Véro-Dodat é uma das *passages* mais atraentes e homogêneas. Lojas elegantes dividem o espaço com velhos estabelecimentos, como o R.F. Charle no nº 17, que é especializado em conserto e venda de antigos instrumentos de corda.

GALERIE VIVIENNE

### GALERIE VIVIENNE

Liga a rue Vivienne com a rue des Petits-Champs Ⓜ Bourse. MAPA PP. 68-9, MAPA DE BOLSO C13-14

A decoração extravagante com motivos gregos e marinhos na charmosa Galerie Vivienne cria o ambiente perfeito para comprar roupas de Jean-Paul Gaultier, assim como para garimpar no sebo Librairie Jousseaume, sobrevivente dos primórdios da galeria.

### PASSAGE CHOISEUL

Liga a rue des Petits-Champs com a rue St Augustin Ⓜ Pyramides. MAPA PP. 68-9, MAPA DE BOLSO B13

Evocativamente descrita por Louis-Ferdinand Céline em seu autobiográfico *Morte a crédito*, a sombria e desmazelada galeria Choiseul tem lojas de comida para viagem, outlets de roupas, livrarias, bares, galerias de arte e a Lavrut, no nº 52, que vende materiais de ótima qualidade para artistas.

### PASSAGE DES PANORAMAS

Parte da rue Vivienne Ⓜ Grands-Boulevards. MAPA PP. 68-9, MAPA DE BOLSO G6

O conjunto de galerias conhecido como Passage des Panoramas é chique à moda antiga. Destacando-se entre as lojas de quinquilharias e vendedores de cartões-postais antigos, o restaurante *L'Arbre à Cannelle*, tem fantásticos painéis de madeira, e a velha tipografia Stern.

PASSAGE DU GRAND-CERF

## PASSAGES JOUFFROY E VERDEAU

Partem do bd Montmartre Ⓜ Grands--Boulevards. MAPA PP. 68-9, MAPA DE BOLSO G5

Defronte ao Boulevard Montmartre, a Passage Jouffroy é repleta de lojas nas quais as compras são mais uma aventura do que uma tarefa. A M&G Segas é especializada em bengalas e antiguidades excêntricas. Em frente há uma loja que tem tudo o que se possa imaginar para uma casa de bonecas. Perto do romântico *Hôtel Chopin* (p. 168), Paul Vulin espalha seus livros usados pela passagem e o Ciné-Doc atrai cinéfilos com sua coleção de pôsteres de filmes antigos. Atravessando a rue de la Grange-Batelière, você entra na encantadora Passage Verdeau, talvez a mais iluminada das galerias com cobertura de vidro, onde há sebos de livros e gravuras antigas.

## PASSAGE DU GRAND-CERF

Entre a rue St-Denis e a rue Dessoubs Ⓜ Etienne-Marcel. MAPA PP. 68-9, MAPA DE BOLSO D14-E14

A galeria de três andares da Passage du Grand-Cerf é a melhor de todas em termos de estilo. Com muito ferro batido, teto de vidro e fachadas de madeira que passaram por limpeza, reúne lojas de design contemporâneo, de joias e de comércio justo. Há sempre algo original à mostra na vitrine de Le Labo (nº 4), que vende luminárias e outros itens de iluminação feitos à base de materiais reciclados, ao passo que a As'Art, em frente, é um grande achado para artigos de casa e objetos da África.

## BIBLIOTHÈQUE NATIONALE RICHELIEU

58 rue de Richelieu Ⓜ Bourse Ⓦ www.bnf.fr. Exposições ter-sáb 10h-19h, dom 12h-19h; €7. Cabinet des Monnaies, Médailles et Antiques seg-sex 9h-18h, sáb 9h-17h; grátis. MAPA PP. 68-9, MAPA DE BOLSO C13

A Bibliothèque Nationale Richelieu, a oficial do Estado francês, é um edifício imenso que remonta aos anos 1660. Atualmente passa por uma reforma cuja conclusão estão programada para 2017. Partes da biblioteca permanecem abertas para exposições, mas é aconselhavel verificar no site as últimas informações. Veja a rica exposição de moedas e tesouros antigos no Cabinet des Monnaies, Médailles et Antiques. Não há restrição para entrar na biblioteca nem nas charmosas salas de leitura, embora muitos livros tenham sido transferidos para a Biblioteca François Mitterrand, no 13º arrondissement (p. 138).

# Lojas

Além das lojas a seguir, não deixe de ir às *passages*, um solo fértil para achar raridades e curiosidades.

INTERIOR DAS GALERIES LAFAYETTE

### ASTIER DE VILLATTE

173 rue St-Honoré Ⓜ Palais Royal. Seg-sáb 11h-19h30. MAPA PP. 68-9, MAPA DE BOLSO B14

Charmosa loja antiga com estantes de carvalho expondo jogos de jantar de cerâmica. As peças (a partir de €35) são ao mesmo tempo rústicas e elegantes, com vitrificação branca leitosa e acabamento levemente irregular.

### COLETTE

213 rue St-Honoré Ⓜ Tuileries. Seg-sáb 11h-19h. MAPA PP. 68-9, MAPA DE BOLSO A14

Jovens parisienses elegantes vêm garimpar as bolsas Anya Hindmarch e peças da Prada à venda nesta moderna loja--conceito, que alia alta moda a design. A melhor invenção por aqui é o Water Bar no piso inferior, que oferece 80 tipos de água engarrafada.

### FAUCHON

24-30 place de la Madeleine Ⓜ Madeleine. Seg-sáb 9h-20h. MAPA PP. 68-9, MAPA DE BOLSO E6

Com uma miscelânea de comestíveis extravagantes, embutidos e vinhos, é o lugar ideal para chás, geleias, trufas, chocolates, além de vinagres e mostardas exóticos.

### GALERIES LAFAYETTE

40 bd Haussmann Ⓜ Chaussée d'Antin. Seg-sáb 9h30-20h, qui até 21h. MAPA PP. 68-9, MAPA DE BOLSO F5

O forte desta venerável loja de departamentos é alta moda, com dois andares para as últimas criações de grandes estilistas e quase um andar inteiro só com lingerie. Há também acessórios masculinos e femininos de grifes e uma grande perfumaria – tudo sob uma cúpula de 1900. No nº 35 da mesma rua fica a Lafayette Maison, com cinco andares de artigos para cozinha, mesa e banho, além de móveis.

### HÉDIARD

21 place de la Madeleine Ⓜ Madeleine. Seg-sáb 9h-20h30. MAPA PP. 68-9, MAPA DE BOLSO E6

Desde os anos 1850, a Hédiard é a mercearia dos aristocratas. Afinal, vende alimentos de alta qualidade e tem grande variedade de frutas e legumes, bem como mais de 70 tipos de temperos e 200 de chás.

### JEAN-PAUL HÉVIN

231 rue St-Honoré Ⓜ Tuileries. Seg-sáb 10h-19h30, fecha 1 semana em ago. MAPA PP. 68-9, MAPA DE BOLSO A14

Jean-Paul Hévin é um dos melhores chocolatiers de Paris. Sua loja elegante expõe tabletes de chocolate com descrições do aroma e das características como se fossem vinhos; prove o São Tomé, que tem "grande intensidade aromática". No andar de cima fica um aconchegante *salon de thé*, com painéis de madeira cor de chocolate e móveis brancos, onde a dificuldade é escolher entre cerca de quinze tipos de bolo de chocolate.

### LEGRAND

1 rue de la Banque Ⓜ Bourse. Seg 11h-19h, ter-sex 10h-19h30, sáb 10h-19h. MAPA PP. 68-9, MAPA DE BOLSO C14

Esta bela loja antiga de vinhos é ideal para fazer um estoque de suas safras favoritas e descobrir outras menos conhecidas. Há também um bar (12h-19h) para drinques, saucisson e empadas.

### PRINTEMPS

64 bd Haussmann Ⓜ Havre-Caumartin. Seg-sáb 9h35-20h, qui até 22h. MAPA PP. 68-9, MAPA DE BOLSO F5

Livros, discos, uma perfumaria e um excelente departamento de moda masculina e feminina, além de um belo restaurante no sexto andar sob uma cúpula de vidro art nouveau. A loja passou por uma grande repaginação: sua fina decoração foi restaurada e mais grifes de luxo foram adicionadas.

REPETTO

### REPETTO

22 rue de la Paix Ⓜ Opéra. Seg-sáb 9h30-19h30. MAPA PP. 68-9, MAPA DE BOLSO B13

Este tradicional fornecedor de sapatilhas de balé foi ampliado para produzir atraentes calçados de bailarina de várias cores, muito cobiçados por fashionistas, a partir de €170.

## Cafés

### A PRIORI THÉ

35 Galerie Vivienne Ⓜ Bourse. Seg-sáb 9h-18h, dom 12h-18h30. MAPA PP. 68-9, MAPA DE BOLSO C13

Pequeno e atraente *salon de thé* em uma *passage* charmosa, com algumas mesas no corredor. Você pode saborear bolinhos caseiros com chá, além de pratos mais substanciosos no almoço (menu €14-18).

### CAFÉ DE LA PAIX

Esq. de place de l'Opéra com bld de Capucines Ⓜ Opéra. Diariam 9h-23h30. MAPA PP. 68-9, MAPA DE BOLSO F5

Este grandioso café já teve Zola, Tchaikovsky e Oscar Wilde entre seus ilustres frequentadores. Sente-se no suntuoso interior ou veja o mundo passar do terraço. Espresso €6.

### VERLET

256 rue St-Honoré Ⓜ Palais Royal-Musée du Louvre. Seg-sáb 9h30-18h30. Fecha em ago. MAPA PP. 68-9, MAPA DE BOLSO B14

Ao entrar neste antigo entreposto de café, você sente o aroma agradável de grãos recém-moídos. Há cerca de 30 variedades à escolha, como o Mokka Harar da Etiópia. Há também diversos chás e bolos.

AUX LYONNAIS

# Restaurantes

### BISTROT DES VICTOIRES

6 rue de la Vrillère Ⓜ Bourse Ⓣ 01.42.61.43.78. Diariam 12h-15h e 19h-23h. MAPA PP. 68-9, MAPA DE BOLSO C14

Situado atrás da chique place des Victoires, mas com preços bem razoáveis para a região, este charmoso bistrô à moda antiga, com balcão de zinco, paredes cor de mostarda e lustres em forma de globo, serve clássicos como confit de canard e poulet rôti por cerca de €10, além de saladas grandes e tartines, a exemplo da savoyarde com bacon, batatas e gruyère. Brunch dominical por €15,50.

### LE DÉNICHEUR

4 rue Tiquetonne Ⓜ Etienne-Marcel Ⓣ 01.42.21.31.03. Ter-sáb 12h-15h e 18h30-23h30, dom 12h-17h. MAPA PP. 68-9, MAPA DE BOLSO E14

Pequeno, chique e cordial com gays, este café e restaurante tem decoração bem divertida: lustres azuis em forma de globo, anões de jardim e latas de lixo como luminárias. As saladas são o carro-chefe, mas também há lasanha, ravióli, gaspacho e tartines, tudo a preços razoáveis. Pratos principais por volta de €13.

### DILAN

13 rue Mandar Ⓜ Les Halles/Sentier Ⓣ 01.40.26.81.04. Seg-sáb 12h-14h30 e 19h30-23h. MAPA PP. 68-9, MAPA DE BOLSO D14

Popular restaurante curdo com preço acessível, kilims jogados nos bancos e música curda como trilha sonora. Qualquer opção apresentada no menu é boa, mas uma sequência recomendável é o babaqunuc (berinjelas recheadas), o delicioso beyti (carne moída condimentada envolta por uma massa, com iogurte, molho de tomate e trigo de quibe). Pratos principais por cerca de €13.

### DROUANT

16-18 rue Gaillon Ⓜ Opéra Ⓣ 01.42.65.15.16. Diariam 12h-15h e 19h-24h. MAPA PP. 68-9, MAPA DE BOLSO B13

O lendário restaurante *Drouant*, cenário do prêmio Goncourt anual, se livrou de sua imagem ligeiramente antiquada e ficou mais elegante. Seu novo chef, com estrelas do Michelin, é Antoine Westermann, que injetou criatividade na cozinha. As entradas e sobremesas são as estrelas do show – quatro de cada vêm em pequenas porções de cunho temático, como "quatro cantos do mundo". Entradas custam €25, pratos principais, €30

(€20 no almoço), sobremesas, €13, e há um menu de almoço por €44, assim como um brunch por €35 nos fins de semana.

## GALLOPIN

40 rue Notre-Dame-des-Victoires Ⓜ Bourse Ⓣ 01.42.36.45.38. Diariam 12h-24h. MAPA PP. 68-9, MAPA DE BOLSO C13

Esta brasserie consolidada pelo tempo mantém os detalhes originais em latão e mogno, e o belo teto de vidro pintado na sala de trás. Os pratos clássicos franceses, sobretudo o foie gras maison, são acima da média. Menus para o almoço a partir de €19.90 e para o jantar a partir de €38.

## LE GRAND VÉFOUR

17 rue de Beaujolais Ⓜ Pyramides/Bourse Ⓣ 01.42.96.56.27. Seg-qui 12h30-14h e 19h30-22h, sex 12h30-14h. Fecha em ago. MAPA PP. 68-9, MAPA DE BOLSO C14

Os tetos de madeira entalhada, os afrescos, as cortinas de veludo e as cadeiras do final do século XVIII são os mesmos desde que Napoleão esteve aqui com Josefina. Considerando o luxo da cozinha, o menu de almoço por €96 é razoável. No jantar (somente à la carte) em torno de €320, com vinho.

DROUANT

## HIGUMA

32bis rue Ste Anne Ⓜ Pyramides Ⓣ 01.47.03.38.59. Diariam 11h30-22h. MAPA PP. 68-9, MAPA DE BOLSO B14

A melhor entre as numerosas cantinas japonesas nesta área é a Higuma, com pratos bons e baratos, como curry de porco katsu e yaki udon. Sente-se no balcão e veja os chefs em ação ou pegue uma das mesinhas mais ao fundo. Como o lugar é concorrido, pode haver fila na hora do almoço. Menus por €11-12,50.

## AUX LYONNAIS

32 rue St-Marc Ⓜ Bourse/Richelieu-Drouot Ⓣ 01.42.96.65.04. Ter-sex 12h-14h e 19h30-23h, sáb 19h30-23h. MAPA PP. 68-9, MAPA DE BOLSO G6

Este atraente bistrô repaginado exibe ladrilhos da Belle Époque e paredes espelhadas. Com supervisão dos chefs Alain Ducasse e Thierry de la Brosse, serve delícias de Lyon como quenelles (delicados bolinhos de peixe). O menu para o almoço custa €34. Considere €60-70 para o jantar, com vinho.

## LE VAUDEVILLE

29 rue Vivienne Ⓜ Bourse Ⓣ 01.40.20.04.62. Diariam 12h-15h e 19h-1h; café da manhã seg-sáb 7h-11h. MAPA PP. 68-9, MAPA DE BOLSO C13

É comum encontrar fila para obter uma mesa nesta animada brasserie art déco adornada com mármore e mosaicos, que funciona até tarde. Há pratos como filé de atum e chouriço, e cordeiro com batatas boulangère. Menus por €26-32, disponíveis no almoço e jantar.

REX CLUB

# Bares

### BAR HEMINGWAY

Ritz Hotel, place Vendôme Ⓜ Tuileries/ Opéra. Seg-sáb 18h30-2h. MAPA PP. 68-9, MAPA DE BOLSO A13

Escondido nos fundos do Ritz, este bar de elegância discreta, com poltronas de couro e equipe vestida de branco era o refúgio habitual de Hemingway – as paredes são repletas de fotos dele. Seu drinque favorito, o dry martíni, está no menu, mas você pode se aventurar pedindo algum dos coquetéis mais extravagantes (por cerca de €30) preparados pelo premiado barman Colin Field.

### LE CAFÉ NOIR

65 rue Montmartre Ⓜ Les Halles/Sentier. Seg-sex 8h30-2h, sáb 16h-2h. MAPA PP. 68-9, MAPA DE BOLSO D13

Apesar do nome, é a cor vermelha que predomina neste pequeno café e bar de esquina, com luminárias vermelhas de papel machê e outros toques excêntricos na decoração. Ótimo para um aperitivo ou drinques de madrugada, quando o ambiente esquenta. DJ quintas e sextas-feiras.

### DELAVILLE CAFÉ

34 bd de la Bonne Nouvelle Ⓜ Bonne-Nouvelle. Diariam 11h-2h. MAPA PP. 68-9, MAPA DE BOLSO H6

Este antigo bordel, com uma escadaria, mosaicos dourados e colunas de mármore, atrai muita gente na pré-balada, que toma um ou dois mojitos antes de seguir para os clubes noturnos da região. DJs reinam das 22h até de madrugada quinta, sexta e sábado. No dia seguinte, pode-se vir para o famoso brunch ou pratos internacionais.

### LE FUMOIR

6 rue de l'Amiral de Coligny Ⓜ Louvre-Rivoli. Diariam 11h-2h. MAPA PP. 68-9, MAPA DE BOLSO C15

A conversa animada se sobrepõe à trilha suave de jazz e ao ruído das coqueteleiras neste bar e restaurante belo e descontraído, situado junto ao Louvre. Você pode ler jornais estrangeiros, e há um restaurante nos fundos que conta com biblioteca. Os drinques saem por cerca de €10.

### LE RUBIS

10 rue du Marché-St-Honoré Ⓜ Pyramides. Seg-sex 7h30-22h, sáb 9h-15h; fecha em meados de ago. MAPA PP. 68-9, MAPA DE BOLSO B14

Bar de vinhos pequeno e lotado, é um dos mais antigos de Paris e serve vinhos excelentes e rillettes caseiras (conserva de carne de porco). A placa desgastada e a pintura descascando fazem parte do seu charme.

# Casas noturnas

### REX CLUB

5 bd Poissonnière Ⓜ Bonne-Nouvelle ☎ 01.42.36.28.83, Ⓦ www.rexclub.com. Qua-sáb 23h30-6h. Entrada até €20. MAPA PP. 68-9, MAPA DE BOLSO H6

O clube dos clubbers leva a música eletrônica a sério, sobretudo tecno, e tem um sistema de som top de linha. Atrai DJs famosos.

**LE SCOP' CLUB**

5 av de l'Opéra Ⓜ Pyramide/Palais Royal Ⓣ 01.42.60.64.45, Ⓦ www.lescopclub.com. Qua-sáb 19h-5h. MAPA PP. 68-9, MAPA DE BOLSO B14

Uma das casas noturnas mais descoladas da cidade, atrai parisienses modernos e despojados. O preço da entrada varia, com shows mais cedo e muitas noites gratuitas.

**SOCIAL CLUB**

142 rue Montmartre Ⓜ Bourse Ⓣ 01.43.35.25.48, Ⓦ www.parissocialclub.com. Qua 23h30-3h, qui-sáb 23h-6h. Entrada até €20. MAPA PP. 68-9, MAPA DE BOLSO D13

Este clube despretensioso fica lotado com uma clientela mista que vai de estudantes locais a frequentadores assíduos. Tudo gira em torno da música, que se alterna entre eletrônica, jazz, hip-hop e ska. Calvin Harris, Mr Scruff e Alexis Taylor, do Hot Chips, já estiveram no comando.

# Música ao vivo

**EGLISE DE LA MADELEINE**

Ⓜ Madeleine Ⓣ 01.42.50.96.18, Ⓦ www.eglise-lamadeleine.com. MAPA PP. 68-9, MAPA DE BOLSO E6

Espaço amplo usado regularmente para recitais de órgão e apresentações de corais, a igreja tem uma longa e venerável tradição musical. Gabriel Fauré, que foi organista aqui por algum tempo, escreveu seu famoso Réquiem para a igreja, onde o apresentou pela primeira vez em 1888. Ingressos por €22-44.

**AU LIMONAIRE**

18 Cité Bergère Ⓜ Grands-Boulevards Ⓣ 01.45.23.33.33, Ⓦ http://limonaire.free.fr. Ter-sáb. MAPA PP. 68-9, MAPA DE BOLSO H5

Pequeno e em uma rua secundária, este lugar intimista e informal é perfeito para quem quer conhecer a *chanson* parisiense, apresentando jovens cantores do gênero ou artistas alternativos de música/poesia/performance em busca de reconhecimento. Se você jantar antes (comida tradicional barata e geralmente boa), garante lugar para o espetáculo às 22h; caso contrário, fica espremido contra o bar – se conseguir entrar.

**OPÉRA GARNIER**

Ⓜ Opéra Ⓣ 08.36.69.78.68, Ⓦ www.opera-de-paris.fr. MAPA PP. 68-9, MAPA DE BOLSO F5

A Opéra Garnier geralmente é usada para balés e produções de ópera em escala menor do que as apresentadas na Opéra Bastille. Para programação e reservas, consulte o site ou ligue diretamente para a bilheteria. Os ingressos podem custar uma ninharia de €9 se você não se importar de pegar um lugar longe do palco, mas a maioria fica na faixa de €30-90.

ARTISTA NO AU LIMONAIRE

# Beaubourg e Les Halles

Um dos marcos mais famosos da cidade, o Centre Pompidou, cujo apelido corrente é Beaubourg, atrai um grande número de visitantes por causa de seu excelente museu de arte moderna e a exposições grandiosas. Sua arquitetura ousada provocou uma onda de controvérsia na época da inauguração do edifício, em 1977, mas desde então conquistou a crítica e o público. Em compensação, Les Halles, um complexo comercial construído por perto no lugar de um antigo mercado de alimentos, quase na mesma época que o Centre Pompidou, jamais caiu nas graças dos parisienses. Provavelmente o empreendimento urbano menos inspirado de todos os realizados na cidade nos últimos 30 anos, está passando por uma grande remodelação. Vale a pena ir a Les Halles para ver os velhos bistrôs e barracas de alimentos que preservam traços da atmosfera do antigo mercado.

## CENTRE POMPIDOU

Ⓜ Rambuteau/Hotel-de-Ville
Ⓣ 01.44.78.12.33, Ⓦ www.cnac-gp.fr.
MAPA P. 80, MAPA DE BOLSO E15

O moderníssimo Centre Pompidou fica no meio de um dos distritos mais antigos de Paris. A fim de romper com a ideia tradicional de galerias como arcas de tesouros inacessíveis e criar algo mais aberto, os arquitetos Renzo Piano e Richard Rogers tiraram o revestimento do edifício deixando seus "ossos" visíveis. A infraestrutura foi instalada externamente: tubos de escada rolante e encanamentos, com cores vivas segundo sua função, ficam aparentes e serpenteiam em diferentes níveis. Os principais atrativos do centro são o museu e as exposições de arte moderna, mas o local também conta com dois cinemas e espaços para apresentações. Uma diversão por si só é subir pela escada rolante transparente do lado externo do edifício e apreciar a vista deslumbrante, com Montmartre, La Défense e a Torre Eiffel.

CENTRE POMPIDOU

INTERIOR DO MUSÉE NATIONAL D'ART MODERNE

## MUSÉE NATIONAL D'ART MODERNE

Centre Pompidou Ⓜ Rambuteau/Hotel-de--Ville. Diariam, exceto ter, 11h-21h. €13; grátis até 18 anos e para residentes na UE entre 18-25 anos (é preciso pegar um passe na bilheteria), grátis para todos no primeiro dom do mês. MAPA P. 80, MAPA DE BOLSO E15

A coleção do Musée National d'Art Moderne, exposta no quarto e quinto andares do Centre Pompidou, é uma das melhores do gênero no mundo e tão vasta que só é possível ver uma fração das mais de 50 mil obras durante uma visita. Há rodízios frequentes das mostras.

A parte que cobre de 1905 a 1960 é um ensaio visual abrangente sobre a história da arte moderna: Fauvismo, Cubismo, Dadaismo, arte abstrata, Surrealismo e Expressionismo Abstrato estão todos bem representados. Há um acervo muito rico de Matisse, que inclui desde obras fauvistas iniciais até suas últimas obras-primas – um destaque é *A tristeza do rei*, uma reflexão tocante sobre o envelhecimento e a memória. Outros destaques são algumas pinturas cubistas iniciais de Picasso e Braque, e um acervo respeitável de Kandinsky. Uma sala inteira é dedicada às pinturas tipicamente coloridas de Robert e Sonia Delaunay, enquanto um clima sombrio impera nas salas que expõem obras inquietantes dos surrealistas Magritte, Dalí e Ernst.

A parte de Pop Art tem a facilmente reconhecível *Ten Lizes*, na qual Andy Warhol mostra a atriz Elizabeth Taylor com um sorriso de Mona Lisa. Por sua vez, Yves Klein prenuncia a arte da performance com sua *Grande antropofagia azul, homenagem a Tennessee Williams*, parte de uma série de "estampas corporais" na qual o artista utilizou belas jovens como telas cobrindo--as de tinta para criar suas obras de arte.

Entre os artistas contemporâneos estão Claes Oldenburg, Christian Boltanski e Daniel Buren, cujas obras sempre têm listras e 8,7cm de largura. A arte eletrônica é vista em instalações temporárias de artistas como Jean-Luc Vilmouth, Dominique Gonzalez-Foerster, Melik Ohanian, Rineke Dijkstra e Pierre Huyghe.

## ATELIER BRANCUSI

Centre Pompidou Ⓜ Rambuteau/Hôtel-de--Ville. Diariam, exceto ter, 14h-18h. Grátis. MAPA P. 80, MAPA DE BOLSO E15

O Atelier Brancusi é a casa e o estúdio reconstruídos do escultor Constantin Brancusi. Ele legou o conteúdo de seu ateliê ao Estado sob a condição de que tudo fosse mantido como no original, portanto uma visita dá uma ideia sobre a vida e o trabalho do artista. Os estúdios um e dois são repletos das formas abstratas de aves e colunas características de Brancusi em latão e mármore, ao passo que os estúdios três e quatro abrangem os aposentos privados do artista.

## QUARTIER BEAUBOURG

Ⓜ Rambuteau/Hôtel-de-Ville. MAPA P. 80, MAPA DE BOLSO E15

O animado *quartier* Beaubourg, em torno do Centre Pompidou, também tem muito a oferecer em termos de artes plásticas. As esculturas e fontes coloridas, no lago em frente à Eglise St-Merri, no lado sul do Centre Pompidou, foram criadas por Jean Tinguely e Niki de Saint Phalle. Ao norte do Centre Pompidou, há numerosas galerias comerciais especializadas em arte contemporânea na estreita rue Quincampoix para pedestres, que é ladeada por belas casas antigas.

## LES HALLES

Ⓜ Les-Halles/RER Châtelet-Les-Halles. Seg-sáb 10h-20h. MAPA P. 80, MAPA DE BOLSO D15

Descrito por Zola como "o ventre de Paris", Les Halles foi o principal mercado de alimentos da cidade por mais de 800 anos até que, apesar de protestos disseminados, foi transferido para os subúr-

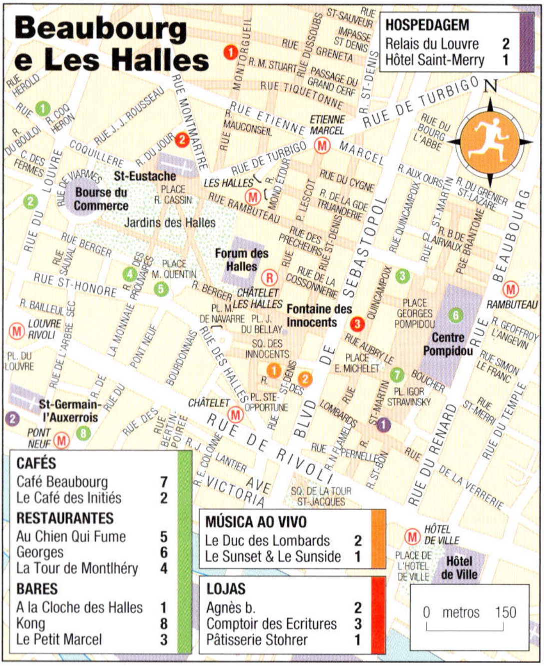

bios em 1969. O terreno foi ocupado pelo **Forum des Halles**, um grande complexo subterrâneo de lojas e lazer, assim como por uma importante conexão de metrô/RER (a estação Châtelet-les Halles). Feio e descuidado, hoje o complexo é reconhecido como um desastre arquitetônico e, por isso, está em reforma. Um vasto teto de vidro está sendo colocado no fórum para a entrada de luz, e um calçadão largo como as Ramblas de Barcelona está sendo instalado. A obra deve ser concluída em 2014.

O subterrâneo Forum des Halles se estende da rotunda da Bourse du Commerce à rue Pierre-Lescot e tem quatro níveis. A parte acima do solo abrange galerias de lojas que parecem um aquário, dispostas em torno de um pátio rebaixado, e belos jardins. As lojas são sobretudo de moda casual chique, mas há também uma grande livraria FNAC e o Forum des Créateurs, que reúne jovens estilistas.

Apesar da extinção do velho bairro da classe trabalhadora, ainda é possível sentir parte da atmosfera do velho mercado em alguns bares e bistrôs no entorno e na **rue Montorgueil** de pedestres ao norte, onde mercearias, açougues e peixarias tradicionais continuam em atividade.

## ST-EUSTACHE

Ⓜ Les-Halles/RER Châtelet-Les-Halles.

MAPA P. 80, MAPA DE BOLSO D14

Para um antídoto à brutalidade de aço e vidro de Les Halles, contemple as abóbadas elevadíssimas da bela igreja de St-Eustache. Construída entre 1532 e 1637, sua estrutura é gótica, com naves altivas e graciosos botaréus, e a decoração é renascentista, com colunas, pilastras e arcadas coríntias. O escritor Molière foi batizado aqui, e Rameau e Marivaux estão enterrados no local.

## FONTAINE DES INNOCENTS

Ⓜ Les-Halles/RER Châtelet-Les-Halles.

MAPA P. 80, MAPA DE BOLSO D15

Em estilo renascentista, com proporções perfeitas, cuidadosamente restaurada, e decorada com ninfas aquáticas em relevo, a Fontaine des Innocents é datada de 1549, tornando-se, assim, a fonte mais antiga de Paris. Em dias quentes, os transeuntes se sentam na beira da fonte para se refrescar com suas cascatas de água. Seu nome deriva do cemitério que existia anteriormente no local, o Cimetière des Innocents.

# Lojas

## AGNÈS B.

2-4 e 6 rue du Jour Ⓜ Les-Halles/RER Châtelet-Les-Halles. Seg-sáb 10h30-19h. MAPA P. 80, MAPA DE BOLSO D14

Agnès B. não liga para tendências passageiras e cria roupas chiques e atemporais para homens, mulheres e crianças. Seus carros-chefe são o cardigã com botões de pressão e camisetas que não deformam.

## COMPTOIR DES ECRITURES

35 rue Quincampoix Ⓜ Les-Halles/RER Châtelet-Les-Halles. Ter-sex 11h-19h, sáb 11h-18h. MAPA P. 80, MAPA DE BOLSO E15

Esta loja encantadora é especializada na arte da caligrafia e oferece diversos papéis, canetas, pincéis e tintas.

## PÂTISSERIE STOHRER

51 rue Montorgueil Ⓜ Sentier. Diariam 7h30-20h30; fecha 2 primeiras semanas de ago. MAPA P. 80, MAPA DE BOLSO D14

Descubra o melhor *pain aux raisins* da cidade nesta maravilhosa patisserie em atividade desde 1730. Aproveite para apreciar a decoração original.

AGNÈS B.

# Cafés

## CAFÉ BEAUBOURG

43 rue St-Merri Ⓜ Rambuteau/Hôtel-de-Ville. Seg-qua e dom 8h-1h, qui-sáb 8h-2h. MAPA P. 80, MAPA DE BOLSO E15

Uma mesa sob os toldos amplos deste café elegante, com as linhas fluidas do designer Christian Portzamparc, é um dos melhores lugares para ver o movimento na praça do Centre Pompidou. Também vale a pena vir para o descontraído brunch no domingo a €24, que inclui ovos, batatas prensadas na chapa e linguiça. Drinques a partir de €6,50.

## LE CAFÉ DES INITIÉS

3 place des Deux-Ecus Ⓜ Châtelet-Les-Halles/Louvre. Seg-sex 7h30-2h, sáb e dom 9h-2h. MAPA P. 80, MAPA DE BOLSO C14

Café discreto e confortável com banquetas de couro rubi, piso de madeira e fotos na parede. Os clientes ficam em torno do balcão de zinco ou saboreiam pratos gostosos como pitus grelhados e steak tartare (cerca de €16) e torta de maçã caseira. O lugar também é bom para um drinque à noite.

# Restaurantes

## AU CHIEN QUI FUME

33 rue du Pont Neuf Ⓜ Châtelet-Les-Halles ☎ 01.42.36.07.42. Diariam 12h-2h. MAPA P. 80, MAPA DE BOLSO D15

Fazendo referência a um poodle que supostamente fumava charuto, esta popular brasserie está em funcionamento há séculos. Garçons de smoking servem favoritos como ostras frescas, langoustines fricassée volaille (guisado de lagostim) e cuisse de canard en marmite et lentilles (coxa de pato com lentilhas). Menus fixos a partir de €26,90.

### GEORGES

Topo do Centre Pompidou Ⓜ Rambuteau/ Hôtel-de-Ville ⓣ 01.44.78.47.99. Diariam 12h-24h, exceto ter. MAPA P. 80, MAPA DE BOLSO E15

Este restaurante ultraminimalista tem vista maravilhosa dos telhados de Paris. A cozinha fusion franco-asiática é bem cara (pratos principais em torno de €30-45), mas de fato o preço não é o maior chamariz.

### LA TOUR DE MONTLHÉRY (CHEZ DENISE)

5 rue des Prouvaires Ⓜ Louvre-Rivoli/ Châtelet ⓣ 01.42.36.21.82. Seg-sex 12h-15h e 19h30-5h; fecha meados de jul a meados de ago. MAPA P. 80, MAPA DE BOLSO D15

Bistrô à moda antiga em Les Halles com mesas longas lotadas de clientes que apreciam os substanciosos pratos franceses, *daube* de carne com batatas fritas perfeitas. Pratos principais por volta de €25.

## Bares

### A LA CLOCHE DES HALLES

28 rue Coquillière Ⓜ Châtelet-Les Halles/ Louvre. 12h-22h; fecha sáb à noite e dom. MAPA P. 80, MAPA DE BOLSO C14

O sino pendurado acima deste bar de vinhos outrora anunciava o encerramento do mercado, e a ótima atmosfera se deve aos vendedores locais que vêm aqui nas horas de folga. Vinhos finos acompanham o jambon d'Auvergne e os queijos deliciosos, tudo a preços bem razoáveis.

### KONG

5º andar, 1 rue du Pont Neuf Ⓜ Pont Neuf ⓣ 01.40.39.09.00. Diariam 12h30-2h, clube sex e sáb 23h-3h. MAPA P. 80, MAPA DE BOLSO C15

Um elevador traz a este belo restaurante e bar projetado por Philippe Starck no topo do edifício da loja-conceito Kenzo. A decoração japonesa mescla

KONG

gueixas e mangás. Happy hour diariam 18h-20h. Drinques a €10-16.

### LE PETIT MARCEL

63 rue Rambuteau Ⓜ Rambuteau. Diariam 10h-1h. MAPA P. 80, MAPA DE BOLSO E15

Bar animado com piso frio, trilha sonora de jazz e cerca de 8m² de espaço para o consumo de drinques. A área de refeições tem opções baratas como salsichas com mostarda. Principais a €11-14.

## Música ao vivo

### LE DUC DES LOMBARDS

42 rue des Lombards Ⓜ Châtelet ⓣ 01.42.33.22.88, Ⓦ www.ducdeslombards.com. Seg-sáb até 3h. MAPA P. 80, MAPA DE BOLSO D15

Belo clube de jazz, a partir das 21h sempre tem shows de jazz cigano, blues, baladas e fusion, em sua maioria por €25-30.

### LE SUNSET E LE SUNSIDE

60 rue des Lombards Ⓜ Châtelet ⓣ 01.40.26.46.20, Ⓦ www.sunset-sunside.com. Diariam 20h-2h30. MAPA P. 80, MAPA DE BOLSO D15

Dois clubes em um: no térreo, *Le Sunside* enfoca jazz tradicional e, no porão, o *Sunset* tem jazz elétrico e fusion. Entrada a €20-28.

# Marais



Repleto de esplêndidas mansões antigas, ruas estreitas e agitados bares e restaurantes, o Marais é uma das áreas centrais mais sedutoras de Paris, destacando-se pela sofisticação, pela inclinação artística e por ser o bairro preferido da comunidade gay parisiense. Aqui é possível visitar excelentes museus, a exemplo do Musée d'Art et d'Histoire du Judaïsme, da Maison Européenne de la Fotographie e do museu de história Carnavalet, todos instalados em belíssimos edifícios renascentistas.

## MUSÉE D'ART ET D'HISTOIRE DU JUDAÏSME

71 rue du Temple Ⓜ Rambuteau
Ⓣ 01.53.01.86.53, Ⓦ www.mahj.org.
Seg-sex 11h-18h, dom 10h-18h. €6,80.
MAPA PP. 86-7, MAPA DE BOLSO F15

Instalado no lindamente restaurado Hôtel de Saint-Aignan, o Musée d'Art et d'Histoire du Judaïsme mostra a cultura e a história judaicas, principalmente na França, através de uma coleção abrangente de teor educativo.

Entre os destaques há uma luminária de Hanukkah em estilo gótico, um dos raros artefatos franco-judaicos remanescentes do período anterior à expulsão dos judeus da França em 1394; uma cadeira dourada italiana para circuncisão do século XVII; e uma *sukkah* austríaca intacta do fim do século XIX, que era uma cabana temporária para a comemoração da colheita.

O museu também preserva os arquivos Dreyfus, com uma sala dedicada ao famoso caso Dreyfus. A condenação equivocada do capitão Alfred Dreyfus causou cisões profundas na sociedade francesa em um confronto entre ânimos anticlericais e socialistas, e sentimentos antissemitas conservadores.

As salas finais contêm uma coleção importante de pinturas e esculturas de artistas judeus – Marc Chagall, Samuel Hirszenberg, Chaïm Soutine e Jacques

ALIANÇAS NO MUSÉE D'ART ET D'HISTOIRE DU JUDAÏSME

MOSTRA NO MUSÉE PICASSO

Lipchitz – que viveram em Paris no início do século XX. O holocausto só é abordado ligeiramente, já que é um dos focos do Mémorial de la Shoah (p. 90).

## HÔTEL SOUBISE E HÔTEL DE ROHAN

60 rue des Francs-Bourgeois Ⓜ Rambuteau/St-Paul Ⓦ www.archivesnationales.culture.gouv.fr. Seg e qua-sex 10h-12h30 e 14h-17h30, sáb e dom 14h-17h30. €4.
MAPA PP. 86-7, MAPA DE BOLSO F15

Todo o quarteirão limitado pela rue des Quatre Fils, rue des Archives, rue Vieille-du-Temple e rue des Francs-Bourgeois outrora era ocupado por um magnífico complexo palaciano do início do século XVIII. Resta apenas a metade, que é por si só esplêndida, especialmente o pátio com colunatas do Hôtel Soubise, o qual tem interiores rococó e vestígios de torres do século XIV na rue des Quatre Fils. A mansão abriga os arquivos municipais e monta exposições temporárias. O adjacente Hôtel de Rohan também é muito usado para exposições dos arquivos e tem interiores mais finos, incluindo o Cabinet des Singes, de influência chinesa, cujas paredes são pintadas com macacos representando diversas cenas aristocráticas.

## MUSÉE PICASSO

5 rue de Thorigny Ⓜ Chemin Vert/St-Paul Ⓣ 01.42.71.25.21, Ⓦ www.musee-picasso.fr. Diariam, exceto ter: abr-set 9h30-18h; out-mar 9h30-17h30. €8,50, até 18 anos grátis; grátis para todos primeiro dom do mês. MAPA PP. 86-7, MAPA DE BOLSO G15

Atrás da elegante fachada clássica do Hôtel Salé, do século XVII, o Musée Picasso estará fechado para reforma até o final de 2013. O local abriga a maior coleção existente do artista, cobrindo quase todas as fases de sua vida de 1905 em diante.

Muitas obras pertenciam a Picasso – que passou a maior parte da vida na França – e, com sua morte, em 1973, foram confiscadas pelo Estado como pagamento de impostos pendentes. O resultado é um acervo pouco conhecido que, embora não tenha as obras-primas mais célebres do artista, dá uma ideia da pessoa por trás do mito. Algumas das obras mais interessantes têm cunho mais pessoal, a exemplo dos retratos contrastantes de suas amantes Dora Maar e Marie-Thérèse.

O museu também tem um número significativo de cerâmicas e esculturas de Picasso, algumas criadas utilizando-se a reciclagem de objetos de uso doméstico.

# Marais

| HOSPEDAGEM | |
|---|---|
| Hôtel du Bourg Tibourg | 4 |
| Hôtel de la Bretonnerie | 2 |
| Hôtel Caron de Beaumarchais | 7 |
| Hôtel Duo | 3 |
| Grand Hôtel Jeanne d'Arc | 8 |
| Le Fauconnier | 11 |
| Le Fourcy | 10 |
| Maubuisson | 9 |
| Hôtel de Nice | 6 |
| Hôtel Pavillon de la Reine | 5 |
| Hôtel du Petit Moulin | 1 |
| Hôtel St Louis Marais | 12 |

| LOJAS | |
|---|---|
| Archives de la Presse | 4 |
| Dominique Picquier | 3 |
| Joséphine Vannier | 8 |
| Mariage Frères | 6 |
| Le Marionnettes du Marais | 5 |
| Papier Plus | 9 |
| Sacha Finkelsztajn | 7 |
| Swildens | 2 |
| Vincent Jalbert et Yves Andrieux | 1 |

CASAS NOTURNAS E MÚSICA AO VIVO
La Gâité Lyrique 1
Le Tango 2
RESTAURANTES
Ambassade d'Auvergne 5
Au Bourguignon du Marais 21
Breizh Café 7
Café des Musées 13
Chez Marianne 14
Chez Nénesse 6
Chez Omar 3
Le Gaigne 9
Le Potager du Marais 8
Pramil 1
CAFÉS
L'As du Fallafel 15
Café Charlot 4
Le Loir dans la Théière 19
Mariage Frères 16
BARES
Andy Wahloo 2
Le Free DJ 12
The Lizard Lounge 18
La Perle 10
Le Petit Fer à Cheval 17
Raidd 11
La Tartine 20
0 metros 100
N
MARAIS
Carreau du Temple
Square du Temple
Marché des Enfants Rouges
Galerie Chantal Crousel
Galerie Yvon Lambert
Galerie Karsten Greve
Galerie Emmanuel Perrotin
Musée Picasso
Place de Thorigny
Musée Cognacq-Jay
Sq. Leopold Achille
Square G. Cain
Musée Carnavalet
Galerie Yellow Korner
Place des Vosges
Square Louis XIII
Maison de Victor Hugo
Hôtel de Sully
St-Paul-St-Louis
Pl. du Marche Ste-Catherine
Square de l'Ave Maria
Square H. Galli
Place Pasdeloup
Oberkampf
Filles du Calvaire
St-Sébastien Froissart
Chemin Vert
Boulevard du Temple
Blvd des Filles du Calvaire
Boulevard Beaumarchais
Blvd Voltaire
Rue de Turenne
Rue St-Antoine
Rue des Francs Bourgeois
Rue de Bretagne
Rue Vieille du Temple
Rue St-Gilles
Rue du Parc Royal
Rue Froissart
Rue Oberkampf
Rue du Chemin Vert
Rue St-Claude
Boulevard Henri IV
Celestins

MUSÉE COGNACQ-JAY

## MUSÉE COGNACQ-JAY

8 rue Elzévir Ⓜ St-Paul Ⓣ 01.40.27.07.21. Ter-dom 10h-18h. Grátis. MAPA PP. 86-7, MAPA DE BOLSO G16

O compacto Musée Cognacq--Jay ocupa o belo Hôtel Donon. A família Cognacq-Jay, que fundou a loja de departamentos Samaritaine, era voltada à filantropia e amante da arte europeia. Sua coleção de peças do século XVIII inclui muitas obras de Canaletto, Fragonard, Rembrandt e Rubens, assim como uma refinada natureza--morta de Chardin, que ficam expostas em salas com painéis de madeira entalhados e repletas de porcelanas de Sèvres e móveis Luís XV.

## MUSÉE CARNAVALET

23 rue de Sévigné Ⓜ St-Paul Ⓣ 01.44.59.58.58, Ⓦ www.carnavalet.paris.fr. Ter-dom 10h-18h. Grátis. MAPA PP. 86-7, MAPA DE BOLSO G16

O fascinante Musée Carnavalet enfoca a história de Paris desde suas origens até a Belle Époque através de uma imensa e extraordinária coleção de pinturas, esculturas, artes decorativas e achados arqueológicos, que ocupa mais de 140 salas. Vale a pena visitar o cenário do museu em duas belas mansões renascentistas, o Hôtel Carnavalet e o Hôtel Le Peletier, cercadas por atraentes jardins formais.

Entre os destaques no piso térreo, em grande parte dedicado aos primórdios de Paris, a estufa de laranjeiras abriga uma coleção significativa de achados neolíticos, que inclui algumas pirogas de madeira descobertas nos anos 1990, durante a revitalização da área de Bercy junto ao rio.

O forte do primeiro andar são as artes decorativas, com a recriação de numerosos salões e salas femininas repletos de painéis de madeira ricamente esculpidos e tapeçarias do período que vai de Luís XII a Luís XVI. A sala 21 é dedicada à famosa missivista madame de Sévigné, que viveu na mansão Carnavalet e escreveu uma série de cartas a sua filha, as quais relatam intensamente seu privilegiado estilo de vida no reinado de Luís XIV. As salas 128 a 148 se concentram mais na Belle Époque, evocada por numerosas pinturas do período e maravilhosos interiores art nouveau, entre os quais está a suntuosa ambientação verde-pavão criada por Alphonse Mucha para a joalheria Fouquet, na rue Royal. Igualmente bem preservado, o salão de baile art déco de José--Maria Sert tem decoração extravagante folheada a ouro e pinturas imensas, entre as

## Hammams

*Hammams*, ou banhos turcos, são um dos encantos inusitados de Paris. Bem mais luxuosos do que a sauna sueca padrão, esses locais são ideais para relaxar e conversar e, em geral, oferecem massagem e esfoliação com luva de borracha, seguidas de um reconfortante chá de menta. Um dos mais atraentes é **Les Bains du Marais** (31-33 rue des Blancs-Manteaux Ⓜ Rambuteau/St-Paul Ⓣ 01.44.61.02.02, Ⓦ www.lesbainsdumarais.com), uma academia e *hammam* extremamente chique e com clientela afetada. O uso da sauna e da sala de vapor por duas horas custa €35; massagem/esfoliação por €35 a mais. Há sessões exclusivas para mulheres (seg 10h-20h, ter 10h-23h, qua 10h-19h) e homens (qui 10h-23h, sex 10h-20h), assim como sessões mistas (qua 19h-23h, sáb 10h-20h, dom 10h-23h), nas quais é preciso usar roupa de banho.

quais uma da rainha de Sabá com um cortejo de elefantes. Próximo há uma seção sobre a vida literária no início do século XX, incluindo uma reconstrução do quarto revestido de cortiça de Proust (sala 147). O segundo andar tem salas com itens ligados à Revolução Francesa.

### O BAIRRO JUDEU: RUE DES ROSIERS

Ⓜ St-Paul. MAPA PP. 86-7, MAPA DE BOLSO F16

Desde o século XII, a estreita rue des Rosiers para pedestres é o cerne do bairro judeu da cidade. Apesar da invasão de butiques chiques, ela mantém um ar judaico, com a peculiar delicatessen, a mercearia kosher e a livraria hebraica, além de lojas de falafel para viagem que denotam a influência dos sefarditas do Norte da África, os quais, desde o fim da Segunda Guerra Mundial, vivem aqui a salvo das incertezas da vida nas ex-colônias francesas.

ESTÁTUA DE LUÍS XIV NO MUSÉE CARNAVALET

### PLACE DES VOSGES

Ⓜ St-Paul. MAPA PP. 86-7, MAPA DE BOLSO G16

Uma grande praça com mansões rosadas de tijolo e pedra construídas sobre galerias, a place des Vosges é uma obra-prima de elegância aristocrática e o primeiro exemplo de planejamento urbano da história de Paris. Construída por Henrique IV, foi inaugurada em 1612 para o casamento de Luís XIII e Ana da Áustria; a réplica de uma estátua do rei fica escondida por castanheiros no meio dos jardins no centro da praça.

Atualmente, parisienses endinheirados frequentam as galerias em busca de arte, antiguidades e butiques, e almoçam ao ar livre nos restaurantes ao som de música clássica. Algo raro em Paris: nesta praça é permitido deitar na relva do jardim.

## MAISON DE VICTOR HUGO

Place des Vosges Ⓜ St-Paul ☎ 01.42.72.10.16. Ter-dom 10h-18h, fecha em feriados. Grátis. MAPA PP. 86-7, MAPA DE BOLSO G17

Muitas celebridades moraram na place des Vosges, entre elas Victor Hugo. Sua casa, no nº 6, onde ele escreveu grande parte de *Os miseráveis*, agora é um museu, a Maison de Victor Hugo. A vida do autor é evocada através de uma coleção esparsa de objetos, retratos e fotos. No entanto, o museu dá ideia de sua prodigiosa criatividade: além de ser um escritor prolífico, ele gostava de desenhar e projetava seus próprios móveis. Alguns de seus esboços e móveis em estilo gótico estão expostos, e há uma réplica completa da sala de jantar em estilo chinês que ele desenhou para sua casa em Guernsey.

## HÔTEL DE SULLY

62 rue St-Antoine Ⓜ St-Paul Ter-sex 12h-19h, sáb e dom 10h-19h. €5. MAPA PP. 86-7, MAPA DE BOLSO G17

O refinado Hôtel de Sully, renascentista, é ligado ao Jeu de Paume (p. 50) e realiza exposições fotográficas temporárias de temática social, histórica ou antropológica. Nos jardins da mansão fica uma recém-inaugurada filial da casa de chá *Angélina*.

## QUARTIER ST-PAUL-ST-GERVAIS

Ⓜ St-Paul. MAPA PP. 86-7, MAPA DE BOLSO E16-F17

A parte sul do Marais, abaixo das rues de Rivoli e St-Antoine, é mais calma do que a parte norte e tem alguns recantos pitorescos. Um deles é a rue des Barres de pedra, onde se sente o aroma de rosas dos jardins próximos e o ocasional odor de incenso da igreja de St-Gervais-St-Protais, uma construção gótica que parece amassada do lado externo pelo golpe direto de um projétil disparado de um canhão Big Bertha em 1918. No seu interior há alguns vitrais encantadores, misericórdias entalhadas e um órgão do século XVII, que é o mais antigo de Paris.

## MÉMORIAL DE LA SHOAH

17 rue Geoffroy l'Asnier Ⓜ St-Paul/Pont-Marie ☎ 01.42.77.44.72, 🌐 www.memorialdelashoah.org. Seg-sex e dom 10h-18h, qui até 22h. Grátis. MAPA PP. 86-7, MAPA DE BOLSO F17

Desde 1956 este é o local do Mémorial du Martyr Juif Inconnu (Memorial ao Mártir

MAISON DE VICTOR HUGO

Judeu Desconhecido), uma cripta sombria que contém uma grande estrela de Davi de mármore preto. Em 2005, o presidente Chirac abriu aqui um novo museu e inaugurou um Muro de Nomes: quatro lajes imensas de mármore com os nomes gravados dos 76 mil judeus enviados para campos de concentração entre 1942 e 1944.

O excelente museu faz um relato cativante da história dos judeus na França, sobretudo em Paris, durante a ocupação alemã. Há as últimas cartas de deportados para a família, vídeos com depoimentos de sobreviventes, carteiras de identidade e fotos. A visita é encerrada no Mémorial des Enfants, uma coleção tocante de fotos de 2.500 crianças francesas, com as datas de nascimento e de deportação.

### MAISON EUROPÉENNE DE LA FOTOGRAPHIE

5-7 rue de Fourcy Ⓜ St-Paul ☎ 01.44.78.75.00, Ⓦ www.mep-fr.org. Qua-dom 11h-20h. €7, grátis qua após 17h. MAPA PP. 86-7, MAPA DE BOLSO F16

Uma linda mansão do início do século XVIII no Marais, o Hôtel Hénault de Cantobre foi transformado em um espaço amplo e sereno voltado à arte da fotografia contemporânea. Mostras temporárias são combinadas com um rodízio do acervo permanente da Maison. É possível ver obras de jovens fotógrafos e fotojornalistas, assim como artistas que usam fotografia em criações multimídia ou instalações.

### HÔTEL DE VILLE

Ⓜ Rambuteau/Hotel-de-Ville. MAPA PP. 86-7, MAPA DE BOLSO E16

O Hôtel de Ville, sede da Prefeitura da cidade, é uma mansão descomunal em floreado

HÔTEL DE VILLE

estilo neorrenascentista, que em grande parte imita o edifício anterior, incendiado durante a Comuna em 1871. A enorme praça defronte ao Hôtel de Ville, na qual havia uma guilhotina no período da Revolução, ganha um popular **rinque de patinação no gelo** de dezembro a fevereiro, o qual parece mágico à noite. O rinque funciona até meia-noite nos fins de semana, e o aluguel de patins custa cerca de €5.

### HAUT MARAIS

MAPA PP. 86-7, MAPA DE BOLSO F14/15-G14/15

A parte norte do Marais, o "Haut Marais", atualmente é o reduto favorito dos "bobos" (burgueses boêmios) parisienses, que vêm atrás das galerias de arte contemporânea, das lojas afetadas de design e das butiques de grifes, especialmente na rue Charlot e na rue de Poitou. A via principal é a rue de Bretagne, com cafés agitados e comércio tradicional como queijeiros, padarias e negociantes de café. O adjacente Marché des Enfants-Rouges, datado de 1616 e um dos menores e mais antigos mercados de alimentos de Paris (ter-sáb 8h30-13h e 16h-19h30, dom 8h30-14h), é um bom lugar para fazer uma pausa e almoçar.

# Lojas

## ARCHIVES DE LA PRESSE

51 rue des Archives Ⓜ Rambuteau. Ter-sex 10h30-19h, seg e sáb 14h-19h.
MAPA PP. 86-7, MAPA DE BOLSO F15

Conheça esta loja fascinante que vende antigos jornais e revistas franceses, como *Vogue* e outras boas publicações.

## DOMINIQUE PICQUIER

10 rue Charlot Ⓜ Filles du Calvaire. Ter-sex 11h-19h30, seg e sáb 14h30-19h30.
MAPA PP. 86-7, MAPA DE BOLSO F15

"Um tributo da cidade ao campo" é o conceito desta designer têxtil para seus belos tecidos com estampas anuais de orquídeas espiraladas, delicadas mimosas e margaridas. Ela também cria vários acessórios elegantes, como bolsas, sacolas e malas, a partir de €40.

## JOSÉPHINE VANNIER

4 rue du Pas de la Mule Ⓜ Bastille. Ter-sáb 11h-13h e 14h-19h, dom e seg 14h30-19h.
MAPA PP. 86-7, MAPA DE BOLSO H16

Esta criativa chocolatier vende chocolates em forma de acordeom, violino, livro, Torre Eiffel e Arco do Triunfo – tão refinados que até dá pena de comê-los. Os preços razoáveis partem de €12.

## MARIAGE FRÈRES

30 rue du Bourg-Tibourg Ⓜ Hôtel-de-Ville. Loja diariam 10h30-19h30. MAPA PP. 86-7, MAPA DE BOLSO F16

Centenas de chás em lata estão à mostra em prateleiras do chão ao teto nesta antiga loja especializada, a qual também tem um *salon de thé* (p. 96).

## LES MARIONNETTES DU MARAIS

15 rue Elzevir Ⓜ St-Paul. Seg-sáb 11h30-19h30. MAPA PP. 86-7, MAPA DE BOLSO F15

Uma pequena loja que vende irresistíveis e coloridos fantoches de dedo feitos à mão, de personagens como o elenco completo de Chapeuzinho Vermelho, que inclui a vovó de óculos e o lobo faminto.

MARIAGE FRÈRES

## PAPIER PLUS

9 rue du Pont-Luís-Philippe Ⓜ Hôtel-de-Ville. Seg-sáb 12h-19h.
MAPA PP. 86-7, MAPA DE BOLSO F16

Finos artigos de papelaria, incluindo cadernos, álbuns de fotografia e portfólios para artistas, com preços a partir de cerca de €20.

## SACHA FINKELSZTAJN

27 rue des Rosiers Ⓜ Hôtel-de-Ville. Diariam, exceto ter, 10h-19h; fecha meados de jul a meados de ago. MAPA PP. 86-7, MAPA DE BOLSO F16

Ótima delicatessen judaica com lanches e itens para viagem: pães do Leste Europeu, strudel de maçã, bolinhos de peixe, purê de berinjela, blinis e borscht.

## SWILDENS

22 rue de Poitou Ⓜ Saint-Sébastien Froissart. Seg-sáb 10h-19h30. MAPA PP. 86-7, MAPA DE BOLSO G15

A estilista Juliette Swildens cria roupas femininas acessíveis com bom corte e um toque rock'n'roll. Há peças como batas desestruturadas, agasalhos largos, calças de odalisca e peças de malha.

## Galerias

O Marais, particularmente o Haut Marais, concentra a maioria das galerias de arte comerciais da cidade. Muitas ocupam belas casas antigas, que ficam recuadas das ruas e às quais se tem acesso por um pátio com calçamento de pedra. As galerias citadas abaixo figuram entre as melhores e funcionam ter-sáb 11h-19h. A entrada é gratuita.

**Galerie Chantal Crousel** 10 rue Charlot Ⓜ Filles du Calvaire; Ⓣ 01.42.77.38.87, Ⓦ www.crousel.com. Expõe o trabalho de artistas emergentes (sobretudo de vídeo) da França e do exterior.

**Galerie Emmanuel Perrotin** 76 rue de Turenne Ⓜ St-Sébastien Froissart; Ⓣ 01.42.16.79.79, Ⓦ www.galerieperrotin.com. Galeria idiossincrática que já expôs artistas franceses como Sophie Calle, assim como nomes internacionais, a exemplo de Takashi Murakami.

**Galerie Karsten Greve** 5 rue Debelleyme Ⓜ St-Sébastien Froissart; Ⓣ 01.42.77.19.37, Ⓦ www.artnet.com/kgreve.html. A filial em Paris da galeria alemã destaca o trabalho de artistas de nível internacional como Louise Bourgeois.

**Galerie Marian Goodman** 79 rue du Temple Ⓜ Rambuteau; Ⓣ 01.48.04.70.52, Ⓦ www.mariangoodman.com. Esta filial da respeitada galeria de Nova York expôs recentemente Gerhard Richter e o fotógrafo David Goldblatt.

**Galerie Yellow Korner** 8 rue des Francs Bourgeois Ⓜ St-Paul; Ⓣ 01.49.96.50.23, Ⓦ www.yellowkorner.com. Galeria de fotografia contemporânea com filiais em toda a Europa, promove talentos de renome e emergentes.

**Galerie Yvon Lambert** 108 rue Vieille du Temple Ⓜ Filles du Calvaire; Ⓣ 01.42.71.09.33, Ⓦ www.yvon-lambert.com. Galeria influente há mais de três décadas, realizou exposições de Andres Serrano, Giulio Paolini e Andy Warhol nos últimos anos.

### VINCENT JALBERT ET YVES ANDRIEUX

55 rue Charlot Ⓜ Filles du Calvaire.
Seg-sex 10h-13h e 14h-19h, sáb 11h-19h.
MAPA PP. 86-7, MAPA DE BOLSO G14

É difícil acreditar que essas belas roupas (cada peça é única e custa em torno de €400) são recicladas a partir de uniformes militares dos anos 1950. As jaquetas e os casacos longos são muito elegantes e combinam com as saias de babados feitas de paraquedas e tendas. Há também bolsas atraentes mais acessíveis, assim como chapéus-panamá em tecidos dos anos 1960.

BUTIQUE SWILDENS

# Restaurantes

## AMBASSADE D'AUVERGNE

22 rue du Grenier St-Lazare Ⓜ Rambuteau
Ⓣ 01.42.72.31.22. Diariam 12h-14h e 19h30-22h; fecha 3 semanas em ago.
MAPA PP. 86-7, MAPA DE BOLSO E14

Garçons de bigode e terno servem ótima cozinha de Auvergne que deixaria Vercingetorix orgulhoso. Há um menu fixo por €28, mas talvez você prefira alguma das especialidades da casa, como o cordeiro Marvejols ao forno. Para encerrar o jantar, peça uma travessa de queijos ou os divinos profiteroles.

## AU BOURGUIGNON DU MARAIS

52 rue François Miron Ⓜ St-Paul
Ⓣ 01.48.87.15.40. Ter-sáb 12h-23h; fecha 2 semanas em ago.
MAPA PP. 86-7, MAPA DE BOLSO F16

Restaurante descontraído com decoração contemporânea e mesas ao ar livre no verão, serve excelente cozinha da Borgonha (escargot com salsa e alho, boeuf bourguignon, lúcio com pinot noir) harmonizada com vinhos. Em torno de €60 por pessoa, com vinho.

AMBASSADE D'AUVERGNE

## BREIZH CAFÉ

109 rue Vieille du Temple Ⓜ St-Paul
Ⓣ 01.42.72.13.77. Qua-dom 12h-23h; fecha 2 semanas em ago. MAPA PP. 86-7, MAPA DE BOLSO G15

Um café bretão que serve os melhores crepes do Marais (e talvez da cidade), com recheios tradicionais como presunto e queijo, ao lado de opções mais exóticas como arenque defumado, acompanhados de uma das 22 diferentes sidras. Guarde espaço para a sobremesa, já que o chocolate Valrhona é usado nos crepes doces. Como é muito concorrido, você deve reservar com alguma antecedência.

## CAFÉ DES MUSÉES

49 rue de Turenne Ⓜ Chemin Vert
Ⓣ 01.42.72.96.17. Diariam 12h-15h e dom 19h-23h, abre para café da manhã seg-sex 8h-12h, sáb e dom 10h30-12h. MAPA PP. 86-7, MAPA DE BOLSO G16

Belo bistrô antigo (com um salão não tão bonito no subsolo) que atrai os moradores da região com seus preços razoáveis e sua comida caseira, como filé com fritas, terrines e crème caramel. Há sempre uma opção vegetariana. À noite, o menu a preço fixo custa somente €20, enquanto os pratos principais pedidos separadamente saem por cerca de €19.

## CHEZ MARIANNE

2 rue des Hospitalières-Saint-Gervais
Ⓜ St-Paul Ⓣ 01.42.72.18.86. Diariam 12h-22h30. MAPA PP. 86-7, MAPA DE BOLSO F16

Com alegres toldos vermelhos e um salão agitado, este lugar caseiro é especializado em iguarias do Oriente Médio e judaicas, além de opções vegetarianas. Uma porção de mezze (a partir de €12) pode incluir tabule, pasta de berinjela, picadinho de fígado e homus, e há bons vinhos. Quando o clima permite, você pode se sentar ao ar livre. O lugar funciona durante todo o verão.

## CHEZ NÉNESSE

17 rue Saintonge Ⓜ Filles-du-Calvaire Ⓣ 01.42.78.46.49. Seg-sex 12h-14h30 e 20h-22h30; fecha em ago. MAPA PP. 86-7, MAPA DE BOLSO G15

Filé ao molho de arando, vieiras com endívia e figos recheados com creme de amêndoa são algumas das delícias em oferta neste restaurante acolhedor, além de fritas caseiras no almoço de quinta. Veja a história em quadrinhos do próprio restaurante na vitrine. Pratos principais em torno de €18.

## CHEZ OMAR

47 rue de Bretagne Ⓜ Temple/Filles--du-Calvaire Ⓣ 01.42.72.36.26. Seg-sáb 12h-14h30 e 19h-23h30, dom 19h-23h30; não aceita cartão de crédito. MAPA PP. 86-7, MAPA DE BOLSO G14

Este popular restaurante de cuscuz norte-africano não faz reservas. Enquanto aguarda uma mesa, aproveite para apreciar no bar a bela decoração de brasserie antiga, a clientela bonita e o clima alegre. As porções são fartas e o cuscuz, bem leve. Peça a merguez (linguiça apimentada) ou o cuscuz royal (€26), mas não espere que sobre espaço para os doces.

## LE GAIGNE

12 rue Pecquay Ⓜ Rambuteau Ⓣ 01.44.59.86.72. Ter-sáb 12h15-14h e 19h30-22h30. MAPA PP. 86-7, MAPA DE BOLSO F15

Administrado pelo jovem chef Mickaël Gaignon, este pequeno bistrô contemporâneo tem apenas nove mesas em um ambiente sóbrio em tons de marrom--claro e cor-de-malva. Serve uma culinária criativa impecavelmente apresentada, com preferência pelos peixes. Considerando-se a qualidade da comida, tem um bom custo-benefício a €45 o menu--degustação com cinco pratos, ou €64 acompanhado de vinhos especialmente selecionados.

LE POTAGER DU MARAIS

## LE POTAGER DU MARAIS

22 rue Rambuteau Ⓜ Rambuteau Ⓣ 01.42.74.24.66. Diariam (exceto ter) 12h-16h e 19h-22h30. MAPA PP. 86-7, MAPA DE BOLSO E15

Faça reserva ou chegue cedo para conseguir lugar neste restaurante vegetariano orgânico, que comporta apenas 25 pessoas em uma longa mesa comunitária. Há também muitas opções veganas. Entre os pratos há queijo de cabra com mel e hambúrguer de quinoa. Menu fixo por €25.

## PRAMIL

9 rue du Vertbois Ⓜ Temple/Arts-et-Métiers Ⓣ 01.42.72.03.60. Ter-sáb 12h-14h e 19h30--22h, dom 19h30-22h. MAPA PP. 86-7, MAPA DE BOLSO G15

Restaurante elegante com decoração simples, tem um cardápio pequeno mas apetitoso, com clássicos franceses e pratos incomuns, como bolo de couve--flor, sopa de abóbora com sorvete de foie gras e torta de framboesa com pimenta vermelha. O menu fixo no jantar a €30 (€20 no almoço) tem ótimo custo-benefício.

# Cafés

### L'AS DU FALLAFEL

34 rue des Rosiers Ⓜ St-Paul. Seg-qui e dom 12h-0h. MAPA PP. 86-7, MAPA DE BOLSO F16

A placa acima da porta desta loja de falafel no bairro judeu avisa "*Toujours imité, jamais égalé*" ("sempre imitado, nunca igualado"), o que é uma verdade levando-se em conta as filas que se formam. Falafels para viagem custam €5, ou pague um pouco mais e sente-se na salinha agitada.

### CAFÉ CHARLOT

38 rue de Bretagne Ⓜ Filles du Calvaire. Diariam 7h-2h. MAPA PP. 86-7, MAPA DE BOLSO G14

É preciso lutar por um lugar no terraço deste café retrô chique com azulejos brancos, que lota de parisienses e turistas antenados nos fins de semana. A comida – uma mescla de pratos padrão franceses e americanos – não é grande coisa, mas o lugar é ótimo para um drinque e para ver pessoas.

### LE LOIR DANS LA THÉIÈRE

3 rue des Rosiers Ⓜ St-Paul. Seg-sex 11h-19h, sáb e dom 10h-19h. MAPA PP. 86-7, MAPA DE BOLSO F16

Pitoresco *salon de thé* decorado com brinquedos antigos e murais de *Alice no País das Maravilhas*. É ponto de encontro de amigos que se acomodam nos sofás enquanto comem deliciosos bolos caseiros ou excelentes quiches de legumes. No brunch de domingo (a partir de €19,50) fica lotado.

### MARIAGE FRÈRES

30 rue du Bourg-Tibourg Ⓜ Hôtel-de-Ville. Diariam 12h-19h. MAPA PP. 86-7, MAPA DE BOLSO F16

Elegante *salon de thé* em estilo colonial no empório de chás Mariages Frères, com mais de 500 tipos de chá à escolha.

ANDY WAHLOO

# Bares

### ANDY WAHLOO

69 rue des Gravilliers Ⓜ Arts-et-Métiers. Ter-sáb 18h-2h. MAPA PP. 86-7, MAPA DE BOLSO E14

Ótimo bar com decoração inspirada em Pop Art árabe e trilha sonora variada de dance music. Deliciosos mezzes são servidos até meia-noite e os drinques incluem o Wahloo Special (rum, lima, gengibre, banana e canela; €10).

### LE FREE DJ

35 rue Ste-Croix de la Bretonnerie Ⓜ Hôtel-de-Ville. Seg-qua e dom 18h-3h, sex e sáb 18h-4h. MAPA PP. 86-7, MAPA DE BOLSO F16

Este elegante bar gay atrai tipos belos, jovens e *très looké* . Descontraído, apresenta todas as vertentes da música eletrônica (house, disco-funk etc.) no subsolo.

### THE LIZARD LOUNGE

18 rue du Bourg-Tibourg Ⓜ Hôtel-de-Ville/St-Paul. Diariam 12h-2h. MAPA PP. 86-7, MAPA DE BOLSO F16

Bar animado com paredes de pedra e dois níveis, é dirigido por um americano e atrai jovens expatriados. Há cerca de 50 opções de drinques a preços razoáveis.

### LA PERLE

78 rue Vieille du Temple Ⓜ St-Paul.
Seg-sex 6h-2h, sáb e dom 8h-2h.
MAPA PP. 86-7, MAPA DE BOLSO F15

Lugar que, apesar de querer aparentar um discreto descuido e tocar dance music genérica, mantém uma reputação de ser *très cool*. Vive lotado de gente ligada às artes, que consome grande quantidade de cerveja gelada.

### LE PETIT FER À CHEVAL

30 rue Vieille-du-Temple Ⓜ St-Paul.
Seg-sex 9h-2h, sáb e dom 11h-2h.
Serve comida 12h-24h. MAPA PP. 86-7, MAPA DE BOLSO F16

Bar pequeno com decoração de *fin de siècle*, incluindo um balcão de mármore em forma de ferradura *(fer à cheval)*. Além de sanduíches, há refeições leves na salinha dos fundos com bancos de madeira de metrô.

### RAIDD

23 rue du Temple Ⓜ Hôtel-de-Ville.
Seg-qui 17h-4h, sáb e dom 17h-5h.
MAPA PP. 86-7, MAPA DE BOLSO E15

Concorrido bar gay da cidade é famoso pelos garçons esculturais sem camisa e os shows de go-go boys. Héteros e não famosos precisam fazer reserva.

### LA TARTINE

24 rue de Rivoli Ⓜ St-Paul.
Diariam 8h-2h. MAPA PP. 86-7, MAPA DE BOLSO F16

Apesar da pintura nova, este bar tradicional mantém seu distinto cunho art nouveau. A clientela é uma mescla interessante de estudantes, pensionistas, fashionistas e trabalhadores. Vinho na taça a partir de €3,50 e refeições leves, incluindo, é claro, tartines.

## Casas noturnas e música ao vivo

### LA GÂITÉ LYRIQUE

3 bis rue Papin Ⓜ Réaumur-Sébastopol/ Arts-et-Metiers Ⓦ www.gaiete-lyrique.net
Ⓣ 01.42.72.44.42. Ter-sáb 14h-20h, dom 14h--18h. MAPA PP. 86-7, MAPA DE BOLSO E13

Este novo centro de artes digitais e música contemporânea fica em um respeitado teatro. Depois de anos fechado, passou por uma reforma radical que preservou e restaurou a fachada e o esplêndido foyer de mármore, e abriu o interior para acomodar vários espaços, como uma sala de concertos de última geração. Sua ampla programação conta com concertos, exposições e apresentações de dança e teatro, além de instalações artísticas.

### LE TANGO

13 rue au Maire Ⓜ Arts-et-Métiers Ⓦ www.boite-a-frissons.fr. Sex e sáb 22h30-5h, dom 18h-23h. MAPA PP. 86-7, MAPA DE BOLSO F14

Clube descontraído para gays e lésbicas, com um tradicional chá dançante domingo à tarde movido a danças lentas e tangos. As noites de sexta e sábado têm desde clássicos da disco music dos anos 1980 à world music, com a verdadeira agitação começando à meia-noite.

LE PETIT FER À CHEVAL

# Bastille e o leste de Paris



Tradicionalmente áreas da classe trabalhadora com um histórico de atividade revolucionária radical, Bastille e os bairros de Belleville e Ménilmontant, mais a leste, hoje estão entre as partes mais diversificadas e vibrantes da cidade, com moradores de várias etnias, assim como estudantes e artistas. As atrações mais populares da área são o cemitério Père-Lachaise, onde repousam numerosos artistas e escritores famosos; o canal St-Martin, com cafés e bares badalados; e o vasto e pós-moderno Parc de la Villette. Ao sul, Bercy foi o maior mercado de vinhos do mundo e os armazéns dessa época hoje abrigam bares e restaurantes.

## PLACE DE LA BASTILLE

Ⓜ Bastille. MAPA P. 100, MAPA DE BOLSO H17

Imensa e congestionada, a place de la Bastille é onde os parisienses se reúnem no Dia da Bastilha, em 14 de julho, embora reste pouco da prisão – cujos vestígios foram transferidos para a praça Henri-Galli no fim do boulevard Henri-IV. No meio da praça, uma coluna (Colonne de Juillet) encimada por um Espírito da Liberdade dourado foi erguida não para comemorar a rendição da prisão, mas sim a Revolução de Julho de 1830, que substituiu o autocrático Carlos X pelo "Rei Cidadão" Luís Filipe.

COLONNE DE JUILLET, PLACE DE LA BASTILLE

## MERCADO DA PLACE D'ALIGRE

Ⓜ Ledru-Rollin. Ter-dom 7h30-13h. MAPA P. 100, MAPA DE BOLSO L9

O mercado da place d'Aligre, entre a avenue Daumesnil e a rue du Faubourg St-Antoine, é ruidoso e animado, sobretudo nos fins de semana. A praça é tomada por barracas de roupas e bugigangas, as quais variam de velhos gramofones a pedaços de louças de barro. Mas é ao longo da adjacente rue d'Aligre que o mercado fica mais fervilhante, com os vendedores, muitos de origem argelina, divulgando frutas e legumes.

## PROMENADE PLANTÉE

Ⓜ Bastille. MAPA P. 100, MAPA DE BOLSO L10

A Promenade Plantée é um trecho de uma linha ferroviária desativada, em grande parte ao

PARC FLORAL, BOIS DE VINCENNES

longo de um viaduto, engenhosamente transformado em passarela elevada na qual há árvores e flores. Começando perto do início da avenue Daumesnil, ao sul da casa de ópera Bastille, seu acesso é por um lance de degraus de pedra, sendo que há outros pontos de acesso similares em sua extensão. A passarela vai até o Parc de Reuilly, depois desce para o nível térreo e continua até o *périphérique*, de onde você pode seguir as placas para o Bois de Vincennes. A caminhada por toda a passarela é de 4,5km, mas, se não quiser fazer todo o percurso, ande só no primeiro trecho, que é bem atraente e acompanha o viaduto.

## VIADUC DES ARTS

Ⓜ Bastille. MAPA P. 100, MAPA DE BOLSO L9-10

Os arcos do viaduto da Promenade Plantée foram transformados em belos espaços com estúdios de artesãos e lojas de artesanato, conhecidos como Viaduc des Arts. Ali estão restauradores de móveis e tapeçarias, decoradores, marceneiros, luthiers, bordadeiras, estilistas de moda e designers de joias.

## BOIS DE VINCENNES

Ⓜ Château de Vincennes. Diariam do amanhecer ao anoitecer. MAPA DE BOLSO M11

O Bois de Vincennes é um dos maiores espaços verdes da cidade, porém é cortado por ruas. Há alguns recantos agradáveis, incluindo os melhores jardins de Paris no **Parc Floral** (diariam 9h30-20h, inverno até o anoitecer; grátis exceto qua, sáb e dom jun-set, quando a entrada custa €5; Ⓦwww.parcfloraldeparis.com; ⓂChâteau-de-Vincennes, depois ônibus 112 ou uma caminhada de 15 minutos). Sempre há flores em seu **Jardin des Quatre Saisons**, onde é possível fazer um piquenique sob os pinheiros. Entre abril e setembro há exposições de arte e de horticultura, shows musicais gratuitos, um parque recreativo infantil e um minigolfe com monumentos parisienses.

Você pode passear de barco no **Lac Daumesnil**, perto da entrada na Porte Dorée e da estação de metrô (linha 8). E, ao norte, na 53 avenue de St-Maurice, fica o maior **zoo** da cidade (fechado para reforma até 2014).

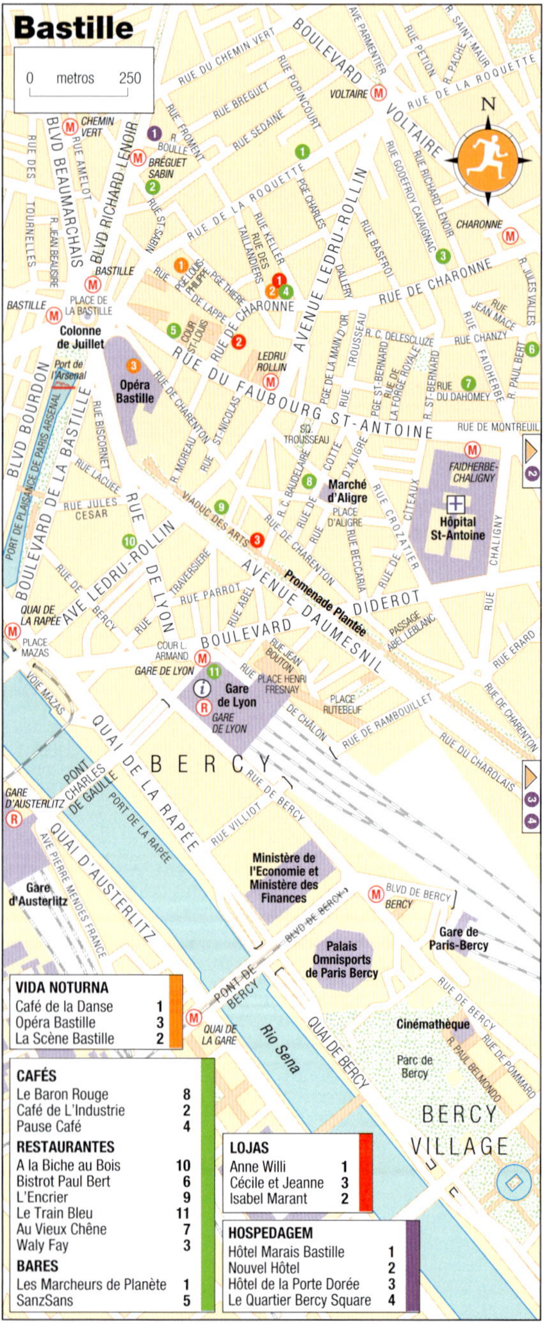


**VIDA NOTURNA**

- Café de la Danse 1
- Opéra Bastille 3
- La Scène Bastille 2

**CAFÉS**

- Le Baron Rouge 8
- Café de L'Industrie 2
- Pause Café 4

**RESTAURANTES**

- A la Biche au Bois 10
- Bistrot Paul Bert 6
- L'Encrier 9
- Le Train Bleu 11
- Au Vieux Chêne 7
- Waly Fay 3

**BARES**

- Les Marcheurs de Planète 1
- SanzSans 5

**LOJAS**

- Anne Willi 1
- Cécile et Jeanne 3
- Isabel Marant 2

**HOSPEDAGEM**

- Hôtel Marais Bastille 1
- Nouvel Hôtel 2
- Hôtel de la Porte Dorée 3
- Le Quartier Bercy Square 4

## CHÂTEAU DE VINCENNES

Ⓜ Château-de-Vincennes ☎ 01.48.08.31.20. Diariam: mai-ago 10h-18h; set-abr 10h-17h; €8,50. MAPA DE BOLSO M10

Na orla norte do *bois*, o Château de Vincennes foi uma residência medieval real, depois prisão estadual, fábrica de porcelana, depósito de armas e escola de treinamento militar. Embora pareça austero à primeira vista, o castelo merece uma visita devido à sua extravagante **Chapelle Royale** gótica, concluída em meados do século XVI e decorada com vitrais renascentistas. Por perto, no *donjon* (torreão fortificado) do século XIV reformado, observe os tetos abobadados e o quarto de Carlos V, assim como grafites deixados por prisioneiros.

## BERCY VILLAGE

Ⓜ Cour St-Emilion. MAPA P. 100, MAPA DE BOLSO M12

Bercy Village é um projeto de urbanização que transformou com sucesso belos armazéns antigos de vinho em lojas, restaurantes e, apropriadamente, bares de vinho. Esses lugares são muito frequentados antes e após as sessões de cinema no gigantesco multiplex Bercy, na ponta leste da Cour Saint Émilion.

## PARC DE BERCY

Ⓜ Bercy/Cour St-Emilion. MAPA P. 100, MAPA DE BOLSO M12

Em estilo contemporâneo, o Parc de Bercy incorpora elementos locais dos antigos armazéns, como linhas férreas desativadas e ruas de pedra. A parte oeste do parque é uma vastidão de grama monótona, mas a área no leste tem arvoredos, roseirais, lagos com nenúfares e uma estufa de laranjeiras.

## CINÉMATHÈQUE FRANÇAISE

51 rue de Bercy Ⓜ Bercy ☎ 01.71.19.33.33, Ⓦ www.cinematheque.fr. MAPA P. 100, MAPA DE BOLSO M11-12

Em um edifício de vidro, zinco e pedra que evoca um maço de cartas desabando, projetado pelo arquiteto Frank Gehry, a Cinémathèque mantém um imenso arquivo de filmes desde os primórdios do cinema. Há retrospectivas frequentes de filmes franceses e estrangeiros em seus quatro cinemas, além de um **museu** interessante (seg e qua-sáb 12h-19h, dom 10h-20h; €5), com muitos equipamentos antigos, clipes de filmes mudos e trajes como um vestido usado por Vivienne Leigh em *...E o vento levou.*

CINÉMATHÈQUE

## CANAL ST-MARTIN

MAPA P. 104, MAPA DE BOLSO K4-6

Construído em 1825 como atalho para o tráfego fluvial no grande circuito no oeste do Sena, em torno de Paris, o canal St-Martin é muito charmoso, sobretudo em sua parte ao sul: árvores niveladas ladeiam os *quais* de pedra, e elegantes pontes para pedestres com arcos elevados pontuam os espaços entre as eclusas, de onde se pode ver a peculiar barcaça subindo lentamente ou descendo no nível seguinte. Desde a última década, o espaço vem sendo ocupado pelas novas artes e a *intelligentsia* da mídia, que trouxeram a reboque bares, cafés e butiques. A área fica mais animada nas tardes de domingo, quando os *quais* ficam fechados para o trânsito; pedestres, ciclistas e patinadores tomam as ruas, e pessoas passeiam à beira do canal.

## LE 104

104 rue d'Aubervilliers Ⓜ Ricquet Ⓣ 01.53.35.50.00, Ⓦ www.104.fr. Ter-sex 12h-19h, sáb e dom 11h-19h; grátis para o salão principal. MAPA P. 104, MAPA DE BOLSO K2-L2

CANAL ST-MARTIN

Instalado em uma antiga casa funerária do século XIX, em uma das partes mais pobres do 19º arrondissement, o Le 104 é um enorme centro cultural dotado de um impressionante saguão central com cobertura de vidro e ocupado por diversos estúdios de artistas. Abriga exposições e instalações e recebe espetáculos de dança e teatro, com ênfase em pré-estreias e apresentações extras de produções com ingressos esgotados em outros teatros. O complexo conta ainda com uma boa livraria, lojas sem fins lucrativos e um café-restaurante.

## PARC DE LA VILLETTE

Ⓜ Porte-de-Pantin/Porte-de-la-Villette Ⓣ 01.40.03.75.75, Ⓦ www.villette.com. Diariam 6h-1h. Grátis. MAPA P. 104, MAPA DE BOLSO M2

Construído em 1986 no local em que havia o maior matadouro e mercado de carne de Paris, o Parc de la Villette ocupa um terreno com paisagismo que inclui um moderno museu de ciências, um ótimo museu de música, vários jardins temáticos e alguns dissonantes "edifícios decorativos" vermelhos. O efeito de tantos elementos díspares é um tanto confuso – conforme a intenção dos criadores de eliminar um sentido e "desfazer" o todo em partes. O objetivo foi alcançado, mas em termos práticos é melhor pegar um mapa no centro de informações na entrada sul para pode ter noção espacial do parque.

O extenso terreno do parque contém dez jardins temáticos mais voltados a crianças. No Jardin des Miroirs, por exemplo, monolitos de aço ocultos entre as árvores lançam reflexos estranhos, ao passo que, previsivelmente, formas parecidas com dunas, velas e cata-ventos compõem o Jardin des Dunes

INTERIOR DO PARC DE LA VILLETTE

(para menores de 13 anos e seus acompanhantes adultos). Com 80m, o escorregador de Dragão também faz sucesso com a meninada.

Defronte à Cité des Sciences flutua o Géode (shows de hora em hora: ter-sáb 10h30-20h30, seg 10h30-18h30; €10,50), uma bolha de aço espelhada que parece ter sido atirada por um jogo de petanca intergalático em um lago. No interior há um telão para filmes Omnimax de enredo tolo, mas que proporcionam uma ótima experiência visual.

## CITÉ DES SCIENCES ET DE L'INDUSTRIE

Parc de la Villette Ⓜ Porte-de-la-Villette Ⓦ www.cite-sciences.fr. Ter-sáb 10h-18h, dom 10h-19h. €8. Shows no planetário a cada hora 11h-17h; 35min; €3. Cité des Enfants Ⓣ 08.92.69.70.72; sessões ter-sex 10h, 11h45, 13h30 e 15h15; sáb e dom 10h30, 12h30, 14h30 e 16h30; €6.

MAPA P. 104, MAPA DE BOLSO M1

A Cité des Sciences et de l'Industrie, um dos melhores museus de ciências do mundo, fica em um edifício quatro vezes maior do que o Centre Pompidou. Suas paredes são de vidro e no meio do museu há um vão aberto de 40m de altura que acompanha a extensão da cobertura. Uma programação excelente de exposições temporárias complementa a mostra permanente intitulada *Explora*, que aborda temas como som, robótica, energia, luz, ecologia, matemática, medicina, espaço e idioma. Como o nome sugere, a ênfase é em exploração e há numerosos computadores interativos, vídeos, hologramas, maquetes animadas e jogos. Vale a pena também ir a uma sessão no planetário.

O museu tem uma parte infantil, a Cité des Enfants, com áreas para as faixas de 2-7 anos e de 5-12 anos; as crianças devem estar com um adulto, e uma sessão dura 90 minutos. Entre as diversas atividades disponíveis há brincadeiras com água, a construção de edifícios em um canteiro de obras em miniatura (com capacetes, guindastes e carrinhos de mão), experiências com som e luz, e manipulação de robôs.

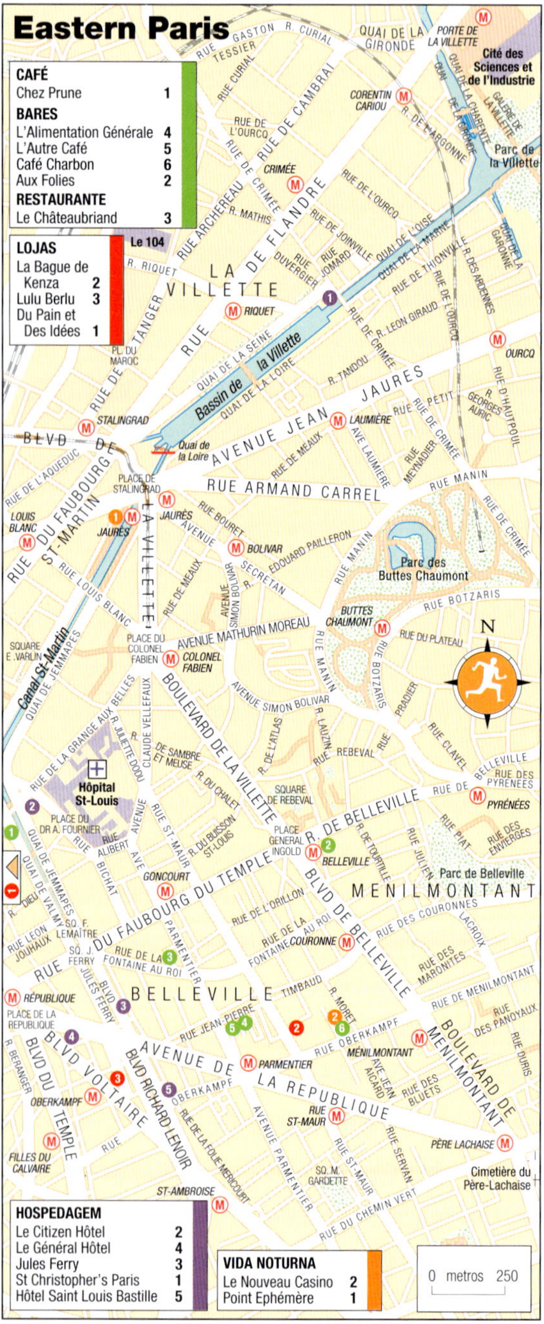
Eastern Paris
CAFÉ
Chez Prune 1
BARES
L'Alimentation Générale 4
L'Autre Café 5
Café Charbon 6
Aux Folies 2
RESTAURANTE
Le Châteaubriand 3
LOJAS
La Bague de Kenza 2
Lulu Berlu 3
Du Pain et Des Idées 1
HOSPEDAGEM
Le Citizen Hôtel 2
Le Général Hôtel 4
Jules Ferry 3
St Christopher's Paris 1
Hôtel Saint Louis Bastille 5
VIDA NOTURNA
Le Nouveau Casino 2
Point Ephémère 1
0 metros 250
LA VILLETTE
BELLEVILLE
MENILMONTANT
Bassin de la Villette
Canal St-Martin
Parc des Buttes Chaumont
Parc de Belleville
Parc de la Villette
Cité des Sciences et de l'Industrie
Hôpital St-Louis
Cimetière du Père-Lachaise
Le 104

## MUSÉE DE LA MUSIQUE

Cité de la Musique, Parc de la Villette Ⓜ Porte-de-Pantin Ⓣ 01.44.84.45.00, Ⓦ www.cite-musique.fr. Ter-sáb 12h-18h, dom 10h-18h. €8. MAPA DE BOLSO M3

O Musée de la Musique apresenta a história da música do final do Renascimento à atualidade, expondo 4.500 instrumentos e oferecendo fones de ouvido (disponíveis em inglês; grátis). Caixas de vidro contêm instrumentos reluzentes, apresentados no contexto de seu papel na história da música ocidental: enquanto você passa pelas caixas, os fones de ouvido são programados para emitir uma narração breve, seguida por um belo concerto.

## CEMITÉRIO PÈRE-LACHAISE

Entrada principal no bd de Ménilmontant Ⓜ Père-Lachaise/Philippe Auguste. Seg-sex 8h-17h30, sáb 8h30-17h30, dom 9h-17h30. Grátis. MAPA P. 104, MAPA DE BOLSO A20/21-B20/21

Local do descanso final de personalidades francesas e estrangeiras, o Père-Lachaise ocupa 47ha, sendo um dos maiores cemitérios do mundo. É também um dos mais belos – um refúgio com encostas em vários níveis e magníficas árvores antigas lançando seus ramos sobre as tumbas cobertas de musgo. Mapas grátis estão disponíveis na entrada, mas vale a pena comprar um mais detalhado, pois é difícil achar alguns túmulos. Há mapas e suvenires à venda na loja Père-Lachaise, no nº 45 da boulevard de Ménilmontant perto da entrada principal.

O Père-Lachaise foi inaugurado em 1804 para desafogar os cemitérios e adros lotados da cidade. As autoridades civis ordenaram a transferência dos corpos de Molière, La Fontaine, Abélard e Héloïse para cá, e rapidamente se tornou chique

CEMITÉRIO PÈRE-LACHAISE

ser enterrado no Père-Lachaise. Um dos túmulos mais visitados é o de Chopin (Seção 11), para o qual poloneses trazem coroas e flores vermelhas e brancas. Fãs também visitam o túmulo do ex-vocalista da banda The Doors, Jim Morrison (Seção 6), que morreu aos 27 anos em um apartamento em Paris.

Um dos túmulos mais impressionantes é o de Oscar Wilde (Seção 89), encimado por uma escultura de um misterioso mensageiro alado faraônico, feita por Jacob Epstein. O túmulo da *femme fatale* Colette, perto da entrada principal na Seção 4, é bem simples, mas está sempre coberto de flores, enquanto Marcel Proust repousa no jazigo convencional de mármore preto de sua família (Seção 85).

Na Seção 97 há memoriais às vítimas dos campos de concentração nazistas e a membros da Resistência assassinados.

## PARC DES BUTTES--CHAUMONT

Ⓜ Buttes-Chaumont/Botzaris. MAPA P. 104, MAPA DE BOLSO L5-M4

O Parc des Buttes-Chaumont foi construído por ordem de Haussmann nos anos 1860 para camuflar uma área desolada com pedreiras desativadas, depósitos de entulhos e barracões. Com base nesse cenário improvável, foi criado um parque digno de contos de fadas – há uma gruta com cascata e estalactites artificiais, e um lago pitoresco do qual se ergue um enorme rochedo encimado por um delicado templo coríntio. Do templo, tem-se uma linda vista da Sacré-Coeur, e no verão é possível passear de barco no lago.

## BELLEVILLE

Ⓜ Belleville/Pyrénées. MAPA P. 104, MAPA DE BOLSO L5/6-M5/6

Absorvido por Paris nos anos 1860, ganhando depois prédios altos para abrigar migrantes de áreas rurais e de ex-colônias, Belleville não é exatamente "belo", mas vale a pena conhecer este lado da cidade. A via principal, a rue de Belleville, é repleta de lojas e restaurantes vietnamitas, tailandeses e chineses que se estendem ao sul pelo boulevard de Belleville e a rue du Faubourg-du-Temple. Frutas, temperos, música e tecidos africanos e orientais atraem consumidores ao mercado no boulevard de Belleville nas manhãs de terça e sexta. O Parc de Belleville, com terraços e cachoeiras, tem ótima vista da cidade, especialmente ao entardecer.

## MÉNILMONTANT

Ⓜ Ménilmontant. MAPA P. 104, MAPA DE BOLSO L7-M6

Ménilmontant tem uma história semelhante à de Belleville, e se estende por uma via reta, íngreme e longa, a rue de Ménilmontant, e, em sua extensão mais baixa, a rue Oberkampf. Embora tenha trechos arruinados, sua popularidade junto a estudantes e artistas lhe confere muita vitalidade. Lojas alternativas e bares e restaurantes badalados surgiram entre as quitandas e lojas barateiras de ferragens, sobretudo na rue Oberkampf, um dos polos noturnos da cidade.

PARC DE BELLEVILLE

ANNE WILLI

# Lojas

## ANNE WILLI

13 rue Keller Ⓜ Ledru-Rollin/Voltaire. Seg 14h-18h, ter-sáb 11h-19h. MAPA P. 100, MAPA DE BOLSO L9

Roupas muito originais em tecidos luxuosos, desde conjuntos de elegância casual até peças únicas com estudos geométricos do corpo. Preços acima de €70. Há também roupas lindas para crianças.

## LA BAGUE DE KENZA

106 rue St-Maur Ⓜ St-Maur. Seg-sáb 10h-20h (qua e sex até 22h). MAPA P. 104, MAPA DE BOLSO M6

Confeitaria argelina repleta de bolos de tâmara, laranja, pistache, figo, amêndoa e outros ingredientes deliciosos. Tem também um belo salão de chá anexo.

## CÉCILE ET JEANNE

49 av Daumesnil Ⓜ Gare-de-Lyon. Seg-sáb 10h-19h. MAPA P. 100, MAPA DE BOLSO L10

Esta loja no Viaduc des Arts é excelente para achar joias inovadoras de artífices locais a preços razoáveis. Há muitas peças por menos de €100.

## DU PAIN ET DES IDÉES

34 rue Yves Toudic Ⓜ Jacques Bonsergent. Seg-sex 6h45-20h. MAPA P. 104, MAPA DE BOLSO K6

Uma rápida visita revela por que esta foi considerada a melhor padaria de Paris pelo prestigioso guia *Gault et Miliau* nos últimos anos: celestiais baguetes, brioches e o exclusivo *pain des amis*, um pão fino com castanhas.

## ISABEL MARANT

16 rue de Charonne Ⓜ Ledru-Rollin. Seg-sáb 10h30-19h30. MAPA P.100, MAPA DE BOLSO L9

Marant conquistou reputação internacional por suas roupas femininas com tecidos de qualidade como seda e cashmere. Preços altos, mas não exorbitantes.

## LULU BERLU

2 rue Grand Prieuré Ⓜ Oberkampf. Seg-sáb 11h-19h30. MAPA P. 104, MAPA DE BOLSO H14

Esta loja é repleta de brinquedos e curiosidades do século XX, em sua maioria com a embalagem original. Há uma coleção excelente de sucessos dos anos 1970-90, incluindo itens de *Doctor Who*, *Guerra nas estrelas*, *Planeta dos Macacos* e *Batman*, além de uma boa variedade de brinquedos novos.

# Cafés

### LE BARON ROUGE

1 rue Théophile-Roussel Ⓜ Ledru-Rollin. Ter-sex 10h-14h e 17h-22h, sáb 10h-22h, dom 10h30-15h30. MAPA P. 100, MAPA DE BOLSO L9

Este *bar à vins* é o que há de mais parecido com os saloons rústicos dos filmes antigos. Donos de barracas e clientes do mercado da place d'Aligre se reúnem aqui para um almoço leve ou um aperitivo de dia, especialmente aos domingos, e o público jovem aparece mais tarde. Junte-se aos habitantes locais na calçada para saborear saucisson, mexilhões ou ostras de Cap Ferrat com uma taça de Muscadet.

### CAFÉ DE L'INDUSTRIE

16 rue St-Sabin Ⓜ Bastille. Diariam 10h-2h; fecha 3 semanas em ago. MAPA P. 100, MAPA DE BOLSO H16

Um dos melhores cafés na Bastille (na verdade dois cafés, um de cada lado da rua), lota todas as noites. Tapetes no chão em torno de sólidas mesas de madeira antigas, cabeças de rinoceronte e fotos em preto e branco nas paredes, e uma clientela descontraída.

LE BARON ROUGE

### CHEZ PRUNE

36 rue Beaurepaire Ⓜ Jacques-Bonsergent ⓣ 01.42.41.30.47. Seg-sáb 8h-2h, dom 10h-2h. MAPA P. 104, MAPA DE BOLSO K5

Com o apelido da avó do dono (da qual há um busto no local), o *Chez Prune* é frequentado pelo pessoal da mídia, e continua simpático e descontraído. Oferece mesas agradáveis ao ar livre com vista para o canal. Pratos no almoço em torno de €14; petiscos à noite, como porções de queijo ou charcuterie, por volta de €11; cerveja a €3.

### PAUSE CAFÉ

41 rue de Charonne com rue Keller Ⓜ Ledru-Rollin. Ter-sáb 8h-2h, dom até 21h. MAPA P. 100, MAPA DE BOLSO L9

Podia ser "Pose Café", em vista de sua popularidade junto aos jovens e descolados sempre de óculos escuros do *quartier*, os quais lotam as mesas na calçada no almoço e na hora do *apéritif*. O atendimento é previsivelmente negligente. *Plats du jour* por volta de €14.

# Restaurantes

### A LA BICHE AU BOIS

45 av Ledru-Rollin Ⓜ Gare de Lyon ⓣ 01.43.43.34.38. Seg 19h-23h, ter-sex 12h-14h e 19h-22h30; fecha quatro semanas jul-ago. MAPA P. 100, MAPA DE BOLSO H18

As filas que atravessam a estufa defronte são um bom indício da popularidade deste restaurante, que oferece atendimento charmoso, preços justos e comida caprichada. A especialidade da casa é um suculento coq au vin. Como entrada, peça patê ou terrine. Encerre o menu de três pratos no almoço e jantar (€28,50), com queijo.

## BISTROT PAUL BERT

18 rue Paul Bert Ⓜ Faidherbe-Chaligny Ⓣ 01.43.72.24.01. Ter-sáb 12h-14h e 19h-23h; fecha em ago. MAPA P. 100, MAPA DE BOLSO M9

Bistrô tipicamente parisiense, tem pequenas mesas de madeira com toalhas brancas, teto manchado de tabaco e pôsteres antigos. Clientes locais e turistas gostam do ambiente aconchegante e da comida simples e bem-feita, como poulet rôti, mas há pratos mais sofisticados como galinha-d'angola com cogumelos morel. Reserve espaço para o delicioso suflê Grand Marnier. Jantar por volta de €60 por pessoa, com vinho.

## LE CHÂTEAUBRIAND

129 av Parmentier Ⓜ Goncourt Ⓣ 01.43.57.45.95. Ter-sáb 7h30-22h30. Reservas 15h-19h, com até 2 semanas de antecedência. MAPA P. 104, MAPA DE BOLSO H13

O criativo chef basco Inaki Aizpitarte transformou este velho bistrô em um salão de vanguarda que lota todas as noites. Entre os pratos há ceviche de cavala com sorbet de pera, e sopa de ostras com frutas vermelhas e beterraba. Cerca de €55 por pessoa. Se você não tiver reserva chegue às 21h30 e prepare-se para esperar.

## L'ENCRIER

55 rue Traversière Ⓜ Ledru-Rollin Ⓣ 01.44.68.08.16. Seg-sex 12h-14h15 e 19h30-23h, sáb 19h30-23h. Fecha em ago. MAPA P. 100, MAPA DE BOLSO L10

O interior com paredes de tijolos aparentes e vigas de madeira complementa a comida caseira servida pela equipe agradável deste restaurante perto do Viaduc des Arts. A cozinha tem influência do sudoeste e pode incluir peito de ganso ao mel. Menu de almoço a partir de €14,50, menus à noite a partir de €19,30.

LE TRAIN BLEU

## LE TRAIN BLEU

Gare de Lyon Ⓜ Gare de Lyon Ⓣ 01.43.43.09.06. Diariam 11h30-15h e 19h-23h. MAPA P. 100, MAPA DE BOLSO L10

A decoração do *Train Bleu* é de uma época longínqua – tudo tem brilho dourado, e lustres pendem dos tetos com afrescos. A cozinha francesa é boa, porém cara. Menu a €56, incluindo meia garrafa de vinho; à la carte, gasta-se €80.

## AU VIEUX CHÊNE

7 rue du Dahomey Ⓜ Faidherbe-Chaligny Ⓣ 01.43.71.67.69. Seg-sex 12h-14h e 20h-22h30; fecha 1 semana em jul e 2 em ago. MAPA P. 100, MAPA DE BOLSO M9

Restaurante notável com prateleiras lotadas de livros e atendimento ágil. Prove o hadoque defumado em um leito de cenouras, seguido de uma tarte tatin perfeita. Menu de almoço a partir de €15, jantar €33 – uma pechincha.

## WALY FAY

6 rue Godefroy-Cavaignac Ⓜ Charonne/Faidherbe-Chaligny Ⓣ 01.40.24.17.79. Seg-sáb 19h-23h. MAPA P. 100, MAPA DE BOLSO M8

Restaurante do oeste da África com atmosfera elegante. Jovens parisienses o frequentam pelos cozidos bem temperados e outras iguarias típicas a um custo moderado (pratos principais por €13-18).

# Bares

## L'ALIMENTATION GÉNÉRALE

64 rue Jean-Pierre Timbaud Ⓜ Parmentier. Ⓦ www.alimentation-generale.net. Diariam 18h-2h. MAPA P. 100, MAPA DE BOLSO L6

Uma das melhores casas noturnas de Oberkampf, com apresentações ao vivo que vão de afro-rock a folk italiano. Mais tarde o DJ assume a pista de dança. Ocasionalmente há couvert de €10, que inclui o primeiro drinque.

## L'AUTRE CAFÉ

62 rue Jean-Pierre Timbaud Ⓜ Parmentier. Diariam 8h-2h. MAPA P. 100, MAPA DE BOLSO L6

Em meio à profusão de bares espalhados nesta concorrida área de vida noturna vibrante, este café-bar *fin-de-siècle* com pé-direito alto se destaca, talvez por ser convidativo e despretensioso e com um ótimo ambiente. Os drinques têm preços razoáveis e a comida também é boa, principalmente se você escolher uma das especialidades do dia no quadro negro (cerca de €10).

CAFÉ CHARBON

## CAFÉ CHARBON

109 rue Oberkampf Ⓜ Saint-Maur/ Parmentier. Dom-qui 9h-2h, sex e sáb 9h-4h. MAPA P. 104, MAPA DE BOLSO L6

Bar pioneiro na revitalização noturna de Oberkampf em meados dos anos 1990, continua em alta, atraindo clientes bem-sucedidos. Parte de seu charme é a decoração do século XX belamente restaurada, com sofás reservados confortáveis e luzes oscilantes. Pratos a €13-18, drinques a partir de €7,50 e cerveja por €3,50.

## AUX FOLIES

8 rue de Belleville Ⓜ Belleville. Diariam 6h30-1h. MAPA P. 104, MAPA DE BOLSO L5

Antigo *café-théâtre* onde Edith Piaf e Maurice Chevalier costumavam se apresentar, o *Aux Folies* oferece um exemplo da vida de Belleville. Com terraço, longo bar de metal e espelhos, máquinas de pinball e janelas quebradas emendadas com fita adesiva, fica lotado dia e noite com uma multidão cosmopolita que desfruta cervejas, drinques e chá de menta.

## LES MARCHEURS DE PLANÈTE

73 rue de la Roquette Ⓜ Voltaire. Ter-sáb 17h30-2h, dom 11h-23h. MAPA P.100, MAPA DE BOLSO L8

Agradável ambiente antigo parisiense, com um clima charmoso vagamente retrô, tem toalhas xadrez, pôsteres e um dono descabelado. Mais de 100 vinhos (taça a partir de €2,70) à escolha, além de excelentes queijos e charcuterie.

## SANZSANS

49 rue du Faubourg St-Antoine Ⓜ Bastille. Seg-sáb 9h-5h. MAPA P. 100, MAPA DE BOLSO H17

O toque gótico de veludo vermelho, as pinturas a óleo e os lustres deste bar atraem uma clientela jovem, que vem em peso nas noites de sexta e sábado, quando DJs tocam grooves raros e funky/house brasileira.

# Casas noturnas

### LE NOUVEAU CASINO

109 rue Oberkampf Ⓜ Parmentier Ⓣ01.43.57.57.40, Ⓦwww.nouveaucasino.net. Qui-sáb 0h-5h. MAPA P. 104, MAPA DE BOLSO L6

Bem atrás do *Café Charbon* (p. ao lado), este lugar excelente tem uma escalação experimental de shows ao vivo a partir das 20h, e depois dá espaço a um pessoal que dança ao som de eletro-pop, house ou rock. A entrada pode custar até €12, dependendo de quem se apresenta.

### LA SCÈNE BASTILLE

2 bis rue des Taillandiers Ⓜ Bastille Ⓣ01.48.06.50.70 (reservas no restaurante: Ⓣ01.48.06.12.13), Ⓦwww.la-scene.com. Seg-qui 19h30-24h, sex-dom até 6h; fecha em ago. MAPA P. 100, MAPA DE BOLSO L9

Clube, shows e restaurante em um só lugar, no caso um armazém repaginado. O som é de rock, eletro e funk, e há noites gays regularmente. A entrada custa €12-25.

# Música ao vivo

### CAFÉ DE LA DANSE

5 passage Louis-Philippe Ⓜ Bastille Ⓣ01.47.00.57.59, Ⓦwww.cafedeladanse.com. Só abre em noites com show. MAPA P. 100, MAPA DE BOLSO H17

Espaço intimista e atraente que recebe shows de rock, pop, world e folk music.

### LA FLÈCHE D'OR

102bis rue de Bagnolet Ⓜ Porte-de-Bagnolet/Alexandre-Dumas (ambos 15min à pé) Ⓣ01.44.64.01.02, Ⓦwww.flechedor.fr. Seg-qui 20h-2h, sex e sáb 20h-6h. MAPA C21

Instalado na antiga estação Bagnolet da extinta ferrovia *petite ceinture*, este bar e casa de shows

ARTISTA EM LA SCÈNE BASTILLE

é um dos melhores da cidade (ingressos a partir de €15), com apresentações de indie-pop, ska, rock, *chanson* e punk.

### OPÉRA BASTILLE

120 rue de Lyon Ⓜ Bastille Ⓣ08.36.69.78.68, Ⓦwww.opera-de-paris.fr. MAPA P. 100, MAPA DE BOLSO H17

Aberta em 1989 despertando uma reação mista, a amorfa casa de ópera de vidro e aço continua inspirando bastante controvérsia, mas suas apresentações quase sempre têm ingressos esgotados. Entradas a partir de €9, mas a maioria fica na faixa de €40-90.

### POINT EPHÉMÈRE

200 quai de Valmy Ⓜ Jaurès/Louis Blanc Ⓣ01.40.34.02.48, Ⓦwww.pointephemere.org. Seg-sáb 12h-2h, dom 13h-21h (até mais tarde se houver show). MAPA P. 104, MAPA DE BOLSO K4

Um ambiente cheio de energia marca este espaço criativo para música, dança e artes visuais, que fica em um antigo hangar de barcos no canal. Bandas variadas tocam rock, indie, jazz entre outros, e há exposições temporárias de arte de vários estilos. Saboreie um cheesebúrguer ou um bagel decente no restaurante voltado para o canal.

# Quartier Latin

O Quartier Latin é associado a estudantes desde que a Sorbonne foi fundada, no século XVIII. Seu nome deriva do latim falado na universidade medieval, que ficava nas encostas da Montagne Ste-Geneviève. Muitas faculdades continuam até hoje na região, assim como alguns vestígios fascinantes da cidade medieval, a exemplo da igreja gótica de St-Séverin e do renascentista Hôtel de Cluny, que sedia o Museu Nacional da Idade Média. Parte do encanto estudantil do bairro diminuiu nos últimos anos – sobretudo em torno da place St-Michel, que se tornou famosa demais –, e a alta dos aluguéis vem expulsando acadêmicos e artistas de suas mansardas, mas os cafés, restaurantes e cinemas de arte continuam lotados de estudantes, o que torna esta área uma das mais descontraídas para usufruir Paris.

## A MARGEM DO RIO

Ⓜ St-Michel. MAPA PP. 114-5, MAPA DE BOLSO D17-E18

Os *quais* na margem do rio a leste da place St-Michel são ideais para uma caminhada e para dar uma olhada nos livros, cartões-postais e gravuras antigas vendidos pelos **bouquinistes**, cujos quiosques verdes ladeiam os parapeitos. Há uma linda vista do rio até Notre-Dame na praça Viviani, uma faixa de grama virando a esquina da célebre livraria **Shakespeare & Co.** (p. 118) de língua inglesa. Atrás da praça fica a igreja mutilada de **St-Julien-le-Pauvre** (diariam 9h30-13h e 15h-18h3; Ⓜ St-Michel/Maubert Mutualité). Com a mesma idade que a Notre-Dame, ela sediava assembleias universitárias até que estudantes desordeiros a depredaram em 1524. Para a vista mais impactante da Notre-Dame, acompanhe a margem do rio até a ponta da Île St-Louis e a Pont de Sully.

TERRAÇO DE CAFÉ NO QUARTIER LATIN

## A ÁREA DE HUCHETTE

Ⓜ St-Michel. MAPA PP. 114-5, MAPA DE BOLSO D17

O auge da agitação turística é em torno da **rue de la Huchette**, a leste da place St-Michel; porém, mais além dos bares baratos e das tavernas careiras de kebab grego e discotecas, você encontra alguns vestígios da Paris medieval.

OBRA NO MUSÉE NATIONAL DU MOYEN AGE

Ligando a rue de la Huchette com o lado do rio, a estreita rue du Chat-qui-Pêche mostra como era Paris antes de o barão Haussmann aplainar as velhas vielas para abrir espaço para bulevares amplos. Uma quadra ao sul da rue de la Huchette, logo a oeste da rue St-Jacques, fica a igreja de **St-Séverin**, majoritariamente do século XV, cuja entrada é na rue des Prêtres St-Séverin (seg-sáb 11h-19h30, dom 9h-20h30; Ⓜ St-Michel/Cluny-La Sorbonne). Uma das igrejas mais belas da cidade, tem janelas repletas de vitrais feitos pelo moderno pintor francês Jean Bazaine.

## MUSÉE NATIONAL DU MOYEN AGE

6 place Paul-Painlevé Ⓜ Cluny-La Sorbonne Ⓣ 01.53.73.78.16, Ⓦ www.musee-moyenage.fr. Diariam. exceto ter, 9h15-17h45. €8,50. Concertos de música medieval durante a semana –ligue para mais detalhes; €6.

MAPA PP. 114-5, MAPA DE BOLSO D18

Os muros dos **banhos romanos** do século III são visíveis do jardim do **Hôtel de Cluny**, uma mansão do século XVI construída e habitada pelos abades do mosteiro de Cluny. Hoje, a mansão abriga o Musée National du Moyen Age, uma arca do tesouro de arte medieval. Há esculturas medievais para todo lado, além de maravilhosos vitrais, livros e curiosos objets d'art, mas a maior atração são as **tapeçarias** presentes em boa parte das salas, incluindo representações de uma colheita da uva, de um amante em ação e de uma mulher em uma banheira que transborda em um lago com patos. As melhores tapeçarias são as da série **La Dame à la Licorne** (*A dama e o unicórnio*), exposta em uma câmara separada. Datada do final do século XV, a série enfoca os cinco sentidos – junto com uma imagem ambígua que pode representar a virtude em controlá-los – em seis cenas alegóricas, todas com uma mulher ricamente vestida entre um leão e um unicórnio. No piso térreo, as abóbadas dos banhos romanos continuam intactas.

O museu também tem vários **concertos** de música medieval, com destaque para a "heure musicale".

Quartier Latin
Palais de Justice
Île de la Cité
Hôtel Dieu
Crypte Archéologique
Notre-Dame
Square Jean XXIII
Quai de Montebello
St-Séverin
St-Julien-le-Pauvre
Cluny La Sorbonne
St-Michel
Musée National du Moyen Age
Maubert Mutualité
Place Maubert
La Sorbonne
Chapelle de la Sorbonne
Fontaine Médicis
Place Edmond Rostand
Panthéon
St-Etienne-du-Mont
Jardin de Navarre
Cardinal Lemoine
Luxembourg
St-Jacques-du-Haut-Pas
Ecole Nat. Sup. de Chimie
Ecole Nat. Sup. des Arts Decoratifs
Institut Curie
Ecole Normale Supérieure
Place de la Contrescarpe
Place Monge
Val-de-Grâce
St-Médard
Boulevard St-Germain
Boulevard St-Michel
Rue Saint-Jacques
Rue Monge
Rue Mouffetard
Rue Soufflot
Rue Claude Bernard
Boulevard de Port-Royal
Ave des Gobelins
HOSPEDAGEM
BVJ Paris Quartier Latin 5
Hôtel du Commerce 4
Les Degrés de Notre Dame 2
Esmeralda 1
Familia Hôtel 8
Hôtel des Grandes Écoles 9
Hôtel Marignan 3
Hôtel Résidence Henri IV 6
Select Hôtel 7
Young and Happy Hostel 10
LOJAS
Abbey Bookshop 3
Crocodisc 4
Crocojazz 5
Gibert Jeune 1
Rendez-vous de la Nature 6
Shakespeare & Co 2

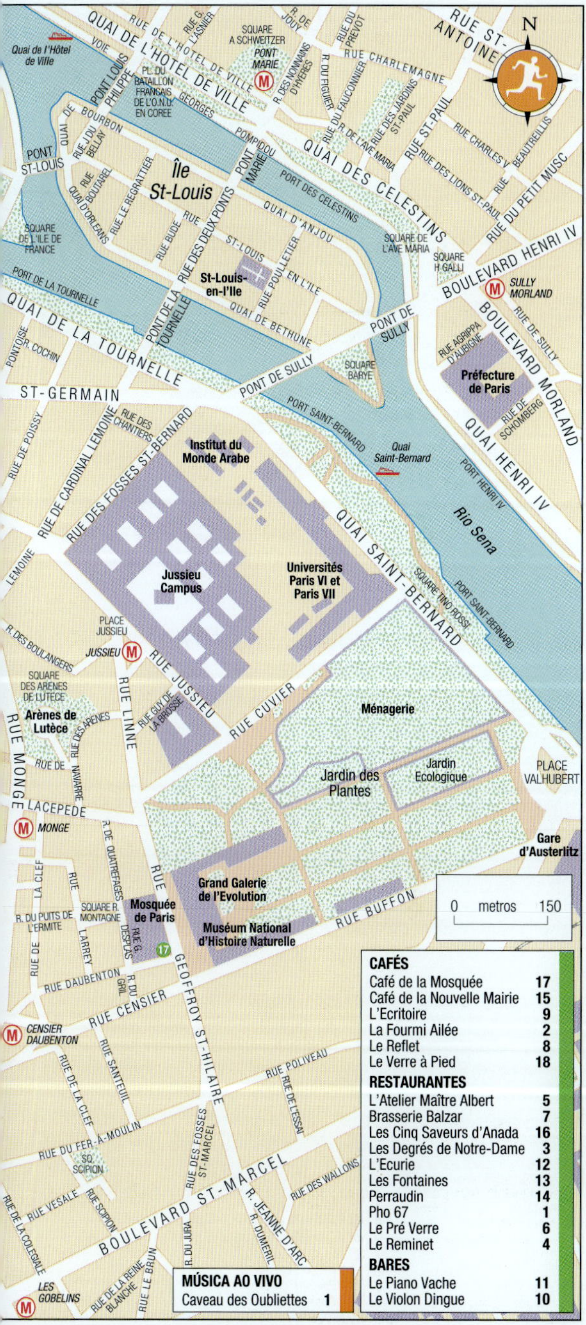


**CAFÉS**

- Café de la Mosquée 17
- Café de la Nouvelle Mairie 15
- L'Ecritoire 9
- La Fourmi Ailée 2
- Le Reflet 8
- Le Verre à Pied 18

**RESTAURANTES**

- L'Atelier Maître Albert 5
- Brasserie Balzar 7
- Les Cinq Saveurs d'Anada 16
- Les Degrés de Notre-Dame 3
- L'Ecurie 12
- Les Fontaines 13
- Perraudin 14
- Pho 67 1
- Le Pré Verre 6
- Le Reminet 4

**BARES**

- Le Piano Vache 11
- Le Violon Dingue 10

**MÚSICA AO VIVO**

- Caveau des Oubliettes 1

## SORBONNE

Ⓜ Cluny-La Sorbonne/RER Luxembourg. MAPA PP. 114-5, MAPA DE BOLSO C18-D18

Sem tráfego, a place de la Sorbonne é um ótimo lugar para se sentar e aproveitar a atmosfera do Quartier Latin. Acima dela ficam os muros altos da Sorbonne, que outrora tinha as faculdades medievais mais importantes no topo da Montagne Ste-Geneviève. Nos tempos modernos, ela foi palco das revoltas estudantis de 1968 e das que ocorreram na primavera de 2006. A frente da Sorbonne é dominada pela Chapelle Ste-Ursule, construída nos anos 1640 pelo poderoso cardeal Richelieu, cujo túmulo está na própria capela.

CAFÉ NA MESQUITA DE PARIS

## PANTHÉON

Ⓜ Cardinal-Lemoine/RER Luxembourg ☎ 01.44.32.18.00, Ⓦ http://pantheon.monuments-nationaux.fr. Diariam: abr-set 10h-18h30; out-mar 10h-18h. €8,50. MAPA PP. 114-5, MAPA DE BOLSO D19

Coroando a Montagne Ste-Geneviève, o maior e mais visível dos domos de Paris adorna o volumoso Panthéon, o agradecimento de Luís XV a Ste-Geneviève, padroeira de Paris, por curá-lo de uma enfermidade. Concluído apenas em 1789, foi transformado após a Revolução em um mausoléu ornamentado com a frase *"Aux grands hommes la patrie reconnaissante"* ("O reconhecimento da pátria a seus grandes homens") abaixo do frontão do imenso pórtico. Tumbas com os despojos de luminares da cultura francesa, incluindo Voltaire, Rousseau, Victor Hugo e Zola, estão na vasta cripta abobadada, com Marie Curie (a única mulher) e Alexandre Dumas, que ingressou no Panthéon em 2002. A cúpula da nave clássica sustenta uma réplica do **pêndulo de Foucault** em funcionamento. O físico francês Léon Foucault fez seu célebre experimento em 1851, suspendendo um pêndulo na cúpula do Panthéon para demonstrar o movimento de rotação da Terra.

## ST-ETIENNE-DU-MONT

Ⓜ Cardinal Lemoine. MAPA PP. 114-5, MAPA DE BOLSO D19

Os despojos de Pascal e Racine, dois expoentes literários do século XVII que não integram o Panthéon, e algumas relíquias de Ste-Geneviève, estão na igreja de St-Étienne-du-Mont. A maior atração, porém, é seu interior fabuloso, com um extravagante coro gótico e uma nave renascentista, ambos ligados por uma passarela que circula pelo ambiente curvando-se na nave em forma de divisória em cruz entalhada – verdadeira raridade, pois a maioria dessas paredes divisórias na França foi destruída por iconoclastas, reformadores protestantes ou revolucionários.

## INSTITUT DU MONDE ARABE

1 rue des Fossés St-Bernard Ⓜ Jussieu/Cardinal-Lemoine ⓣ 01.40.51.38.38, Ⓦ www.imarabe.org. Ter-dom 10h-18h. Museu €6. MAPA PP. 114-5, MAPA DE BOLSO F18

Toda de vidro e aço, a parte externa do Institut du Monde Arabe denota a obsessão do arquiteto Jean Nouvel por luz. A ampla fachada sul, que imita um *moucharabiyah*, ou tradicionais treliças árabes, é composta de milhares de diafragmas metálicos sensíveis à luz. Regulando a entrada do sol, eles abrem e fecham uma vez por hora, gerando figuras, mas deixam os espaços expositivos bem sombrios. Em seu interior, o **museu** usa vários andares para mostrar a evolução da arte no mundo islâmico. Exposições temporárias notáveis (a um custo extra) aprofundam o tema.

## A MESQUITA DE PARIS E O HAMMAM

Entrada na rue Daubenton Ⓜ Jussieu ⓣ 01.45.35.97.33, Ⓦ www.mosquee-de-paris.org. Diariam, exceto sex e feriados muçulmanos, 9h-12h e 14h-18h. €3. MAPA PP. 114-5, MAPA DE BOLSO J11

Mesmo nesta área tranquila, a Mesquita de Paris, construída por artífices marroquinos no início dos anos 1920, parece um oásis de serenidade atrás de seus muros com ameias. Você pode andar no jardim e nos pátios com azulejos coloridos e tetos entalhados e relaxar no café descontraído (p. 119), mas somente muçulmanos têm acesso à sala de orações. O **hammam** (mulheres seg, qua, qui e sáb 10h-21h, sex 14h-21h; homens ter 14h-21h, dom 10h-21h; €15; toalhas à parte) é um dos mais charmosos da cidade, com uma sala abobadada para relaxar e a sala de sauna a vapor revestida de mármore.

## JARDIN DES PLANTES

Entradas nos cantos do parque e defronte à rue Jussieu Ⓜ Jussieu/Censier Daubenton. Diariam: abr-ago 7h30-19h45; set-mar 8h-17h30. MAPA PP. 114-5, MAPA DE BOLSO F19-G19

Atrás da mesquita, o Jardin des Plantes, datado de 1626 e que era só de ervas medicinais, hoje sedia os jardins botânicos de Paris. Há alamedas arborizadas, gramados, estufas, museus e uma antiga **menagerie** com o zoo mais antigo da França.

## GRANDE GALERIE DE L'EVOLUTION

Jardin des Plantes; entrada perto da rue Buffon Ⓜ Censier-Daubenton/Gare d'Austerlitz. Diariam, exceto ter, 10h-18h. €7. MAPA PP. 114-5, MAPA DE BOLSO J11

Magníficos canteiros de flores embelezam o conjunto de edifícios que formam o **Musée National d'Histoire Naturelle** (Ⓦ www.mnhn.fr). Abra mão das mostras de paleontologia, anatomia, mineralogia e paleobotânica para se concentrar na Grande Galerie de l'Évolution, instalada em um edifício, restaurado, com cúpula de vidro do século XIX. Embora não narre, de fato, a história da evolução, a galeria tem muitos modelos de animais em tamanho natural, alguns deles inclusive suspensos no espaço.

PASSEIO NO JARDIN DES PLANTES

# Lojas

### ABBEY BOOKSHOP

29 rue de la Parcheminerie Ⓜ St-Michel. Seg-sáb 10h-19h. MAPA PP. 114-5, MAPA DE BOLSO D17

Livraria lotada de obras de ficção britânicas e americanas e guias de viagem. Os atendentes são bem informados e gentis, e oferecem café de cortesia.

### CROCODISC

40-42 rue des Ecoles Ⓜ Maubert-Mutualité. Ter-sáb 11h-19h. Fecha 2 primeiras semanas de ago. MAPA PP. 114-5, MAPA DE BOLSO D18

Tem tudo, desde música folk e afro-antilhana até salsa e trilhas sonoras de filmes. Discos novos e usados a bons preços.

### CROCOJAZZ

64 rue de la Montagne-Ste-Geneviève Ⓜ Maubert-Mutualité. Ter-sáb 11h-13h e 14h-19h. MAPA PP. 114-5, MAPA DE BOLSO D19

Foco em new jazz e blues americanos, com alguns discos de segunda mão baratos.

### GIBERT JEUNE

5 place St-Michel e entorno Ⓜ St-Michel. Seg-sáb 9h30-19h30. Fecha 2 primeiras semanas de ago. MAPA PP. 114-5, MAPA DE BOLSO D17

Uma referência no Quartier Latin para livros didáticos e acadêmicos, tem nove lojas no entorno da place St-Michel. Há livros usados no nº 2 e obras em línguas estrangeiras no nº 10.

SHAKESPEARE & CO.

### RENDEZ-VOUS DE LA NATURE

96 rue Mouffetard Ⓜ Censier-Daubenton. Ter-sáb 9h30-19h30, dom 9h30-13h. MAPA PP. 114-5, MAPA DE BOLSO H11

Uma das maiores e mais completas lojas de alimentos saudáveis da cidade, oferece opções orgânicas e chás de ervas.

### SHAKESPEARE & CO.

37 rue de la Bûcherie Ⓜ Maubert-Mutualité. Seg-sex 10h-23h; sáb e dom 11h-23h. MAPA PP. 114-5, MAPA DE BOLSO D17

Uma instituição no Quartier Latin, este aconchegante reduto de literatura, dirigido por americanos e com jovens atendentes com aspirações literárias, vende a melhor seleção de livros em inglês da cidade. Há leituras diurnas e noturnas durante a semana. Mais informações no site.

## Mercados no Quartier Latin

Com meio quilômetro de extensão e bem estreito, "La Mouff", o famoso mercado da rue Mouffetard, agora está tomado por lojas de alimentos finos, mas o Quartier Latin ainda mantém alguns mercados de alimentação tradicionais da cidade.

**Maubert** place Maubert Ⓜ Maubert-Mutualité. Ter e qui 7h-14h30, sáb 7h-15h.

**Monge** place Monge Ⓜ Monge. Qua e sex 7h-14h30, dom 7h-15h.

# Cafés

### CAFÉ DE LA MOSQUÉE

39 rue Geoffroy-St-Hilaire Ⓜ Monge. Diariam 9h-23h. MAPA PP. 114-5, MAPA DE BOLSO J11

Tome chá de menta e coma bolos e doces ao lado da fonte no pátio e das figueiras da Mesquita de Paris – um oásis de calma (exceto no almoço no fim de semana, quando o lugar atrai famílias grandes e ruidosas). O salão interno tem bela ambientação árabe e serve tajines e cuscuz a partir de €15.

### CAFÉ DE LA NOUVELLE MAIRIE

19 rue des Fossés-St-Jacques Ⓜ Cluny-La Sorbonne/RER Luxembourg. Seg-sex 8h-24h. MAPA PP. 114-5, MAPA DE BOLSO D19

Elegante café e bar de vinhos com algumas mesas na calçada, clima descontraído e clientela universitária mais velha. Serve boa comida moderna e porções de queijo e de charcuterie (todas por volta de €10).

ALMOÇO NO CAFÉ DE LA NOUVELLE MAIRIE

### L'ECRITOIRE

3 place de la Sorbonne Ⓜ Cluny-La Sorbonne/RER Luxembourg. Diariam 7h-24h. MAPA PP. 114-5, MAPA DE BOLSO C18

Este clássico café universitário fica bem ao lado da Sorbonne e tem mesas externas junto à fonte.

### LA FOURMI AILÉE

8 rue du Fouarre Ⓜ Maubert-Mutualité. Diariam 12h-23h; pratos servidos 12-15h e 7h-22h. MAPA PP. 114-5, MAPA DE BOLSO D17

Comida simples classicamente francesa e chás são servidos nesta antiga livraria feminista que virou um *salon de thé* com uma bela fachada azulejada. O pé-direito alto pintado com nuvens, as paredes forradas de livros e o jazz ao fundo contribuem para a boa atmosfera. *Plat du jour* por cerca de €12.

### LE REFLET

6 rue Champollion Ⓜ Cluny-La Sorbonne. Diariam 11h-2h. MAPA PP. 114-5, MAPA DE BOLSO C18

Este café em um cinema de arte tem forte sabor da nouvelle vague, com sua desordenada paleta cromática preta, luzes pendentes de canaletas e mesas bambas lotadas de cinéfilos e de jogadores de xadrez. É perfeito para um drinque antes ou após um filme em qualquer dos cinemas de arte na rue Champollion, talvez acompanhado de um bife ou salada entre os vários pratos do dia.

### LE VERRE À PIED

118bis rue Mouffetard Ⓜ Monge. Ter-sáb 9h-21h30, dom 9h-16h. MAPA PP. 114-5, MAPA DE BOLSO H11

Belo barzinho antigo no mercado, onde os vendedores tomam seu copo de vinho matinal no balcão ou se sentam para comer um delicioso *plat du jour* por €11 e conversar animadamente. Menus simples por €13.

# Restaurantes

## L'ATELIER MAÎTRE ALBERT

1 rue Maitre Albert Ⓜ Maubert-Mutualité Ⓣ 01.56.81.30.01. Seg-qua 12h-14h30 e 18h30-23h, qui e sex 12h-14h30 e 18h30-1h, sáb 18h30-1h, dom 18h30-23h. MAPA PP. 114-5, MAPA DE BOLSO E18

Mais um empreendimento do chef Guy Savoy, esta rôtisserie contemporânea é especializada em carnes assadas, embora também haja pratos mais leves, como bacalhau ao forno com legumes sazonais ou a deliciosa entrada de pitus recheados com manteiga de limão. Você gasta cerca de €55 à la carte, sem vinho.

## BRASSERIE BALZAR

49 rue des Ecoles Ⓜ Maubert-Mutualité Ⓣ 01.43.54.13.67. Diariam 8h-23h45. MAPA PP. 114-5, MAPA DE BOLSO D18

Brasserie clássica de pé-direito alto frequentada há muito tempo pela *intelligentsia* literária do Quartier Latin – além da multidão de turistas encantados. Não é barata: steak tartare, frango assado ou sauerkraut com salsicha custam cerca de €18, mas há menus a partir de €24.

BRASSERIE BALZAR

## LES CINQ SAVEURS D'ANADA

72 rue du Cardinal-Lemoine Ⓜ Cardinal--Lemoine Ⓣ 01.43.29.58.54. Ter-dom 12h-14h30 e 19h-22h30. MAPA PP. 114-5, MAPA DE BOLSO E19

Restaurante despojado de comida vegetariana e macrobiótica. As saladas são gostosas, e pratos criativos (cerca de €14-18), como suflê de tofu, substituem a carne.

## LES DEGRÉS DE NOTRE-DAME

10 rue des Grands Degrés Ⓜ Maubert--Mutualité Ⓣ 01.55.42.88.88. Seg-sáb 7h-22h30. MAPA PP. 114-5, MAPA DE BOLSO E17

Ligado ao hotel homônimo, serve comida francesa caseira substanciosa e confiável – além de cuscuzes variados e tajines – em um ambiente aconchegan- te de bistrô ou no *terrasse*. Menu de almoço €12,50; menu de jantar €26,50.

## L'ECURIE

58 rue de la Montagne Ste-Geneviève Ⓜ Maubert-Mutualité/Cardinal-Lemoine Ⓣ 01.46.33.68.49. Seg e qua-sáb 12h-14h30 e 19h-23h30, ter e dom 19h-23h30. MAPA PP. 114-5, MAPA DE BOLSO D19

Instalado em antigos estábulos em um recanto agradável, este restaurante de gestão familiar serve carnes grelhadas bem preparadas acompanhadas de fritas por menos de €20. Faça reserva.

## LES FONTAINES

9 rue Soufflot. RER Luxembourg Ⓣ 01.43.26.42.80. Diariam 7h30-1h. Refeições 12h-15h30 e 19h-22h30. MAPA PP. 114-5, MAPA DE BOLSO C19

Vista de fora, a decoração datada de brasserie e lanchonete não é atraente, mas neste lugar de gestão familiar a acolhida é calorosa, a atmosfera, cordial, e a comida, ótima – pratos franceses com carnes e peixes sazonais –, mesclando inovação e tradição. Menu de três pratos a €15 no almoço e €28 no jantar.

### PERRAUDIN

157 rue St-Jacques. RER Luxembourg ⓣ 01.46.33.15.75. Diariam 12h-14h30 e 19h30-22h30. MAPA PP. 114-5, MAPA DE BOLSO D19

Bistrô típico da Rive Gauche, com boa cozinha e atmosfera densa marcada pela conversa alta mantida nas mesas. Menus a €18 (almoço) e €28 (jantar).

### PHO 67

59 rue Galande Ⓜ Maubert-Mutualité ⓣ 01.43.25.56.69. Ter-dom 12h-15h e 19h-23h. MAPA PP. 114-5, MAPA DE BOLSO D17

Os donos vietnamitas trabalham em uma cozinha aberta preparando diversos pratos baratos, incluindo orelhas de porco; os menos ousados devem pedir a deliciosa sopa pho (€8-11) ou um dos quatro menus acessíveis (€10-20).

### LE PRÉ VERRE

8 rue Thénard Ⓜ Maubert-Mutualité ⓣ 01.43.54.59.47. Ter-sáb 12h-14h e 19h30-22h30. MAPA PP. 114-5, MAPA DE BOLSO D18

Bistrô contemporâneo com ambiente descontraído, tem opções ousadas como espadarte em um leito de quinoa. Os menus são muito acessíveis: à noite €28,50, no almoço €13,50.

### LE REMINET

3 rue des Grands-Degrés Ⓜ Maubert-Mutualité ⓣ 01.44.07.04.24. Diariam 12h-14h30 e 19h-22h30. MAPA PP. 114-5, MAPA DE BOLSO E17

Chique sem fazer esforço, este pequeno bistrô tem espelhos dourados, castiçais de latão nas mesas e janelas que dão para uma praça arborizada. A comida sofisticada incorpora ingredientes franceses de qualidade e molhos criativos. A €14,50 apenas durante a semana, o menu de almoço é uma pechincha. À noite é mais caro, além de ficar lotado.

LE PIANO VACHE

## Bares

### LE PIANO VACHE

8 rue Laplace Ⓜ Cardinal-Lemoine. Seg-sex 12h-2h, sáb 18h-2h. MAPA PP. 114-5, MAPA DE BOLSO D18

Favorito da Rive Gauche, suas mesinhas ficam lotadas de estudantes. A música é boa, e a atmosfera, descontraída.

### LE VIOLON DINGUE

46 rue de la Montagne-Ste-Geneviève Ⓜ Maubert-Mutualité. Diariam a partir de 19h (22h em ago), happy hour 19h-22h. MAPA PP. 114-5, MAPA DE BOLSO D18

Longo e escuro, este pub é ruidoso, simpático e atrai uma clientela jovem. A equipe fala inglês e serve drinques baratos. Conforme a noite, o bar no porão funciona até as 4h30.

## Música ao vivo

### CAVEAU DES OUBLIETTES

52 rue Galande Ⓜ Cluny-La Sorbonne ⓣ 01.46.34.23.09, ⓦ www.caveaudesoubliettes.fr. Ter-dom 17h-4h; música a partir de 22h. Grátis. MAPA PP. 114-5, MAPA DE BOLSO D17

Animadas sessões de jazz, blues, som latino e africano em um ambiente sombrio, onde havia uma prisão medieval.

# St-Germain



No extremo oeste da Rive Gauche de Paris, St-Germain tem fama duradoura de reduto de boêmios e intelectuais. Alguns cafés famosos preservam uma aura forte dos velhos tempos, mas atualmente o espírito dominante é elegante, descontraído e altamente sofisticado. Nas extremidades do bairro estão duas das atrações mais queridas da cidade: a leste, na divisa com o Quartier Latin, estende-se o imenso espaço verde do Jardin du Luxembourg, enquanto a oeste fica o impressionante Musée d'Orsay em uma estação ferroviária repaginada e com um acervo imbatível de pinturas impressionistas. Entre os dois, você pode visitar as igrejas de St-Sulpice e St-Germain-des--Prés ou ainda museus dedicados aos artistas Delacroix e Maillol. Compras, porém, são uma grande tentação. As ruas em torno da place St-Sulpice concentram grifes internacionais, ao passo que no lado norte do Boulevard St-Germain há muitos antiquários e negociantes de arte.

## PONT DES ARTS

Ⓜ Pont Neuf. MAPA PP. 124-5, MAPA DE BOLSO C16

A delicada Pont des Arts foi construída na época de Napoleão. Além de descortinar uma vista clássica da Île de la Cité, ela funciona como portal de entrada para St-Germain, estando à sombra do Institut de France, uma venerável instituição acadêmica cujos membros são conhecidos como "imortais".

PONT DES ARTS

## MUSÉE D'ORSAY

1 rue de la Légion d'Honneur Ⓜ Solférino/ RER Musée-d'Orsay Ⓣ 01.40.49.48.14, Ⓦ www.musee-orsay.fr. Ter-dom 9h30-18h, qui até 21h45. €9, grátis no primeiro dom do mês e menores de 18. MAPA PP. 124-5, MAPA DE BOLSO A15

Margeando o rio na orla oeste de St-Germain, o Musée d'Orsay ocupa o imenso espaço de uma antiga estação ferroviária com pinturas e esculturas do período entre 1848 e 1914, incluindo um imbatível acervo impressionista e pós-impressionista.

O **piso térreo** do museu, que se estende sob um gigantesco arco de vidro, é dedicado a obras anteriores a 1870, contrastando Ingres, Delacroix e outros grandes pintores e escultores aceitos nos salões em meados do século XIX com as obras relativamente incomuns de Puvis de Chavannes, Gustave Moreau e o jovem Degas. A influente escola de Barbizon e os realistas também estão representados, com obras de Daumier, Corot e Millet preparando o terreno para as primeiras controvérsias acerca das luzes vigorosas de *Femmes au Jardin* (1867), de Monet, e da provocante *Olympia* (1863), de Manet, que anunciaram a chegada do Impressionismo.

Dedicado a esse movimento artístico, o **andar superior** provoca uma sensação persistente de familiaridade diante das ninfeias e *Femme à l'Ombrelle*, de Monet, *Au Café du L'Absinthe*, de Degas, *Bal du Moulin de la Galette*, de Renoir, não obstante o vigor experimental do movimento.

Você verá também esculturas de bailarinas de Degas e pequenas paisagens e cenas ao ar livre de Renoir, Sisley, Pissarro e Monet, que devem muito de seu brilhantismo à novidade da época de montar cavaletes ao

PINTURA DE VAN GOGH NO MUSÉE D'ORSAY

ar livre. Berthe Morisot, a primeira mulher a participar do início do Impressionismo, está representada por sua famosa *Le Berceau* (1872), entre outras. Há mais obras-primas de peso assinadas por Van Gogh e Cézanne, e Monet e Renoir nas fases intermediária e final. Além das caricaturas em cabarés enfumaçados de Toulouse-Lautrec, uma câmara mais sombria é reservada aos pastéis de Redon, Mondrian, entre outros, ao passo que as salas finais têm um ar mais moderno, começando pela onírica *La Charmeuse de Serpents* (1907), de Rousseau, e passando pelas ambivalentes pinturas taitianas de Gauguin e obras pontilhistas de Seurat, Signac e outros.

Descendo para o **andar médio**, um grupo distinto de pinturas inclui os Nabis da Art Nouveau, a exemplo de Bonnard e Vuillard, e algumas obras simbolistas internacionais. Ligando os terraços com esculturas, o **terraço Rodin** quase humilha os demais artistas. Caso ainda tenha energia, vá às últimas salas para apreciar os formidáveis móveis e objets d'art em estilo art nouveau.

# St-Germain

**CAFÉS**

| | |
|---|---|
| Bar du Marché | 8 |
| Café de Flore | 6 |
| Café de la Mairie | 15 |
| Les Deux Magots | 7 |
| Ladurée | 1 |
| La Pallette | 3 |

**RESTAURANTES**

| | |
|---|---|
| Au 35 | 2 |
| Allard | 12 |
| L'Atlas | 9 |
| Brasserie Lipp | 11 |
| Ferrandaise | 18 |
| Lapérouse | 5 |
| Polidor | 17 |
| La Tourelle | 13 |

**BARES**

| | |
|---|---|
| Le 10 | 16 |
| Chez Georges | 14 |
| L'Echelle de Jacob | 4 |
| Les Etages St-Germain | 10 |

**HOSPEDAGEM**

| | |
|---|---|
| Hôtel du Globe | 5 |
| Grand Hôtel des Balcons | 7 |
| Hôtel des Marronniers | 2 |
| Hôtel Michelet-Odéon | 8 |
| Hôtel de Nesle | 3 |
| Relais Christine | 4 |
| Relais Saint-Sulpice | 6 |
| Hôtel de l'Université | 1 |

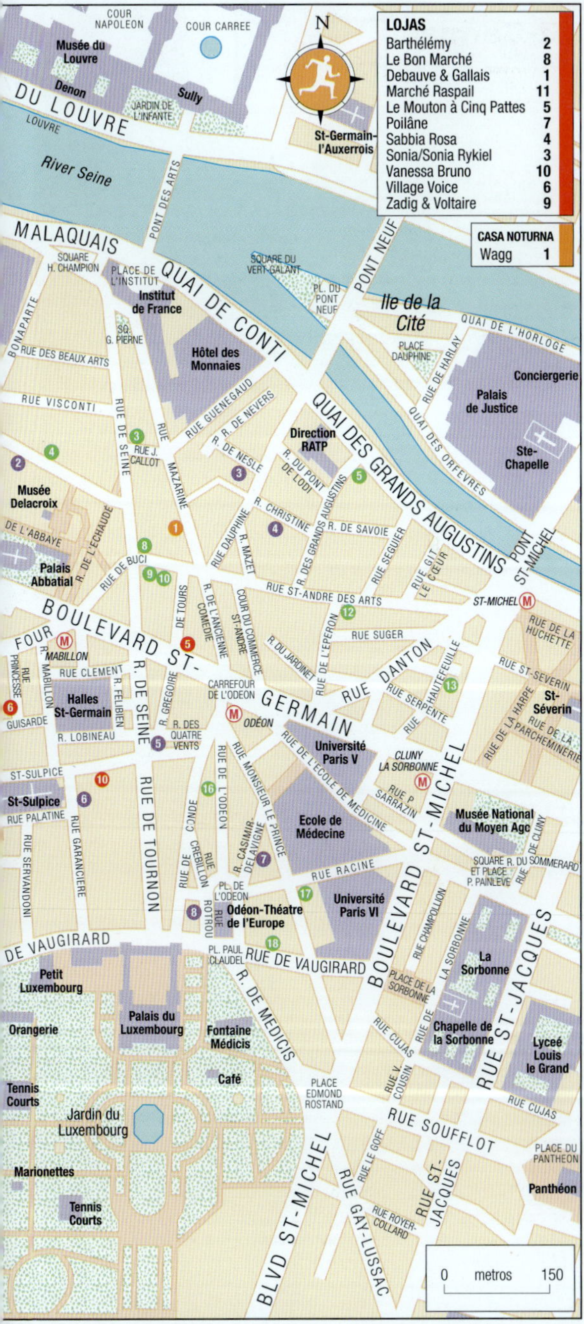
LOJAS
Barthélémy 2
Le Bon Marché 8
Debauve & Gallais 1
Marché Raspail 11
Le Mouton à Cinq Pattes 5
Poilâne 7
Sabbia Rosa 4
Sonia/Sonia Rykiel 3
Vanessa Bruno 10
Village Voice 6
Zadig & Voltaire 9
CASA NOTURNA
Wagg 1
N
COUR NAPOLEON
COUR CARREE
Musée du Louvre
Denon
Sully
JARDIN DE L'INFANTE
DU LOUVRE
LOUVRE
St-Germain-l'Auxerrois
River Seine
PONT DES ARTS
MALAQUAIS
SQUARE H. CHAMPION
PLACE DE L'INSTITUT
Institut de France
QUAI DE CONTI
SQUARE DU VERT-GALANT
PL. DU PONT NEUF
PONT NEUF
Ile de la Cité
QUAI DE L'HORLOGE
PLACE DAUPHINE
RUE DE HARLAY
Conciergerie
Palais de Justice
Ste-Chapelle
QUAI DES ORFEVRES
BONAPARTE
SQ. G. PIERNE
Hôtel des Monnaies
RUE DES BEAUX ARTS
RUE VISCONTI
RUE DE SEINE
RUE GUENEGAUD
R. DE NEVERS
Direction RATP
QUAI DES GRANDS AUGUSTINS
RUE J. CALLOT
RUE MAZARINE
R. DE NESLE
R. DU PONT DE LODI
RUE DES GRANDS AUGUSTINS
Musée Delacroix
R. DE L'ECHAUDE
DE L'ABBAYE
R. CHRISTINE
R. DE SAVOIE
RUE DAUPHINE
R. MAZET
RUE SEGUIER
RUE GIT LE CŒUR
PONT ST-MICHEL
Palais Abbatial
RUE DE BUCI
R. DES GRANDS AUGUSTINS
RUE ST-ANDRE DES ARTS
ST-MICHEL
DE TOURS
R. DE L'ANCIENNE COMEDIE
COUR DU COMMERCE ST-ANDRE
RUE DE LA HUCHETTE
BOULEVARD ST-GERMAIN
FOUR
MABILLON
RUE DE L'EPERON
RUE SUGER
R. DU JARDINET
RUE DANTON
RUE HAUTEFEUILLE
RUE ST-SEVERIN
RUE PRINCESSE
R. MABILLON
RUE CLEMENT
R. FELIBIEN
R. GREGOIRE
CARREFOUR DE L'ODEON
RUE SERPENTE
St-Séverin
Halles St-Germain
R. DE SEINE
RUE DE LA HARPE
RUE DE LA PARCHEMINERIE
GUISARDE
R. LOBINEAU
R. DES QUATRE VENTS
ODÉON
Université Paris V
RUE DE L'ECOLE DE MEDECINE
CLUNY LA SORBONNE
ST-SULPICE
RUE DE L'ODEON
RUE MONSIEUR LE PRINCE
RUE P. SARRAZIN
St-Sulpice
RUE PALATINE
Ecole de Médecine
BOULEVARD ST-MICHEL
Musée National du Moyen Age
RUE DE CLUNY
RUE DE TOURNON
RUE GARANCIERE
RUE DE CONDE
RUE CREBILLON
R. CASIMIR-DELAVIGNE
RUE RACINE
SQUARE R. DU SOMMERARD ET PLACE P. PAINLEVE
RUE SERVANDONI
PL. DE L'ODEON
Université Paris VI
RUE ROTROU
Odéon-Théatre de l'Europe
RUE CHAMPOLLION
RUE DE LA SORBONNE
RUE ST-JACQUES
DE VAUGIRARD
PL. PAUL CLAUDEL
RUE DE VAUGIRARD
La Sorbonne
Petit Luxembourg
R. DE MEDICIS
PLACE DE LA SORBONNE
Orangerie
Palais du Luxembourg
Fontaine Médicis
RUE CUJAS
Chapelle de la Sorbonne
Lycée Louis le Grand
Café
RUE V. COUSIN
Tennis Courts
PLACE EDMOND ROSTAND
Jardin du Luxembourg
RUE SOUFFLOT
RUE CUJAS
PLACE DU PANTHEON
Marionettes
RUE LE GOFF
RUE ST-JACQUES
Panthéon
Tennis Courts
RUE GAY-LUSSAC
RUE ROYER-COLLARD
BLVD ST-MICHEL
0 metros 150

INTERIOR DA ST-SULPICE

## MUSÉE DELACROIX

6 rue de Furstenberg Ⓜ Mabillon/St-Germain-des-Prés ⓣ 01.44.41.86.50, ⓦ www.musee-delacroix.fr. Diariam, exceto ter, 9h30-17h. €5. MAPA PP. 124-5, MAPA DE BOLSO B17

O Musée Delacroix fica diante de uma pracinha na altura média da rue de Furstenberg e os fundos dão para um jardim secreto. Embora as obras principais do artista estejam expostas no Louvre (p. 42) e no Musée d'Orsay (p. 123), este museu, instalado no estúdio onde Delacroix viveu e trabalhou de 1857 até sua morte, em 1863, expõe um acervo de cunho bem intimista, incluindo pertences pessoais espalhados e muitas obras secundárias.

## PLACE ST-GERMAIN-DES-PRÉS

Ⓜ St-Germain-des-Prés. MAPA PP. 124-5, MAPA DE BOLSO B17

A place St-Germain-des-Prés é o polo do *quartier*, com o café *Les Deux Magots* (p. 129) no canto da praça, o *Café de Flore* (p. 129) ao lado e a brasserie *Lipp* (p. 130) no Boulevard St-Germain. Todos têm grande renome pela clientela filosófica, política e literária que, ao longo dos séculos, vem ocupando suas mesas e cadeiras, o que tradicionalmente atrai caçadores de celebridades. O busto de uma mulher feito por Picasso e dedicado ao poeta Apollinaire evoca o auge criativo do bairro.

## ST-GERMAIN-DES-PRÉS

Place St-Germain-des-Prés Ⓜ St-Germain-des-Prés. Diariam 7h30-19h30. MAPA PP. 124-5, MAPA DE BOLSO B17

A antiga torre voltada para a place St-Germain-des-Prés pertence à igreja de St-Germain, da qual resta apenas um enorme mosteiro beneditino. A transformação interna do estilo românico para o gótico inicial fica levemente visível sob a pesada pintura dourada e verde do século XIX. A última capela no lado sul guarda o túmulo do filósofo René Descartes.

## ST-SULPICE

Place St-Sulpice Ⓜ St-Sulpice. Diariam 7h-19h30. MAPA PP. 124-5, MAPA DE BOLSO B18

A enorme igreja de St-Sulpice, do início do século XVIII, é um austero edifício clássico com colunatas dóricas e jônicas e pilastras coríntias nas torres. A torre norte passou por uma longa reforma, concluída recentemente, devolvendo à praça sua beleza original; já na torre sul você vai ver blocos brutos de alvenaria de séculos atrás projetando-se no alto, como se ainda aguardassem o cinzel do escultor. Há três murais de Delacroix na primeira capela à direita, mas o que mais atrai visitantes é o gnômon, uma espécie de relógio solar cuja origem e finalidade foram totalmente deturpadas no romance policial *O Código Da Vinci*, do escritor americano Dan Brown.

## JARDIN DU LUXEMBOURG

Ⓜ Odéon/RER Luxembourg. Diariam amanhecer-anoitecer. MAPA PP. 124-5, MAPA DE BOLSO B18/19-C18/19

De frente para a rue de Vaugirard, o Jardin du Luxembourg é o principal espaço verde da Rive Gauche, e sua atmosfera é ao mesmo tempo formal e descontraída. No meio, o lago redondo e os canteiros florais impecáveis ficam à sombra do imponente Palais du Luxembourg, sede do Senado da França. Estudantes relaxam nas famosas cadeiras metálicas do jardim, crianças se distraem com iates de brinquedo, com marionetes no *guignol* ou brincam nos playgrounds, e idosos jogam petanca ou xadrez. Os locais mais disputados no verão são a sombreada Fontaine de Medicis, no canto nordeste, e os gramados na faixa mais ao sul – uma das poucas áreas nas quais é permitido deitar na grama. O canto sudoeste é pontuado com obras de escultores famosos.

## MUSÉE DU LUXEMBOURG

19 rue de Vaugirard Ⓜ Odéon/RER Luxembourg Ⓣ 01.42.34.25.95, Ⓦ www.museeduluxembourg.fr. Seg, sex-dom 9h-22h, ter-qui 10h-20h. Cerca de €10-15. MAPA PP. 124-5, MAPA DE BOLSO B18

No final da rue de Vaugirard, o Musée du Luxembourg realiza algumas das exposições de arte temporárias mais ambiciosas de Paris, a exemplo das mostras recentes de Vlaminck e Andy Warhol.

## MUSÉE MAILLOL

61 rue de Grenelle Ⓜ Rue du Bac Ⓣ 01.42.22.59.58, Ⓦ www.museemaillol.com. Diariam 10h30-19h, sex 10h30-19h30. €11. MAPA PP. 124-5, MAPA DE BOLSO A17

Ocupando uma bela casa do século XVIII, o Musée Maillol é repleto de nus femininos esculpidos por Aristide Maillol, entre os quais o mais famoso é a curvilínea escultura *Mediterrânea*. Outras salas exibem obras de Matisse, Bonnard e Camille Bombois, e curiosas criações de Picasso, Degas, Cézanne, Gauguin e Suzanne Valadon. O museu também organiza excelentes exposições de arte contemporânea.

JOGOS NO JARDIN DU LUXEMBOURG

# Lojas

## BARTHÉLÉMY

51 rue de Grenelle Ⓜ Rue du Bac. Ter-sex 8h30-13h e 16h-19h15, sáb 8h30-13h30 e 15h-19h; fecha em ago. MAPA PP. 124-5, MAPA DE BOLSO E8

Este empório com aroma marcante vende queijos sazonais maturados para os abastados e poderosos, e seus atendentes dão ótimas orientações.

## LE BON MARCHÉ

38 rue de Sèvres Ⓜ Sèvres-Babylone. Seg-qua e sáb 10h-20h, qui e sex 10h-21h. MAPA PP. 124-5, MAPA DE BOLSO E9

Fundada em 1852, a loja de departamentos mais antiga do mundo fica em um belo edifício e, apesar do nome, se caracteriza pelo luxo. Sua praça de alimentação é fabulosa.

## DEBAUVE & GALLAIS

30 rue des Saints-Pères Ⓜ St-Germain-des-Prés/Sèvres-Babylone. Seg-sáb 9h-19h. MAPA PP. 124-5, MAPA DE BOLSO A16

Bela loja antiga cuja especialidade são chocolates divinos e caros.

SONIA RYKIEL

## MARCHÉ RASPAIL

Bd Raspail entre rue du Cherche-Midi e rue de Rennes Ⓜ Rennes. Ter, sex-dom 7h-14h30. MAPA PP. 124-5, MAPA DE BOLSO A18

Passear pela feira orgânica de domingo, que ocupa a vasta parte central do boulevar, é um dos programas clássicos da burguesia parisiense. Venha ver o movimento e fazer boas compras.

## LE MOUTON À CINQ PATTES

138 bd St-Germain Ⓜ Odéon/Mabillon. Seg-sex 10h30-19h30, sáb 10h30-20h. MAPA PP. 124-5, MAPA DE BOLSO C17

Excelente loja de roupas usadas e fora de linha. É possível achar peças de Helmut Lang e Gaultier entre as pechinchas. Há filiais na 8 rue St-Placide e na 18 rue St-Placide (ambas seg-sáb 10h-19h; Ⓜ Sèvres-Babylone).

## POILÂNE

8 rue du Cherche-Midi Ⓜ Sèvres-Babylone. Seg-sáb 7h15-20h15. MAPA PP. 124-5, MAPA DE BOLSO A17

Esta padaria cheirosa é a melhor fonte do tradicional pain Poilâne, além de outras delícias saídas do forno.

## SABBIA ROSA

71-73 rue des Saints-Pères Ⓜ St-Germain-des-Près. Seg-sáb 10h-19h. MAPA PP. 124-5, MAPA DE BOLSO A17

É aqui que as supermodelos compram peças íntimas a preços exorbitantes. Há lingerie refinada de seda macia e renda de Calais.

## SONIA/SONIA RYKIEL

61 rue des Saints-Pères Ⓜ Sèvres-Babylone. Seg-sáb 10h30-19h. MAPA PP. 124-5, MAPA DE BOLSO A17

Sonia Rykiel é uma instituição na região desde que abriu uma loja no boulevar St-Germain em 1968. Esta filial é mais jovial e menos cara.

### VANESSA BRUNO

25 rue St-Sulpice Ⓜ Odéon. Seg-sáb 10h30-19h30. MAPA PP. 124-5, MAPA DE BOLSO B17

Os preços partem de centenas de euros pelas peças femininas, com um toque hippie chique.

### VILLAGE VOICE

6 rue Princesse Ⓜ Mabillon. Seg 14h-19h30, ter-sáb 10h-19h30, dom 12h-18h. MAPA PP. 124-5, MAPA DE BOLSO B17

Simpática livraria de bairro com uma boa seleção de títulos contemporâneos e clássicos britânicos e americanos.

### ZADIG & VOLTAIRE

1 e 3 rue du Vieux Colombier Ⓜ St-Sulpice. Seg-sáb 10h30-19h30. MAPA PP. 124-5, MAPA DE BOLSO B18

As roupas desta rede parisiense de alto luxo têm um jeito caprichoso. Há duas lojas lado a lado: uma vende roupas para homens, mulheres e crianças e a outra tem somente peças femininas.

## Cafés

### BAR DU MARCHÉ

75 rue de Seine Ⓜ Mabillon. Diariam 8h-13h45. MAPA PP. 124-5, MAPA DE BOLSO B17

Café agitado no meio do frenesi do mercado da rua Buci, com *serveurs* que usam bonés e jeans surrados como os vendedores do mercado. *Plats* por €13, tartines a partir de €5.

### CAFÉ DE FLORE

172 bd St-Germain Ⓜ St-Germain-des-Prés. Diariam 7h30-1h30. MAPA PP. 124-5, MAPA DE BOLSO B17

O rival e vizinho do *Les Deux Magots* tem uma clientela local mais badalada. Sartre, Simone de Beauvoir, Camus e outros escritores eram habitués. Ainda há leituras e debates. Venha tomar o famoso chocolate quente matinal. Os preços são altos.

CAFÉ DE FLORE

### CAFÉ DE LA MAIRIE

8 place St-Sulpice Ⓜ St-Sulpice. Seg-sáb 7h-14h. MAPA PP. 124-5, MAPA DE BOLSO B17

Café agradável e popular, fica defronte à igreja, no ensolarado lado norte da praça.

### LES DEUX MAGOTS

170 bd St-Germain Ⓜ St-Germain-des-Prés. Diariam 7h30-1h; fecha 1 semana em jan. MAPA PP. 124-5, MAPA DE BOLSO B17

Este histórico reduto de intelectuais na Rive Gauche se tornou vítima da própria fama. Os preços são absurdos, mas é irresistível para ver pessoas. Venha para o desjejum (€20).

### LADURÉE

21 rue Bonaparte Ⓜ St-Germain-des-Prés. Seg-sex 8h30-19h30, sáb 8h30-20h30, dom 10h-19h30. MAPA PP. 124-5, MAPA DE BOLSO B16

Filial elegante do famoso *Ladurée*, tem uma estufa nos fundos e um salão do Segundo Império no andar de cima. Os famosos macarons são divinos e servem como um bom brunch, embora caros.

### LA PALETTE

43 rue de Seine Ⓜ Odéon. Seg-sáb 9h-1h. MAPA PP. 124-5, MAPA DE BOLSO B16

Este venerável ponto de encontro de artistas e estudantes é mais frequentado por negociantes de arte, mas mantém a descontração e a paleta cromática. Tem um *terrasse* externo.

# Restaurantes

## AU 35

35 rue Jacob Ⓜ St-Germain-des-Prés Ⓣ 01.42.60.23.24. Diariam 12h-14h30 e 19h30-23h. MAPA PP. 124-5, MAPA DE BOLSO B16

Este bistrô adorável e intimista, com luminárias art déco, murais, espelhos e pôsteres antigos, serve comida excelente. Peça uma rica pastilla de poulet (torta de frango com mel e especiarias) ou um tartar de salmão. Menus de almoço a €18 e €22; cerca de €40 à la carte, fora o vinho.

## ALLARD

41 rue St-André-des-Arts Ⓜ Odéon Ⓣ 01.43.26.48.23. Diariam 12h-14h30 e 19h-23h30. Fecha em ago eventualmente. MAPA PP. 124-5, MAPA DE BOLSO C17

Restaurante orgulhosamente autêntico que serve pratos substanciosos. Se não fosse pela clientela predominantemente internacional, a impressão é de estar em outro século. Menus a partir de €22 (almoço) e €34 (jantar).

## L'ATLAS

11 rue de Buci Ⓜ Mabillon Ⓣ 01.40.51.26.30. Diariam 7h-24h. MAPA PP. 124-5, MAPA DE BOLSO C17

Detalhes art déco são o único luxo nesta brasserie singela no mercado da rua Buci, que serve bons frutos do mar e pratos com carne a partir de €14.

## BRASSERIE LIPP

151 bd St-Germain Ⓜ St-Germain-des-Prés Ⓣ 01.45.48.53.91. Diariam 12h-0h30. MAPA PP. 124-5, MAPA DE BOLSO B17

Uma das brasseries mais célebres de Paris e reduto de bem-sucedidos e famosos, a *Lipp* exibe um maravilhoso interior de madeira e vidro do início do século XX. Pratos decentes, incluindo o famoso chucrute, custam a partir de €20, mas é caro explorar a *carte*.

BRASSERIE LIPP

## FERRANDAISE

8 rue de Vaugirard Ⓜ St-Germain-des-Prés Ⓣ 01.43.26.36.36. Seg 19h-22h30, ter-qui 12h-14h30 e 19h-22h30, sex 12h-14h30 e 19h-23h, sáb 19h-23h. MAPA PP. 124-5, MAPA DE BOLSO C18

Há fotos artísticas de vacas nas paredes e predominância de carne no menu, mas também é possível optar por lascas de bacalhau com ratatouille, lúcio ao forno e morangos com especiarias ao vinho tinto. Menu de almoço a €15; €32/€44 no jantar.

## LAPÉROUSE

51 quai des Grands Augustins Ⓜ St-Michel Ⓣ 01.56.79.24.31. Seg-sáb 11h30-14h30 e 19h30-22h30, sáb 19h-23h30. MAPA PP. 124-5, MAPA DE BOLSO C16

A comida tradicional é razoável, os preços são inflacionados e o atendimento é irregular, mas, ainda assim, vale a pena ver ao vivo o edifício do século XVIII no Sena, as cadeiras vermelhas, painéis dourados e uma infinidade de espelhos embaçados. Há salas privadas (almoço a partir de €35, jantar a €130), nas quais você pressiona um botão para chamar o garçom.

### POLIDOR

41 rue Monsieur-le-Prince Ⓜ Odéon
Ⓣ 01.43.26.95.34. Seg-sáb 12h-14h30 e 19h-24h, dom 12h-14h30 e 19h-23h.
MAPA PP. 124-5, MAPA DE BOLSO C18

Aberto em 1845, este clássico da Rive Gauche tem clima descontraído. Garçonetes de meia-idade com avental atendem a clientela ruidosa. Boa comida francesa como confit de canard e galinha-d'angola, com *plats* a partir de €13 e menus por €28.

### LA TOURELLE

5 rue Hautefeuille Ⓜ St-Michel
Ⓣ 01.46.33.12.47. Seg-sex 12h-13h45 e 19h-22h, sáb 19h-22h; fecha em ago. MAPA PP. 124-5, MAPA DE BOLSO C17

Com o nome da torre externa de pedra, este pequeno bistrô tem uma sala com pé-direito baixo e paredes de pedra. A cozinha é simples e tradicional, e o atendimento excelente. Menus a €12 – €16 no almoço, e €23 à noite. Não faz reservas.

## Bares

### LE 10

10 rue de l'Odéon Ⓜ Odéon. Diariam 17h30-2h. MAPA PP. 124-5, MAPA DE BOLSO C18

Pôsteres art déco adornam as paredes deste bar estudantil pequeno e escuro. O bar no porão abobadado fica fervilhante de madrugada.

### CHEZ GEORGES

11 rue des Canettes Ⓜ Mabillon. Ter-sáb 14h-2h; fecha em ago. MAPA PP. 124-5, MAPA DE BOLSO B17

Este velho bar de vinhos, com direito a balcão de zinco, é um dos poucos endereços autênticos em uma área com um número crescente de pubs temáticos. Jovens estudantes se apinham mais tarde no bar no porão.

### L'ECHELLE DE JACOB

12 rue Jacob Ⓜ St-Germain-des-Prés. Ter-sáb 10h-17h; fecha em ago.
MAPA PP. 124-5, MAPA DE BOLSO B16

Com nome inspirado na escada que leva ao bar intimista no mezzanino, este bar é frequentado pelos elegantes "germainopratins" da área, que se espremem em sofás de veludo, tomam martínis e ouvem música antes da balada.

### LES ETAGES ST-GERMAIN

5 rue de Buci Ⓜ Mabillon. Diariam 14h-2h.
MAPA PP. 124-5, MAPA DE BOLSO C17

Bastião da boemia burguesa na orla do mercado da rua Buci, tem banquetas pop-retrô do lado de fora e poltronas dentro. Tome um café e veja o movimento da rua ou peça um drinque e observe a clientela.

## Casa noturna

### WAGG

62 rue Mazarine Ⓜ Odéon Ⓣ 01.55.42.22.01, Ⓦ www.wagg.fr. A partir das 23h. Fecha em ago. MAPA PP. 124-5, MAPA DE BOLSO C17

O *Wagg* atrai yuppies da Rive Gauche com música dos anos 1980, sons latinos e a noite "Carwash" dos anos 1970 na sexta-feira. Entrada a €12.

WAGG

# Montparnasse e o sul de Paris

Montparnasse marca a divisão entre os endinheirados formadores de opinião de St-Germain e os moradores mais anônimos do 7º arrondissement, ao sul. Há muito tempo um reduto de teatros, cinemas e cafés, Montparnasse ainda lucra com sua associação aos tipos excêntricos dos anos entreguerras. A maioria dos luminares artísticos e literários acabou no cemitério de Montparnasse – mas cafés frequentados por celebridades como Picasso continuam em alta no Boulevard du Montparnasse – e abriga muitas atrações artísticas: desde museus intimistas dedicados aos escultores Zadkine e Bourdelle até mostras contemporâneas na Fondation Cartier e na Fondation Cartier-Bresson. Mais ao sul, a margem do rio tem alguns atrativos instigantes: a leste, o moderno Paris Rive Gauche e, a oeste, o futurista Parc André-Citroën.

## TOUR MONTPARNASSE

33 av du Maine Ⓜ Montparnasse-Bienvenüe Ⓣ 01.45.38.52.56, Ⓦ www.tourmontparnasse56.com. Abr-set diariam 9h30-23h30; out-mar dom-qui 9h30-22h30, sex e sáb 9h30-23h. €13. MAPA P. 134, MAPA DE BOLSO E11

TOUR MONTPARNASSE

No final da estação do Boulevard du Montparnasse, a Tour Montparnasse, de 200m de altura, é um dos marcos menos valorizados da cidade. No entanto, seu topo tem uma vista de 360º – melhor do que a oferecida pela Torre Eiffel, pois inclui essa torre célebre, embora exclua a Tour Montparnasse. Aqui, o preço para subir também é menor e as filas são bem mais curtas. O café e galeria no 56º andar tem uma vista estupenda para o oeste. Tente vir ao entardecer.

## JARDIN ATLANTIQUE

Elevadores na rue Cdt. R. Mouchotte e no bd Vaugirard, e escadas na plataforma nº 1 na estação Montparnasse Ⓜ Montparnasse-Bienvenüe. Diariam amanhecer-anoitecer. MAPA P. 134, MAPA DE BOLSO E11

No passado, a estação de Montparnasse era o grande ponto de chegada e partida de quem atravessava o Atlântico, um

FONTE NO JARDIN ATLANTIQUE

fato evocado no original Jardin Atlantique, suspenso acima dos trilhos de trem atrás da estação. Cercado por prédios residenciais muito altos, o parque é um belo exemplo do charme parisiense, com campos de gramíneas da costa Atlântica, ondulações nos gramados (para ocultar as longarinas de concreto colocadas irregularmente) e respiradouros dissimulados que revelam lances repentinos de capôs de TGVs e dos dormentes férreos abaixo.

## MUSÉE BOURDELLE

16-18 rue A. Bourdelle Ⓜ Montparnasse--Bienvenüe/Falguière Ⓣ 01.49.54.73.73, Ⓦ www.bourdelle.paris.fr. Ter-dom 10h-18h. Grátis, €7 durante exposições temporárias. MAPA P. 134, MAPA DE BOLSO E10

Uma quadra a noroeste da torre, o Musée Bourdelle foi construído em torno do charmoso ateliê do escultor do início do século XX. Aluno de Rodin e mestre de Giacometti, Antoine Bourdelle criou obras de bronze e pedra que fugiam do estilo naturalista – como na série de bustos de Beethoven –, tendendo a um Modernismo mais geométrico, visto em suas conhecidas esculturas monumentais, algumas das quais estão no jardim.

## MUSÉE DU MONTPARNASSE

21 av du Maine Ⓜ Montparnasse-Bienvenüe Ⓣ 01.42.22.91.96, Ⓦ www.museedumontparnasse.net. Ter-dom 12h30-19h. €6. MAPA P. 134, MAPA DE BOLSO E10

Datado dos anos entreguerras e hoje ladeado por belos estúdios de arquitetos, um caminho de pedra coberto de hera leva ao antigo estúdio da pintora russa Marie Vassilieff. Entre 1912 e 1929, ela hospedou artistas como Picasso, Léger, Modigliani, Chagall e Braque neste espaço encantador, que se tornou o Musée du Montparnasse, palco de instigantes exposições temporárias.

## MUSÉE ZADKINE

100 bis rue d'Assas Ⓜ Vavin/RER Port-Royal Ⓣ 01.55.42.77.20, Ⓦ www.zadkine.paris.fr. Ter-dom 10h-18h. Grátis; €4 durante exposições. MAPA P. 134, MAPA DE BOLSO F10-11

A casa e os estúdios ajardinados do escultor cubista russo Ossip Zadkine, nos quais ele viveu de 1928 a 1967, são ocupados pelo minúsculo Musée Zadkine. Figuras alongadas se misturam com obras pesadas nas salas intimistas, e bronzes cubistas se espalham pelo pequeno jardim, abrigados sob árvores ou emergindo de touceiras de bambu.

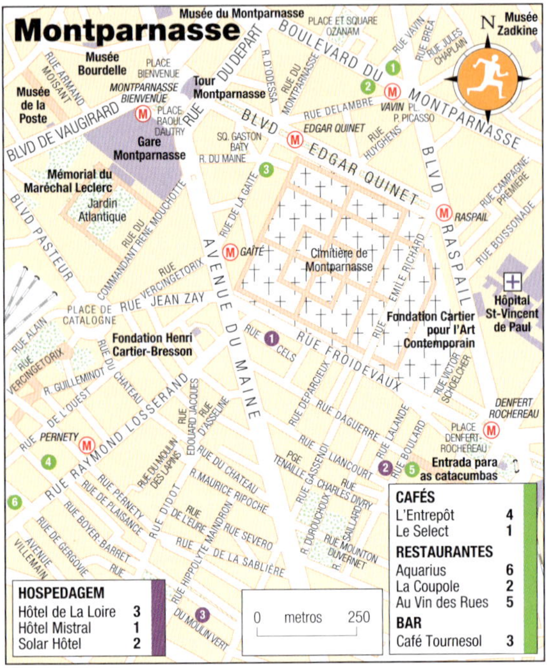


## FONDATION CARTIER POUR L'ART CONTEMPORAIN

261 bd Raspail Ⓜ Raspail ☎ 01.42.18.56.50, Ⓦ www.fondation.cartier.fr. Ter 11h-22h, qua-dom 11h-20h. €9,50. MAPA P. 134, MAPA DE BOLSO F11-12

A rue Schoelcher e o boulevard Raspail, no lado leste do cemitério de Montparnasse, abrigam alguns exemplos interessantes de arquitetura do século XX, do Art Nouveau à fachada translúcida de vidro e aço da Fondation Cartier pour l'Art Contemporain. Projetada em 1994 por Jean Nouvel, a fundação expõe instalações contemporâneas, vídeos, grafites e multimídia – muitas vezes de artistas estrangeiros pouco conhecidos na França – em mostras temporárias de alta qualidade que aproveitam ao máximo os espaços repletos de luz.

## AS CATACUMBAS

Place Denfert-Rochereau Ⓜ Denfert-Rochereau ☎ 01.43.22.47.63, Ⓦ www.catacombes-de-paris.fr. Ter-dom 10h-16h. €8. MAPA P. 134, MAPA DE BOLSO F12

Para ter uma experiência arrepiante, visite as catacumbas sob a place Denfert-Rochereau, outrora place d'Enfer ("praça do inferno"). Pedreiras abandonadas com milhões de ossos retirados de ossuários e cemitérios abarrotados entre 1785 e 1871, as catacumbas guardam os despojos de cerca de 6 milhões de parisienses, mais do que o dobro da população local, sem contar os subúrbios. Ladeando os corredores sombrios, longos fêmures empilhados formam uma barreira de contenção para os cacos e ossos menores, que ficam atrás acumulando a poeira dos tempos. Essas barreiras de fêmures são intercaladas com crânios com cavidades oculares ocas formando elaborados padrões geométricos, enquanto placas com citações macabras surgem na escuridão. O lugar é fascinante, mas tem extensão de 2km e pode provocar claustrofobia.

## FONDATION HENRI CARTIER--BRESSON

2 Impasse Lebouis Ⓜ Gaîté Ⓣ 01.56.80.27.00, Ⓦ www.henricartierbresson.org. Ter, qui, sex e dom 13h-18h30, qua 13h-20h30, sáb 11h-18h45; fecha em ago. €6. MAPA P. 134, MAPA DE BOLSO E12

Antigas malhas viárias ainda pose ser vistas nos bairros de Pernety e Plaisance, ao sul do cemitério de Montparnasse, onde está situada a esguia Fondation Henri Cartier-Bresson construída em aço e vidro. A fundação preserva o arquivo de Bresson, o maior fotojornalista parisiense, e exibe a obra tanto de seus contemporâneos quanto de fotógrafos mais jovens.

## CEMITÉRIO DE MONTPARNASSE

Bd Edgar Quinet Ⓜ Raspail/Gaîté/Edgar Quinet. Meados de mar a 5 nov seg-sex 8h-18h, sáb 8h30-18h, dom 9h-18h; 6 nov a meados de mar fecha 17h30. Grátis. MAPA P. 134, MAPA DE BOLSO E11-F12

Um pouco menor e menos famoso do que o Père Lachaise, o cemitério de Montparnasse é uma intrigante necrópole, com filas de minitemplos que prestam homenagem a nomes ilustres como Baudelaire e Beckett; pegue um mapa grátis no portão de entrada. O despojado túmulo conjunto de Jean-Paul Sartre e Simone de Beauvoir fica à direita da entrada principal, ao passo que, descendo a avenue de l'Ouest, que segue o muro oeste, estão os túmulos de Baudelaire, do pintor Soutine, do dadaísta Tristan Tzara e de Ossip Zadkine. Cruzando a rue Emile-Richard, na parte leste, estão o fabricante de carros André Citroën, Guy de Maupassant, César Franck e o capitão Dreyfus, que foi vítima do antissemitismo francês.

VISTA AÉREA DO CEMITÉRIO DE MONTPARNASSE

ALLÉE DES CYGNES

## ALLÉE DES CYGNES

Ⓜ Bir-Hakeim. MAPA PP. 138-9, MAPA DE BOLSO A8-9

Uma das caminhadas mais charmosas em Paris começa no meio da Pont de Bir-Hakeim e segue pela arborizada Allée des Cygnes, uma ilha estreita no meio do rio, construída sobre aterros de concreto. Após apreciar a vista da Torre Eiffel e das duas margens do rio, observar as barcaças de carvão passando e visitar a curiosa versão em pequena escala da Estátua da Liberdade na extremidade sul da ilha, você pode ter a mesma opinião que Samuel Beckett sobre este lugar, que era um de seus favoritos em Paris.

## PARC ANDRÉ-CITROËN

Quai André-Citroën Ⓜ Balard. MAPA PP. 138-9

A parte do rio ao sul da Torre Eiffel é um trecho monótono cercado de prédios comerciais e arranha-céus em miniatura. No entanto, tudo se anima na extremidade sudoeste dos limites da cidade, graças ao Parc André-Citroën, que antes era o local da fábrica de automóveis Citroën. Este não é um parque para conservadores: há uma área central gramada, mas no restante desse espaço modernista há terraços de concreto e jardins murados com temas abstratos. Seus melhores elementos são as imensas estufas com arbustos de odor exótico, o conjunto de fontes automatizadas – em dias quentes adolescentes empolgados se jogam no meio de seus jatos repentinos – e o balão com amarras que sobe e desce regularmente só em dias límpidos (das 9h até cerca de uma hora antes do anoitecer; seg-sex €10, sáb e dom €12; mais informações pelo Ⓣ 01.44.26.20.00).

## BUTTE-AUX-CAILLES

Ⓜ Corvisart/Place d'Italie. MAPA P. 137

No alto de uma colina entre o boulevard Auguste-Blanqui e a rue Bobillot, o animado bairro de Butte-aux-Cailles tem ruelas e becos sem saída com casas e estúdios do pré-guerra, sendo típico da Paris anterior aos anos 1960. A rue de la Butte-aux-Cailles é o polo da área, concentrando bares e restaurantes simples, joviais e vagamente esquerdistas que funcionam até tarde da noite.

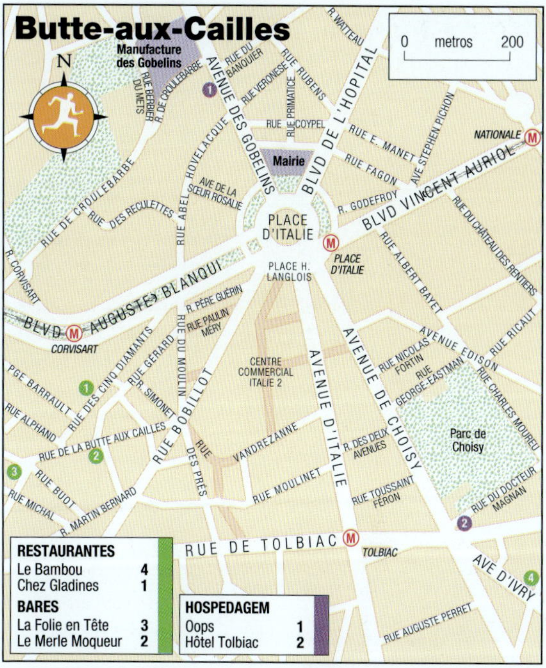


## PARIS RIVE GAUCHE

Ⓜ Quai de la Gare/Bibliothèque François Mitterrand. MAPA PP. 138-9, MAPA DE BOLSO K11-L12

A orla mais ao leste do 13º arrondissement, entre o rio e os trilhos de trem de Austerlitz, foi transformada como parte do empreendimento imobiliário Paris Rive Gauche. A **Passerelle Simone de Beauvoir** para pedestres, que custou € 21 milhões, é uma estrutura de faixa dupla sobre o Sena, ao passo que barcaças ancoradas fizeram da área um polo de vida noturna. Flutuante, a **Piscine Josephine Baker** é maravilhosa para dar umas braçadas, enquanto, ao sul da rue Tolbiac, **Les Frigos**, que era usado para armazenar produtos perecíveis destinados a Les Halles, agora é um espaço anárquico com um bar e restaurante, além de exposições.

Ao longo do Quai d'Austerlitz, armazéns estão sendo transformados no moderníssimo complexo **Docks en Seine**, cujos espaços abertos deverão abrigar um museu de moda, **La Cité de la Mode et du Design**.

## CHINATOWN

Ⓜ Tolbiac. MAPA P.P 138-9

Em Paris, a melhor cozinha do Sudeste Asiático está em Chinatown, onde vivem várias comunidades dessa região do mundo. As avenues de Choisy e d'Ivry sediam restaurantes e mercearias vietnamitas, chineses, tailandeses, cambojanos e laocianos, e **Les Olympiades**, uma área futurista de pedestres que parece suspensa entre os prédios e à qual se vai de escada rolante pelas ruas Nationale e Tolbiac, e pela avenue d'Ivry.

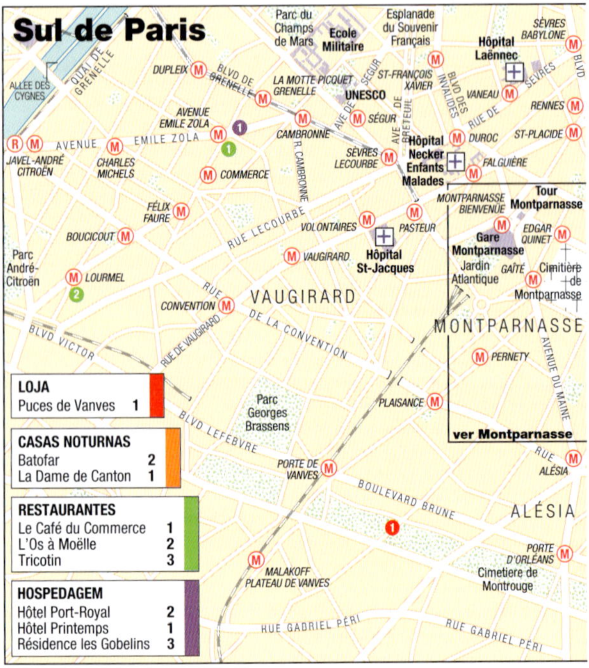

BIBLIOTHÈQUE NATIONALE DE FRANCE

## BIBLIOTHÈQUE NATIONALE DE FRANCE

Quai de la Gare Ⓜ Quai de la Gare/Bibliothèque François Mitterrand Ⓣ 01.53.79.40.43. Ⓦ www.bnf.fr. Ter-sáb 9h-20h, dom 13h-19h. €3,50 pelo passe para a sala de leitura.

MAPA PP. 138-9, MAPA DE BOLSO L12

A Bibliothèque Nationale de France, projeto do arquiteto Dominique Perrault de 1996, domina esta parte modernizada da margem do rio com quatro torres enormes em forma de "L" – intencionalmente semelhantes a livros abertos – em torno de um bosque de pinheiros. Paredes de vidro ao longo das árvores filtram a luz que entra na biblioteca subterrânea. Vale a pena caminhar pela estrutura e apreciar o maravilhoso par de globos que pertenceu a Luís XIV; o nível do jardim é dedicado exclusivamente a pesquisadores credenciados.

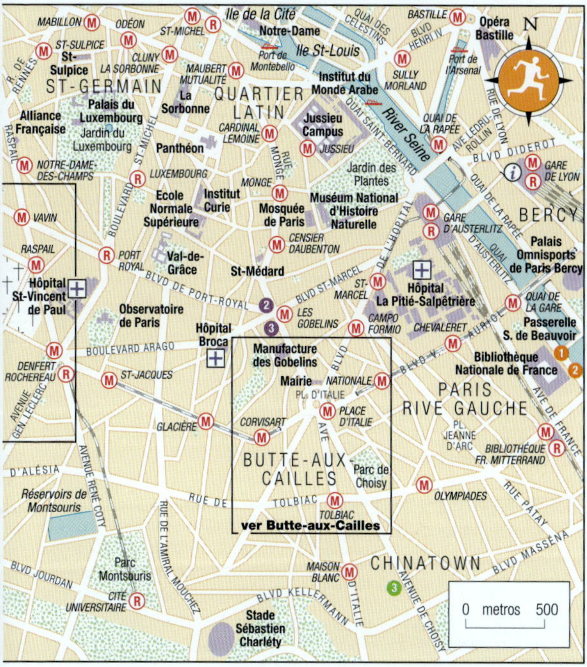


# Compras

## PUCES DE VANVES

Av Georges-Lafenestre/av Marc-Sangnier Ⓜ Porte-de-Vanves. Sáb e dom 7h-13h (Marc-Sangnier), o dia todo (Georges--Lafenestre). MAPA PP. 138-9

O melhor mercado de pulgas da cidade para achados originais, bricabraques e bugigangas parisienses começa ao amanhecer e se espalha pelas calçadas das avenues Marc-Sangnier e Georges-Lafenestre até a place de la Porte-de-Vanves.

# Cafés

## L'ENTREPÔT

7-9 rue Francis-de-Pressensé Ⓜ Pernety. Diariam 12h-14h; pratos servidos 12h-15h e 19h30-22h30. MAPA P. 134, MAPA DE BOLSO E12

Este animado e inovador cinema de arte tem um café espaçoso e descontraído, além de mesas instaladas no pátio ao ar livre. Ótimo brunch no domingo por €26, *plats du jour* por volta de €15-25 e ocasionalmente há shows à noite.

## LE SELECT

99 bd du Montparnasse Ⓜ Vavin. Diariam 19h-2h, sex e sáb até 4h. MAPA P. 134, MAPA DE BOLSO F11

Se quiser visitar um dos famosos cafés de Montparnasse outrora frequentado por Picasso, Matisse, Henry Miller e F. Scott Fitzgerald, este é o mais tradicional. Menos afetado e mais barato do que os outros, tem localização agradável no lado ensolarado da rua. A comida, porém, pode decepcionar.

# Restaurantes

## AQUARIUS

40 rue de Gergovie Ⓜ Pernety/Plaisance Ⓣ 01.45.41.36.88. Seg-sáb 12h-14h30 e 19h-23h. MAPA P. 134, MAPA DE BOLSO D12

A comida é saudável, mas não espetacular, neste conhecido restaurante vegetariano de clima caseiro. Nozes ao forno, chili e lasanha por volta de €12, e há um menu por €15 (€12 no almoço).

## LE BAMBOU

70 rue Baudricourt Ⓜ Tolbiac Ⓣ 01.45.70.91.75. Ter-dom 11h30-15h30 e 18h-22h30. MAPA P. 137

Pequeno restaurante asiático de bairro, fica lotado de clientes franceses e vietnamitas que adoram os pratos deliciosos do Vietnã, a exemplo da sopa pho (€8).

## LE CAFÉ DU COMMERCE

51 rue du Commerce Ⓜ Emile-Zola Ⓣ 01.45.75.03.27. Diariam 12h-15h e 19h-24h. MAPA PP. 138-9, MAPA DE BOLSO B10

Antiga brasserie da classe operária, este lugar imenso e fervilhante ocupa três níveis em torno de um pátio. A especialidade é carne de alta qualidade; você paga €15-18 por um *plat*. O menu de almoço custa apenas €15.

L'OS À MOËLLE

## CHEZ GLADINES

30 rue des Cinq-Diamants Ⓜ Corvisart Ⓣ 01.45.80.70.10. Seg, ter e dom 12h-15h e 19h-24h, qua-sáb 12h-15h e 19h-1h. MAPA P. 137

Acolhedor e lotado, este bistrô de esquina serve substanciosos pratos bascos e do sudoeste. Há purê e fritas com magret de canard (€11,90), o *plat du jour* por €10 ou uma farta salada quente por menos de €10.

## LA COUPOLE

102 bd du Montparnasse Ⓜ Vavin Ⓣ 01.43.20.14.20. Seg-qua e dom 8h30-24h, qui-sáb 8h30-1h. MAPA P. 134, MAPA DE BOLSO F11

A maior e mais encantadora das velhas brasseries de Montparnasse agora pertence à rede *Flo*, mas mantém a autenticidade, e seu interior art déco exala charme. As opções saborosas variam de ostras a torradas com queijo derretido em cerveja, além de pratos clássicos; menus a €28 e €32,50.

## L'OS À MOËLLE

3 rue Vasco da Gama Ⓜ Lourmel Ⓣ 01.45.57.27.27. Ter-sáb 12h-14h e 19h30-22h30; fecha 3 semanas em ago. MAPA PP. 138-9, MAPA DE BOLSO A11

O destaque no bistrô descontraído do chef Thierry Faucher é o menu de €55 com quatro pratos da divina cozinha francesa. Do outro lado da rua, *La Cave de l'Os à Moelle* (Ⓣ 01.45.57.28.88) é uma filial despojada com mesas comunitárias e comida caseira. Faça reserva para dois.

### TRICOTIN

15 av de Choisy Ⓜ Porte-de-Choisy
Ⓣ 01.45.85.51.52 e 01.45.84.74.44.
Diariam 9h-23h. MAPA PP. 138-9

Recuado da avenida na ponta sul de Chinatown, o consolidado *Tricotin* abrange dois restaurantes semelhantes. O nº 1 (fecha ter) tem pratos tailandeses e grelhados, e o nº 2, que é maior, tem uma lista mais longa de opções vietnamitas, cambojanas e no vapor. Em ambos, as sopas pho e da Tailândia, a partir de €5, são excepcionais. *Plats* a partir de €8.

### AU VIN DES RUES

21 rue Boulard Ⓜ Denfert-Rochereau
Ⓣ 01.43.22.19.78. Seg-sáb 12h-15h e 19h30-23h, dom 19h30-23h. MAPA P. 134, MAPA DE BOLSO F12

Este bistrô formidavelmente genuíno oferece clássicos franceses (como andouillette e pavê de salmão) e bons vinhos. A atmosfera é casual. Pratos principais por volta de €20.

## Bares

### CAFÉ TOURNESOL

9 rue de la Gaîté Ⓜ Edgar Quinet. Diariam 8h-2h. MAPA P. 134, MAPA DE BOLSO E11

Este café e bar de esquina atrai jovens boêmios que ocupam as mesas ao ar livre e usufruem a boa trilha sonora.

### LA FOLIE EN TÊTE

33 rue Butte-aux-Cailles Ⓜ Place-d'Italie/Corvisart. Seg-sáb 17h-2h, dom 17h-24h. Happy hour 18h-20h. MAPA P. 137

O bar clássico de Butte-aux--Cailles: simpático e alternativo, serve drinques e lanches durante o dia. A trilha sonora bem variada, que vai de world music a *chanson*, anima as noitadas.

LA FOLIE EN TÊTE

### LE MERLE MOQUEUR

11 rue Butte-aux-Cailles Ⓜ Place-d'Italie/Corvisart. Diariam 17h-2h. MAPA P. 137

Este bar estreito e chique sem afetação – onde Manu Chao fez sua estreia parisiense – serve runs com diversos sabores e toca sons alternativos para a clientela jovem.

## Casas noturnas

### BATOFAR

Quai François Mauriac Ⓜ Quai-de-la-Gare
Ⓣ 01.53.60.17.30. Ⓦ www.batofar.org.
MAPA PP. 138-9, MAPA DE BOLSO L12

Ancorado no rio defronte à Bibliothèque Nationale, este barco é um espaço charmoso que toca eletro, house, techno, hip-hop, funk experimental e sons do gênero. Entrada a €8-13.

### LA DAME DE CANTON

Quai François Mauriac Ⓜ Quai-de-la-Gare
Ⓣ 01.53.61.08.49. Ⓦ www.damedecanton.com.
MAPA PP. 138-9, MAPA DE BOLSO L12

Outro clube flutuante, o vizinho do *Batofar* é um belo junco chinês que oferece world music, *chanson* e noites com DJs, além de espetáculos musicais e atrações para o público infantil.

# Montmartre e o norte de Paris



Um dos bairros mais românticos de Paris, Montmartre tem fama por sua ligação com artistas como Renoir, Degas, Picasso e Toulouse-Lautrec. Por muito tempo, foi um povoado no alto de uma colina fora dos muros da cidade, e até hoje as ruas íngremes em torno do Butte Montmartre, o ponto mais alto de Paris, mantêm uma atmosfera de aldeia – embora o topo da colina, perto da place du Tertre, viva lotado de turistas. O Butte é encimado pela igreja de Sacré-Coeur e suas marcantes cúpulas brancas. Enquanto Montmartre continua se modernizando, o atrevido Pigalle, no sopé do Butte, ainda tem bulevares fervilhantes com lojas de fast-food, cabarés, casas noturnas e shows de striptease. Ao sul fica o refinado 9º arrondissement e, na orla norte da cidade, o enorme mercado de St-Ouen vende desde antiguidades a roupas usadas.

METRÔ NA PLACE DES ABBESSES

## BUTTE MONTMARTRE

Ⓜ Anvers/Abbesses. MAPA PP. 144-5. MAPA DE BOLSO G3-H3

Apesar de ser uma das grandes atrações turísticas da cidade, as encostas do Butte Montmartre conseguem manter o ar sereno e quase secreto de suas origens rurais, com ruas charmosas descortinando a linda vista de Paris. Para ir ao Butte, pegue o funicular, que integra o sistema de metrô local, ou suba a pé pelas ruas sinuosas a partir da estação de metrô de Abbesses.

## PLACE DES ABBESSES

Ⓜ Anvers/Abbesses. MAPA PP. 144-5. MAPA DE BOLSO G3

Com uma das poucas entradas de metrô art nouveau de Guimard que restam na cidade, a sombreada place des Abbesses é o polo de um bairro muito animado. As ruas em torno

MOSTRA NO MUSÉE DE L'EROTISME

da praça são um tanto afetadas para Montmartre, com muitos bares de vinhos, restaurantes descontraídos e interessantes para uma noitada, e pequenas butiques especializadas em roupas e acessórios exclusivos. Daqui, você pode seguir para a rue de la Vieuville, subir as escadas na rue Drevet e ir à minúscula place du Calvaire, onde há uma vista encantadora da cidade.

### PLACE EMILE-GOUDEAU

Ⓜ Abbesses/Anvers. MAPA PP. 144-5, MAPA DE BOLSO G3

Na íngreme subida da sinuosa rue Ravignan, a pequena place Emile-Goudeau é onde Picasso, Braque e Juan Gris iniciaram o movimento cubista em uma velha fábrica de pianos chamada Bateau-Lavoir. O edifício atual, réplica fiel do original, abriga estúdios. Com seu banco e sua pequena fonte de ferro, a praça é ótima para recuperar o fôlego na subida até o Butte.

### PLACE DU TERTRE

Ⓜ Abbesses. MAPA PP. 144-5, MAPA DE BOLSO G3

Falso coração de Montmartre, a place du Tertre deve ser evitada: fica apinhada de grupos de turistas, os restaurantes são caros, as bancas vendem suvenires cafonas e os artistas de rua são fracos. Na ponta leste da *place*, porém, fica a serena igreja de **St-Pierre-de-Montmartre**, a mais antiga de Paris, junto a St-Germain-des-Prés. Embora muito alterada desde sua origem como convento beneditino no século XII, a igreja mantém seu caráter românico e gótico, com quatro colunas antigas que provavelmente eram do santuário romano que havia na colina (então chamada de Mons Mercurii – monte de Mercúrio).

### MUSÉE DE L'EROTISME

72 bd Clichy Ⓜ Blanche Ⓣ 01.42.58.28.73, Ⓦ www.musee-erotisme.com. Diariam 10h-2h. €10. MAPA PP. 144-5, MAPA DE BOLSO F3

Apropriadamente situado em meio a sex shops e aos shows de Pigalle, o Musée de l'Erotisme explora a visão sobre sexo de diversas culturas. Dois andares mostram arte sacra e etnográfica – incluindo falos altivos, posições praticadas na Ásia, na África e na América Latina pré-colombiana, e curiosidades europeias satíricas, além da história fascinante dos bordéis de Paris. Os cinco andares restantes são dedicados a mostras temporárias.

# Montmartre e o norte de Paris

**CAFÉ**

| | |
|---|---|
| Café des Deux Moulins | 4 |

**RESTAURANTES**

| | |
|---|---|
| Café Burq | 2 |
| Casa Olympe | 8 |
| Chez Casimir | 7 |
| Flo | 9 |
| Le Relais Gascon | 5 |

**BARES**

| | |
|---|---|
| Chez Camille | 3 |
| Au Clair de la Lune | 1 |
| La Fourmi | 6 |

**HOSPEDAGEM**

| | |
|---|---|
| Hôtel Amour | 8 |
| Hôtel des Arts | 3 |
| Hôtel Bonséjour Montmartre | 4 |
| Caulaincourt Square | 1 |
| Hôtel Eldorado | 6 |
| Hôtel Ermitage | 2 |
| Hôtel Langlois | 10 |
| Style Hôtel | 5 |
| Le Village Hostel | 7 |
| Woodstock Hostel | 9 |

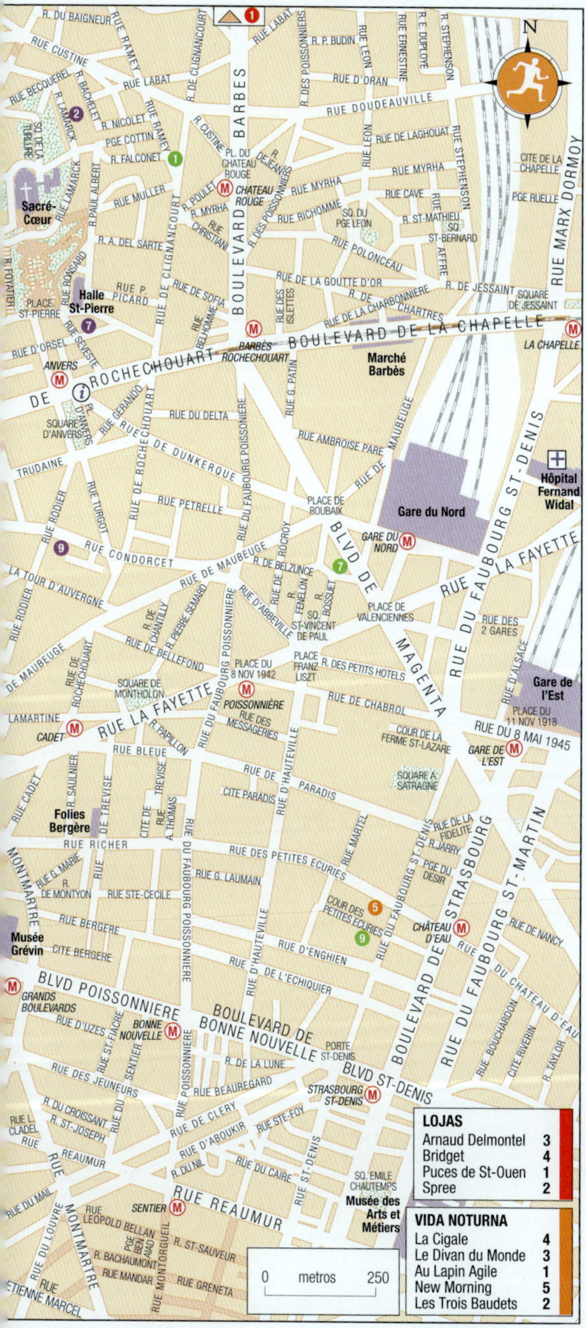
N
Sacré-Cœur
Halle St-Pierre
PLACE ST-PIERRE
ANVERS
SQUARE D'ANVERS
BOULEVARD BARBES
CHATEAU ROUGE
BARBÈS ROCHECHOUART
BOULEVARD DE LA CHAPELLE
DE ROCHECHOUART
LA CHAPELLE
Marché Barbès
RUE DOUDEAUVILLE
RUE POLONCEAU
RUE DE LA GOUTTE D'OR
R. DE JESSAINT
SQUARE DE JESSAINT
RUE MARX DORMOY
CITE DE LA CHAPELLE
Gare du Nord
GARE DU NORD
Hôpital Fernand Widal
RUE DU FAUBOURG ST-DENIS
RUE LA FAYETTE
BLVD DE MAGENTA
PLACE DE ROUBAIX
RUE DE DUNKERQUE
RUE CONDORCET
RUE DE MAUBEUGE
RUE DU FAUBOURG POISSONNIERE
SQ. ST-VINCENT DE PAUL
PLACE FRANZ LISZT
PLACE DE VALENCIENNES
PLACE DU 8 NOV 1942
POISSONNIÈRE
SQUARE DE MONTHOLON
CADET
Gare de l'Est
PLACE DU 11 NOV 1918
RUE DU 8 MAI 1945
GARE DE L'EST
RUE DE CHABROL
COUR DE LA FERME ST-LAZARE
SQUARE A. SATRAGNE
RUE DE PARADIS
Folies Bergère
RUE RICHER
RUE DES PETITES ECURIES
COUR DES PETITES ECURIES
BOULEVARD DE STRASBOURG
RUE DU FAUBOURG ST-MARTIN
CHÂTEAU D'EAU
RUE DU CHATEAU D'EAU
Musée Grévin
CITE BERGERE
BLVD POISSONNIERE
GRANDS BOULEVARDS
BONNE NOUVELLE
BOULEVARD DE BONNE NOUVELLE
PORTE ST-DENIS
BLVD ST-DENIS
STRASBOURG ST-DENIS
RUE D'ABOUKIR
RUE REAUMUR
SENTIER
SQ. EMILE CHAUTEMPS
Musée des Arts et Métiers
RUE MONTMARTRE
RUE MONTORGUEIL
RUE ETIENNE MARCEL
RUE DU LOUVRE
0 metros 250
LOJAS
Arnaud Delmontel 3
Bridget 4
Puces de St-Ouen 1
Spree 2
VIDA NOTURNA
La Cigale 4
Le Divan du Monde 3
Au Lapin Agile 1
New Morning 5
Les Trois Baudets 2

## SACRÉ-COEUR

Ⓜ Anvers/Abbesses. Diariam 6h45-22h30. Grátis. Domo: diariam abr, mai, set e out 9h30-18h45; jun-ago 9h30-20h. €6. MAPA PP. 144-5, MAPA DE BOLSO G3

Coroando o Butte, a Sacré--Coeur é um pastiche de arquitetura em estilo bizantino, cuja torre branca e a cúpula que parece uma concha de sorvete viraram ícones da paisagem de Paris. A construção começou nos anos 1870 por iniciativa da Igreja Católica para reparar os "crimes" da Comuna revolucionária, que tentou tomar o poder na parte alta de Montmartre. Há pouco para ver no interior sem alma, mas a cúpula oferece uma vista fantástica – sobretudo no início da manhã ou no fim da tarde, quando não é preciso se expor ao sol forte. A **praça Willette**, na base da escadaria monumental, tem o nome do artista local que apareceu no dia da inauguração bradando "Vida longa ao diabo!". Hoje em dia, a escadaria é usada por turistas que ali se instalam para apreciar a vista e fazer piquenique, mas têm de aguentar o assédio dos artistas de rua. As multidões e os dedilhados de violão aumentam ainda mais ao cair da noite.

## MOULIN DE LA GALETTE

Rue Lepic Ⓜ Abbesses/Lamarck-Caulaincourt. MAPA PP. 144-5, MAPA DE BOLSO G3

Um bom trajeto para ir ao alto do Butte é subir a rue Tholozé, virar à direita abaixo do Moulin de la Galette de madeira e pegar a rue des Norvins. O moinho é um dos dois sobreviventes dos 40 moinhos de vento de Montmartre. O outro fica na esquina de uma rua adjacente, no alto de um restaurante homônimo que outrora foi uma *guingette* com danças – conforme Renoir mostrou em seu *Bal du Moulin de la Galette*, atualmente exposto no Musée d'Orsay.

## MUSÉE DE MONTMARTRE

12 rue Cortot Ⓜ Lamarck-Caulaincourt Ⓣ 01.49.25.89.37, Ⓦ www.museedemontmartre.fr. Diariam 10h-18h. €8. MAPA PP. 144-5, MAPA DE BOLSO G3

Instalado em uma velha casa de uma rua serena, o pequeno e interessante Musée de Montmartre dá uma ideia real dos tempos boêmios do bairro. Suas salas de época mostram pôsteres, pinturas e fotos pessoais antigos. A casa teve inquilinos como Renoir, Dufy, Suzanne Valadon e seu filho alcoólatra, Utrillo, e também tem vista para os terraços ordenados da

SACRÉ-COEUR

CEMITÉRIO DE MONTMARTRE

minúscula **vinícola de Montmartre** – que produz 1.500 garrafas por ano –, no lado norte do Butte. Você pode andar pelas vinhas, nas quais a íngreme rue de Saules passa pelo famoso cabaré **Au Lapin Agile** (p. 151); essas ruas estão entre as mais tranquilas de Montmartre e são ideais para uma caminhada romântica.

## CEMITÉRIO DE MONTMARTRE

Entrada na av Rachel, sob a rue Caulaincourt Ⓜ Blanche/Place-de-Clichy. Meados de mar a 5 nov seg-sex 8h-18h, sáb 8h30-18h, dom 9h-18h; 6 nov a meados de mar fecha às 17h30. Grátis. MAPA PP. 144-5, MAPA DE BOLSO F2-3

A oeste do Butte, o cemitério de Montmartre é um lugar intimista e melancólico: abaixo do nível da rua e na cavidade de uma antiga pedreira, suas colinas íngremes com túmulos criam uma ravina sombria para os mortos. Os túmulos de Nijinsky, Zola, Stendhal, Berlioz, Degas, Feydeau, Offenbach e Truffaut, entre outros, estão sinalizados em um mapa grátis disponível na entrada.

## PIGALLE

Ⓜ Pigalle. MAPA PP. 144-5, MAPA DE BOLSO F3-H4

Da place Clichy, no oeste, até Barbès-Rochechouart, no leste, as encostas sul de Montmartre são limitadas pelos amplos boulevares de Clichy e Rochechouart. No fim de Barbès, no bd Rochechouart, multidões lotam as lojas de departamentos barateiras Tati, e ambulantes africanos vendem tecidos, relógios e bijuterias nas calçadas. Na ponta da place de Clichy, ônibus de turismo deixam os passageiros em hotéis grandes. A área em torno da **place Pigalle** é tradicionalmente associada à imoralidade, com shows de sexo, sex shops e agenciadores abordando os passantes. O fato é que o mau gosto impera na região.

## MOULIN ROUGE

82 bd de Clichy Ⓜ Blanche Ⓣ 01.53.09.82.82, Ⓦ www.moulinrouge.fr. Shows às 21h e 23h. A partir de €95. MAPA PP. 144-5, MAPA DE BOLSO F3

Embora seu entorno tenha perdido o antigo glamour, não há como ignorar o decadente moinho de vento vermelho, com vitrines repletas de fotos de vedetes radiantes. Quando Toulouse-Lautrec o imortalizou em suas pinturas, o Moulin Rouge era um dos muitos cabarés obscenos na área, mas se tornou atração turística, com pacotes caros que incluem jantar e show ao estilo de Las Vegas.

## MUSÉE DE LA VIE ROMANTIQUE

16 rue Chaptal Ⓜ St-Georges/Blanche/Pigalle ☎ 01.55.31.95.67, Ⓦ www.vie-romantique.paris.fr. Ter-dom 10h-18h. €7 para todas as exposições temporárias, caso contrário, grátis.

MAPA PP. 144-5, MAPA DE BOLSO F4

O Musée de la Vie Romantique evoca a época em que este bairro era habitado por moradores como Chopin, Delacroix, Dumas e outros expoentes do movimento do Romantismo. Em um pátio de pedra, a bela casa com venezianas que abriga o museu foi do pintor Ary Scheffer. Além de retratos dele e dos interiores de época restaurados, você pode ver peças associadas à sua amiga George Sand.

INTERIOR DO MUSÉE MOREAU

## MUSÉE MOREAU

14 rue de La Rochefoucauld Ⓜ Trinité ☎ 01.48.74.38.50, Ⓦ www.musee-moreau.fr. Seg e qua-qui 10h-12h45 e 14h-17h15, sex-dom 10h-17h15. €5.

MAPA PP. 144-5, MAPA DE BOLSO F4

Pouco visitado, o museu enfoca as fantásticas obras simbolistas de **Gustave Moreau** e foi concebido pelo próprio artista, que morou muitos anos nesta casa com seus pais. Você pode ver seus aposentos minúsculos repletos de móveis e bugigangas. Ligados por uma bela escada em espiral, dois enormes espaços que serviam de estúdio também são apinhados: há telas decadentes de Moreau penduradas para todo lado mostrando uma infinidade de figuras e torvelinhos decorativos ou cores densas e um simbolismo provocativo, como em *Júpiter e Sémele*, a *pièce de résistance* do museu.

## MARCHÉ BARBÈS

Boulevard de la Chapelle Ⓜ Barbès Rochechouart. Qua 8h-13h, sáb 7h-15h.

MAPA PP. 144-5, MAPA DE BOLSO H3

Após a Primeira Guerra Mundial, quando um grande número de norte-africanos foi trazido para repor as fileiras de franceses mortos nas trincheiras, a faixa ao norte da Gare du Nord se tornou gradualmente um gueto de imigrantes. Embora o *quartier* continue pobre, hoje esta área vibrante é habitada por várias comunidades, sobretudo do oeste da África e do Congo, tendo ainda bolsões de pessoas vindas do sul da Ásia, do Haiti, da Turquia, entre outras etnias. Há muitas lojas de música e tecidos étnicos, mas para sentir o clima desta área vá ao Marché Barbès, que acontece duas vezes por semana e tem alimentos africanos, peixes exóticos e carne *halal* (autorizada pela lei islâmica).

ITENS À VENDA NO PUCES DE ST-OUEN

# Lojas

### ARNAUD DELMONTEL

39 rue des Martyrs Ⓜ St-Georges. Seg e qua-dom 7h-20h30. MAPA PP. 144-5, MAPA DE BOLSO G4

Refinada pâtisserie parisiense que decora seus deliciosos bavaroises, macarons e tortas com cores vistosas. O pão, premiadíssimo também, é excelente.

### BRIDGET

17 rue des Martyrs Ⓜ Pigalle. Seg-sáb 11h-20h, dom 11h-16h. MAPA PP. 144-5, MAPA DE BOLSO G4

Renomada por seus alimentos finos, a rue des Martyrs está se tornando rapidamente a rua mais em voga para compras em Paris. Esta butique reúne peças elegantes de moda feminina (€60-150).

### PUCES DE ST-OUEN

Ⓜ Porte de Clignancourt. Oficialmente sáb-seg 9h-18h30 (muitas barracas fecham seg); em geral, a partir das 5h. MAPA PP. 144-5

Estendendo-se além do *périphérique* na orla norte da cidade, entre a Porte de St-Ouen e a Porte de Clignancourt, o **Puces de St-Ouen** se orgulha de ser o maior mercado de pulgas do mundo, embora se trate mais de um mercado de antiguidades bem careiro. Há cobiçados itens de decoração, incluindo móveis, velhos balcões de cafés e bares, telefones, semáforos, jukeboxes e tesouros pitorescos do gênero. Entre os cerca de doze mercados individuais, vale a pena ir ao Marché **Dauphine**, que vende pôsteres de filmes, discos de *chanson* e jazz, gibis e livros, e ao Marché **Vernaison**, repleto de curiosidades e bricabraques. Sob a passagem elevada do *périphérique*, vendedores divulgam roupas, óculos e DVDs pirateados, enquanto outros malandros tentam se dar bem.

### SPREE

16 rue de la Vieuville Ⓜ Abbesses. Ter-qui 11h-19h30, sex-sáb 10h30-19h30, dom 15h-19h. MAPA PP. 144-5, MAPA DE BOLSO G3

Esta moderna galeria e loja de moda feminina, com estilistas como Vanessa Bruno, Isabel Marant e Christian Wijnants, é típica da cena descolada de Abbesses. Aqui também há peças vintage, acessórios, móveis e produtos de beleza.

# Café

### CAFÉ DES DEUX MOULINS

15 rue Lepic Ⓜ Blanche. Diariam 7h30-1h. MAPA PP. 144-5, MAPA DE BOLSO F3

Depois de virar atração para fãs do filme *Amélie Poulain* (havia cenas dela por aqui), esta lanchonete e café comodamente desleixado voltou a ser um lugar sem pompa no bairro, atraindo *ouvriers* de manhã e descolados à noite. Serve café da manhã, brunches e *plats* a bons preços.

# Restaurantes

### CAFÉ BURQ

6 rue Burq Ⓜ Blanche/Abbesses Ⓣ 01.42.52.81.27. Seg-sáb 20h-24h. MAPA PP. 144-5, MAPA DE BOLSO G3

Restaurante badalado, oferece comida simples e gostosa, como guacamole de ervilhas e chouriço, e dourado com pesto de aspargos. A única decoração é a própria clientela bonita e simpática que se acotovela no espaço. Menus por €26/€30 no jantar.

### CASA OLYMPE

48 rue St-Georges Ⓜ St-Georges Ⓣ 01.42.85.26.01. Seg-qua 12h-14h e 7h30-22h30, qui-sex 12h-14h e 19h30-23h, sáb 19h30-23h. MAPA PP. 144-5, MAPA DE BOLSO G4

Pequeno bistrô com muita classe e cozinha excepcional. Há dobradinhas e molhos com toques ensolarados da Córsega. Menu fixo muito satisfatório a €43.

### CHEZ CASIMIR

6 rue de Belzunce Ⓜ Gare-du-Nord Ⓣ 01.48.78.28.80. Ter 12h-14h e 19h30-22h30, qua-sex 12h-22h30, sáb e dom 10h-19h. MAPA PP. 144-5, MAPA DE BOLSO H4

Um verdadeiro achado, este bistrô de esquina bem despojado fica em uma rua tranquila perto da Gare du Nord. Serve cozinha francesa tradicional, porém feita de forma criativa, a preços excelentes (cerca de €30), e um ótimo brunch nos fins de semana.

### FLO

7 cour des Petites-Ecuries Ⓜ Château-d'Eau Ⓣ 01.47.70.13.59. Diariam 12h-15h e 19h-0h30. MAPA PP. 144-5, MAPA DE BOLSO J5

Escura e esplêndida, esta antiga brasserie alsaciana é tão bonita que nem o atendimento arrogante e o bairro insalubre prejudicam a experiência gastronômica. Entre os pratos substanciosos são servidos peixes e frutos do mar – e manteiga em tudo. Menus €20-40.

### LE RELAIS GASCON

6 rue des Abbesses e 13 rue de Joseph Maistre Ⓜ Abbesses Ⓣ 01.42.58.58.22. Seg-qui 10h30-24h, Sex-dom 10h30-0h30 (refeições a partir das 12h). MAPA PP. 144-5, MAPA DE BOLSO G3 E F3

Servindo refeições caseiras o dia todo, estes ruidosos restaurantes são um exemplo da hospitalidade da Gasconha. Enormes saladas quentes a partir de €11,50, *plats* gostosos por cerca de €12 e um menu de almoço por €15,50.

# Bares

### CHEZ CAMILLE

8 rue Ravignan Ⓜ Abbesses. Ter-sáb 18h-1h30, dom 18h-24h . MAPA PP. 144-5, MAPA DE BOLSO G3

Com decoração elegante – paredes cor de creme, ventiladores de teto, alguns espelhos antigos e cadeiras diferentes –, este bar minúsculo atrai gente de todas as idades que vem conversar e dançar ao som de Elvis ou raï.

LA FOURMI

### AU CLAIR DE LUNE

1 rue Ramey Ⓜ Château-Rouge. Diariam 8h-2h. MAPA PP. 144-5, MAPA DE BOLSO H3

Bar descuidado – com detalhes art déco, pufes dos anos 1970 e pôsteres de filmes da década de 1950, tudo em mau estado –, cujo espírito fica a anos-luz de distância das armadilhas turísticas de Montmartre. Drinques baratos e ocasional música ao vivo.

### LA FOURMI

74 rue des Martyrs Ⓜ Pigalle/Abbesses. Seg-qui 8h-2h, sex e sáb 8h-3h, dom 10h-1h. MAPA PP. 144-5, MAPA DE BOLSO G4

Com pé-direito alto, este café e bar é frequentado por burgueses boêmios de Paris. Serve café, drinques e refeições leves durante o dia.

## Casas noturnas e música ao vivo

### LA CIGALE

120 bd de Rochechouart Ⓜ Pigalle ⓣ 01.49.25.81.75, Ⓦ www.lacigale.fr. MAPA PP. 144-5, MAPA DE BOLSO G4

Com 1.400 lugares, este teatro histórico em Pigalle apresenta grupos de rock e indie da França e da Europa continental. Para mais rock, dance music e casas noturnas com noitadas fervilhantes, vá ao *Élysée Montmartre*, no nº 72 (ⓣ 01.44.92.45.47, Ⓦ www.elyseemontmartre.com).

### LE DIVAN DU MONDE

75 rue des Martyrs Ⓜ Anvers ⓣ 01.40.05.06.99, Ⓦ www.divandumonde.com. MAPA PP. 144-5, MAPA DE BOLSO G4

Lugar de jovens em um antigo café cujos clientes incluíam Toulouse-Lautrec. A programação empolgante varia de improvisos poéticos a noitadas dançantes ao som de rumba.

MÚSICO NO NEW MORNING

### AU LAPIN AGILE

22 rue des Saules Ⓜ Lamarck-Caulaincourt ⓣ 01.46.06.85.87, Ⓦ www.au-lapin-agile.com. Ter-dom 21h-1h. MAPA PP. 144-5, MAPA DE BOLSO G2

Pintado e frequentado por Picasso, entre outros luminares de Montmartre, este clube lendário – dentro de um edifício oculto em um jardim – ainda realiza noites de cabaré, poesia e *chanson* (€24). Atrai muitos turistas e tem ótimos músicos.

### NEW MORNING

7-9 rue des Petites-Ecuries Ⓜ Château d'Eau ⓣ 01.45.23.51.41, Ⓦ www.newmorning.com. MAPA PP. 144-5, MAPA DE BOLSO J5

Uma das melhores opções em Paris, este é *o* lugar para ver astros internacionais de jazz e world music, em geral em pé.

### LES TROIS BAUDETS

64 bd de Clichy Ⓜ Blanche/Pigalle ⓣ 01.42.62.33.33, Ⓦ www.lestroisbaudets.com. MAPA PP. 144-5, MAPA DE BOLSO F3

Este teatro histórico foi reformado em 2009 e virou um templo da *chanson*, a cargo de jovens artistas franceses emergentes. Ingressos por volta de €10-15.

# Bois de Boulogne e o oeste de Paris

Com árvores, lagos, ciclovias e belas flores, o Bois de Boulogne acompanha o lado oeste do elegante 16º arrondissement e é um refúgio muito apreciado por parisienses em busca de sossego. Esta zona, mais residencial, abriga poucas atrações turísticas além do Musée Marmottan, com sua deslumbrante coleção de obras tardias de Monet. As áreas que de fato merecem uma visita são os antigos povoados de Auteuil e Passy, os quais foram integrados à cidade no final do século XIX e logo se tornaram bairros cobiçados, onde parisienses abastados construíram suas casas. Em consequência, ambos exibem belos exemplos de arquitetura, incluindo obras de Hector Guimard e Le Corbusier. Mais a oeste, o distrito financeiro de La Défense é dominado pelo imenso Grande Arche e se caracteriza pela arquitetura moderna de seus reluzentes arranha-céus.

## BOIS DE BOULOGNE

Ⓜ Porte Maillot/Porte Dauphine.

MAPA P. 155, MAPA DE BOLSO A5

O Bois de Boulogne foi projetado pelo barão Haussmann e supostamente inspirado no Hyde Park de Londres, embora com uma interpretação bem francesa. O "bosque" pode até decepcionar, mas seu terreno amplo (de pouco menos de 9km$^2$) contém alguns resquícios da

ATRAÇÃO NO JARDIN D'ACCLIMATATION

outrora grande Forêt de Rouvray. Conforme sua localização sugere, o bosque era o playground dos ricos e depois ganhou fama como local de prostituição e de crimes. Isso ocorre até hoje, portanto não se deve vir à noite. De dia, porém, o parque é extremamente agradável para um passeio. A parte mais preservada e apropriada para caminhadas fica no rumo do canto sudoeste. Há aluguel de bicicletas na entrada do Jardin d'Acclimatation e passeios de barco no Lac Inférieur.

## PARC DE BAGATELLE

Bois de Boulogne Ⓜ Porte Maillot. Diariam 9h30 até o anoitecer. €5. MAPA P. 155

Dentro do Bois de Boulogne, o Parc de Bagatelle abrange jardins de vários estilos, incluindo franceses, ingleses e japoneses. Seu elemento mais famoso é o esplêndido jardim de rosas, cujo auge é em junho, mas outras partes do parque têm belos conjuntos de tulipas, jacintos e narcisos no início de abril, íris em maio e ninfeias no início de agosto. Em junho e julho, a atraente estufa do parque é o cenário do prestigioso Chopin Festival (Ⓦ www.frederic-chopin.com).

## JARDIN D'ACCLIMATATION

Bois de Boulogne Ⓜ Porte Maillot Ⓣ 01.40.67.90.82, Ⓦ www.jardindacclimatation.fr. Diariam: abr-set 10h-19h; out-mar 10h-18h. €2,90 ou €5,60 incluindo a volta de trem para o metrô; atrações a partir de €2,70. MAPA P. 155

Projetado para crianças, o Jardin d'Acclimatation oferece muita diversão, um zoo e um parque com brinquedos. A animação já começa na parada de metrô na Porte-Maillot, de onde um pequeno trem parte para o Jardin a cada 15 minutos, entre 11h-18h. Entre as muitas atrações do parque há carrinhos de bate-bate, montaria em burricos, leões-marinhos, ursos e macacos, uma cama elástica para acrobacias e um passeio fluvial na *rivière enchantée*.

## FONDATION LOUIS VUITTON POUR LA CRÉATION

Av du Mahatma Gandhi Ⓜ Porte Maillot. MAPA P. 155

Dentro do Jardin d'Acclimatation, a construção da Fondation Louis Vuitton pour la Création, um espaço de arte contemporânea projetado por Frank Gehry, deve estar concluída até outono de 2013. Além de galerias para exposições permanentes e temporárias, haverá atividades dedicadas às crianças e um café. Assim como em outros projetos realizados por Gehry, este edifício, em forma de nuvem, também promete virar um marco urbano.

## VILLA LA ROCHE

Praça du Dr Blanche Ⓜ Jasmin Ⓣ 01.42.88.75.72, Ⓦ www.fondationlecorbusier.asso.fr. Seg 13h30-18h, ter-qui 10h-18h, sáb e dom 10h-17h; fecha 1ª semana de ago. €5. MAPA DE BOLSO A7

Datadas de 1923, as primeiras casas particulares de Le Corbusier foram a Villa Jeanneret e a adjacente Villa La Roche. A última é em estilo estritamente cubista e tem faixas de janelas, sendo a fachada curva seu único detalhe extravagante. Hoje, isso pode parecer comum, mas na época em que foi construída, a *villa* era uma quebra dos paradigmas vigentes. O interior é apropriadamente decorado com pinturas cubistas.

## PLACE DE PASSY

Ⓜ Passy. MAPA P. 155

O ponto focal do *quartier* de Passy é a agradável place de Passy, onde fica o lotado e charmoso café *Le Paris Passy*. Daqui se irradiam a velha e íngreme rue de Passy, que abriga diversas butiques tentadoras, e a rue de l'Annonciation, com calçamento de pedras e dedicada aos pedestres.

## MAISON DE BALZAC

47 rue Raynouard Ⓜ Passy Ⓣ 01.55.74.41.80. Ter-dom 10h-18h. Grátis. MAPA P. 155

A Maison de Balzac é uma pequena casa de verão com venezianas verde-claras, abaixo de alguns degraus que levam a um sombreado jardim de rosas – encantador para descansar nos bancos de ferro batido, cercados por bustos do escritor. Foi aqui que Balzac escreveu algumas de suas obras mais conhecidas, incluindo *A prima Bette* e *O primo Pons*. O museu preserva seu estúdio e também exibe uma complexa árvore genealógica de cerca de mil personagens que aparecem na célebre *A comédia humana*.

PEÇAS NA MAISON DE BALZAC

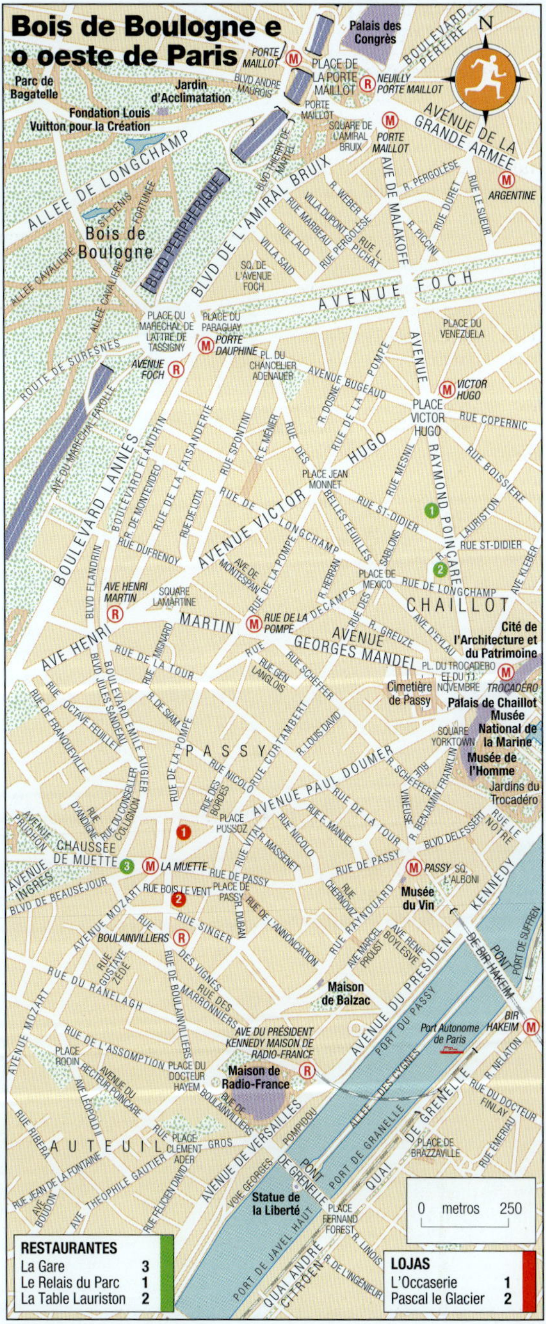
Bois de Boulogne e o oeste de Paris
N
Parc de Bagatelle
Jardin d'Acclimatation
Fondation Louis Vuitton pour la Création
Palais des Congrès
PORTE MAILLOT
PLACE DE LA PORTE MAILLOT
NEUILLY PORTE MAILLOT
BLVD ANDRÉ MAUROIS
SQUARE DE L'AMIRAL BRUIX
BOULEVARD PEREIRE
AVENUE DE LA GRANDE ARMÉE
ARGENTINE
ALLÉE DE LONGCHAMP
Bois de Boulogne
BLVD PÉRIPHÉRIQUE
BLVD DE L'AMIRAL BRUIX
AVE DE MALAKOFF
AVENUE FOCH
SQ. DE L'AVENUE FOCH
PLACE DU MARÉCHAL DE LATTRE DE TASSIGNY
PLACE DU PARAGUAY
PORTE DAUPHINE
AVENUE FOCH
ROUTE DE SURESNES
PL. DU CHANCELIER ADENAUER
PLACE DU VENEZUELA
AVENUE BUGEAUD
VICTOR HUGO
PLACE VICTOR HUGO
RUE COPERNIC
AVENUE VICTOR HUGO
PLACE JEAN MONNET
RUE DE LONGCHAMP
RAYMOND POINCARÉ
RUE BOISSIÈRE
RUE ST-DIDIER
BOULEVARD LANNES
BOULEVARD FLANDRIN
RUE DE LA FAISANDERIE
RUE SPONTINI
RUE DE LA POMPE
AVE HENRI MARTIN
SQUARE LAMARTINE
PLACE DE MEXICO
CHAILLOT
RUE DE LA POMPE
AVENUE GEORGES MANDEL
Cité de l'Architecture et du Patrimoine
PL. DU TROCADÉRO ET DU 11 NOVEMBRE
TROCADÉRO
Cimetière de Passy
Palais de Chaillot
Musée National de la Marine
Musée de l'Homme
SQUARE YORKTOWN
Jardins du Trocadéro
PASSY
AVENUE PAUL DOUMER
PLACE PUSSOZ
CHAUSSÉE DE LA MUETTE
LA MUETTE
RUE DE PASSY
PASSY
SQ. L'ALBONI
Musée du Vin
BLVD DELESSERT
BLVD DE BEAUSÉJOUR
AVENUE INGRES
AVENUE MOZART
BOULAINVILLIERS
RUE SINGER
RUE RAYNOUARD
Maison de Balzac
AVENUE DU PRÉSIDENT KENNEDY
PONT DE BIR HAKEIM
BIR HAKEIM
RUE DU RANELAGH
AVE DU PRÉSIDENT KENNEDY MAISON DE RADIO-FRANCE
Port Autonome de Paris
Maison de Radio-France
RUE DE L'ASSOMPTION
PLACE DU DOCTEUR HAYEM
PLACE RODIN
AUTEUIL
PLACE CLÉMENT ADER
AVENUE DE VERSAILLES
ALLÉE DES CYGNES
PORT DE GRENELLE
QUAI DE GRENELLE
PLACE DE BRAZZAVILLE
PONT DE GRENELLE
Statue de la Liberté
PLACE FERNAND FOREST
QUAI ANDRÉ CITROËN
PORT DE JAVEL HAUT
0 metros 250
RESTAURANTES
La Gare 3
Le Relais du Parc 1
La Table Lauriston 2
LOJAS
L'Occaserie 1
Pascal le Glacier 2

## AUTEUIL

Ⓜ Michel-Ange-Auteuil. MAPA P. 155

O bairro de Auteuil se tornou parte integral da cidade, mas suas ruas ainda mantêm um certo ar interiorano. Há algumas *villas* atraentes em vias frondosas, com jardins em estilo inglês na frente, e alguns belos edifícios art nouveau de Hector Guimard – vários deles na rue de la Fontaine, como o Castel Béranger no nº 14, com decoração e formas exuberantes nas janelas e chaminés.

## MUSÉE MARMOTTAN MONET

2 rue Louis-Boilly Ⓜ Muette Ⓣ 01.44.96.50.33, Ⓦ www.marmottan.com. Ter-dom 10h-18h, qui até 20h. €10. MAPA DE BOLSO A7

O Musée Marmottan é conhecido por sua excelente coleção de pinturas de Monet. Um dos destaques é *Impressão, sol nascente*, tela de 1872 mostrando uma manhã nublada em Le Havre, cujo título foi usado pela crítica para batizar o movimento impressionista. Há também uma seleção de obras dos últimos anos de Monet em Giverny, incluindo várias *Nymphéas* (Ninfeias) e *A ponte japonesa*. O acervo também abrange alguns de seus contemporâneos – Manet, Renoir e Berthe Morisot – e uma sala com belos manuscritos medievais com iluminuras.

## LA DÉFENSE

Ⓜ/RER Grande-Arche-de-la-Defense/ Esplanade de la Défense. MAPA DE BOLSO A4

Um complexo impressionante de arranha-céus reluzentes, La Défense é o prestigioso distrito financeiro de Paris. Sua atração mais conhecida é o enorme Grande Arche. Prédios de apartamentos e outros empresariais se erguem entre o arco e o rio, ao passo que esculturas vanguardistas de artistas como Joan Miró atenuam a selva tecida de concreto e vidro. Uma nova leva de torres está em construção; a mais aguardada é a **Tour Phare**, do arquiteto americano Thom Mayne, um arranha-céu que irá rivalizar em altura com a Torre Eiffel e deverá estar concluído em 2015.

GRANDE ARCHE, DE LA DÉFENSE

## GRANDE ARCHE DE LA DÉFENSE

Ⓜ/RER Grande-Arche-de-la-Defense Ⓣ 01.49.07.27.27. Ⓦ www.grandearche.com. MAPA DE BOLSO A4

O Grande Arche de la Défense, construído em 1989 em homenagem ao bicentenário da Revolução Francesa, é uma estrutura formidável com 112m de altura e revestida de mármore branco. Visível a 6km e por um ângulo do Arco do Triunfo, o arco completa o eixo oeste desta vista leste-oeste monumental. Infelizmente, os emocionantes elevadores transparentes foram fechados após um acidente em 2010. No entanto, a vista da escadaria que leva à base do arco quase não fica a dever à antiga. Para ir ao arco, desça do metrô na parada na Esplanade-de-la-Défense e caminhe pela Esplanade de Général de Gaulle.

# Lojas

### L'OCCASERIE

30 rue de la Pompe Ⓜ Muette/Passy. Ter-sáb 11h-19h. MAPA P. 155

Brechó especializado em alta-costura – Dior, Prada, Cartier e outros –, é excelente para garimpar tailleurs Chanel e bolsas Louis Vuitton. Embora os preços sejam bem mais baixos do que os de peças novas, prepare-se para pagar cerca de €720 por um traje de grife e €300 por uma bolsa. Há filiais menores por perto, na 16 e 21 rue de l'Annonciation, na 14 rue Jean-Bologne e na 19 rue de la Pompe.

### PASCAL LE GLACIER

17 rue Bois-le-Vent Ⓜ Muette. Ter-sáb 10h30-19h; fecha em ago. MAPA P. 155

Refinados sorbets caseiros feitos com água Evian e frutas frescas, em mais de 50 sabores sazonais, como laranja-rubi, manga, pêssego branco, pera, framboesa e até ruibarbo.

# Restaurantes

### LA GARE

19 Chaussée de la Muette Ⓜ Muette Ⓣ 01.42.15.15.31. Diariam: restaurante 12h-15h e 19h-22h30, bar 12h-24h. MAPA P. 155

Instalado em uma antiga estação de trem, este elegante restaurante e bar enfoca clássicos franceses. Com um salão enorme e ensolarado, oferece, entre outras coisas, um concorrido menu de almoço por €21-23. Uma boa pedida em dias ensolarados é se sentar no terraço atraente e, estando por lá, não deixe de dar uma olhada no bar situado no andar de cima que, com frequência, tem DJs tocando samba, soul e house à noite.

### LE RELAIS DU PARC

59 av Raymond Poincaré Ⓜ Victor Hugo Ⓣ 01.44.05.66.10. Seg-sex 12h-14h30 e 19h30-22h30, sáb 19h30-22h30. Fecha em ago. MAPA P. 155, MAPA DE BOLSO A6

Aqui, o célebre chef Alain Ducasse investe em peixes, carne, cordeiro, legumes e frutas em combinações criativas, como cordeiro com legumes primavera ou peixe em "estilo americano" com arroz de Madras. No verão, as refeições são ao ar livre em um jardim encantador. Menu de almoço a partir de €29, menu de jantar à la carte (pratos principais €20).

### LA TABLE LAURISTON

129 rue Lauriston Ⓜ Trocadéro Ⓣ 01.47.27.00.07. Seg-sex 12h-14h30 e 19h30-22h, sáb 19h30-22h30. Fecha em ago. MAPA P. 155, MAPA DE BOLSO A7

Bistrô tradicional comandado pelo estrelado chef Serge Rabey. Terrine de carne de caça com cogumelos chanterelle e poularde fondante au vin jaune (croquetes de frango ao vinho Arbois) estão entre os pratos disponíveis. Prove ainda a famosa baba au rhum. Menu de almoço a €26, menu de jantar à la carte (pratos principais €25).

LA GARE

# Arredores de Paris

Mesmo em uma estada breve em Paris, é tentador ir a alguns lugares nos arredores da cidade. Vale a pena fazer um esforço para conhecer o Château de Versailles, o máximo em palácio real francês por seu tamanho e suntuosidade, assim como pelos jardins refinados com acesso gratuito. Na outra ponta do espectro, há a Disneyland Paris. Mesmo que você não simpatize com a ideia, o fato é que a versão francesa do parque temático americano oferece diversas atrações irresistíveis e é de fácil acesso.

## VERSAILLES

Vinte quilômetros a sudoeste de Paris, a cidade real de **Versailles** é renomada pelo extraordinário **Château de Versailles** de Luís XIV. Com 700 aposentos, 67 escadarias e 352 lareiras, o castelo é indubitavelmente a apoteose do luxo régio francês. Não é aconselhável nem possível ver todo esse colosso em um só dia. Se puder, evite as multidões de turistas de manhã, indo primeiro aos jardins e à propriedade de Maria Antonieta, e visitando o palácio na relativa calma do final da tarde.

JARDINS PETIT TRIANON, NO DOMAINE DE MARIE-ANTOINETTE

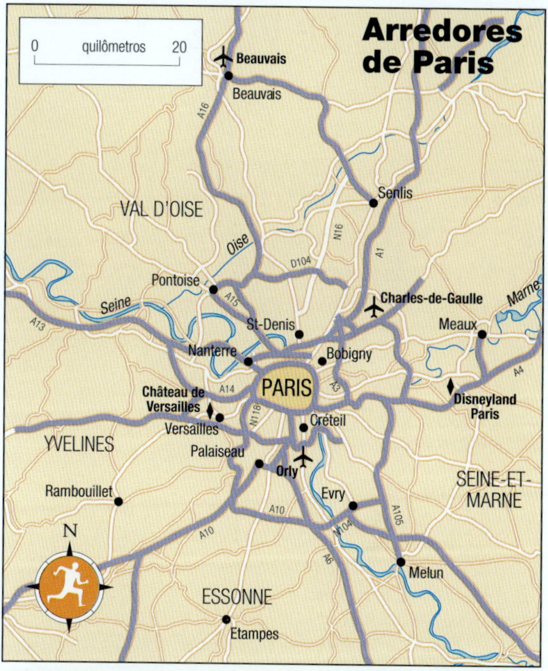


## Como ir a Versailles

Para **ir a Versailles**, pegue a linha C5 da RER no Champs de Mars ou em outra estação na Rive Gauche para Versailles-Rive Gauche; o trajeto dura 25 minutos e a ida da estação para o palácio demanda uma caminhada de menos de dez minutos.

Os ingressos para o **château** custam €15 (€13 após 15h), incluindo audioguia, e para a propriedade de Maria Antonieta o preço é €10. Como as filas são enormes, a melhor opção é comprar com antecedência o **Passeport Versailles** de um dia pelo www.chateauversailles.fr (€18 ou €25 na época do show de fontes Grandes Eaux Musicales, em abr-out sáb e dom). Esse passe é vendido on-line (é preciso imprimi-lo), em filiais da Fnac (p. 107), no centro de turismo em Versailles (no caminho do palácio) e, em Paris, no Carrousel du Louvre (p. 187). O Passeport para o mesmo dia também está à venda no próprio palácio até 15h, mas isso significa enfrentar a fila. Quem já tem o ingresso entra direto pelo portão "A".

**Visitas guiadas** (ter-dom 9h-17h; €16), muitas das quais são conduzidas em inglês, passam por algumas alas e apartamentos privados de acesso limitado. É possível fazer reserva on-line ou apenas aparecer no dia, mas chegue cedo para garantir lugar, pois vale a pena. Visitas temáticas, geralmente em francês e com duração de 90 minutos, exigem reserva por telefone (01.30.83.78.00); os temas variam de música a mulheres.

ESTÁTUA DE BRONZE NA ÁREA DO CHÂTEAU DE VERSAILLES

## CHÂTEAU DE VERSAILLES

01.30.83.78.00, www.chateauversailles.fr. Abr-set ter-dom 9h-18h30; out-mar ter-dom 9h-17h30.

Com inveja do castelo de seu ministro da Fazenda em Vaux-le-Vicomte, o jovem Luís XIV recrutou a mesma equipe – o arquiteto Le Vau, o pintor Le Brun e o paisagista Le Nôtre – para criar um **palácio** cem vezes maior. A construção começou em 1664 e se arrastou até a morte de Luís XIV, em 1715. Abaixo apenas de Deus e dirigente de um Estado imensamente poderoso, Luís era mais uma instituição do que um ser humano. Todos os seus movimentos corporais e deslocamentos eram minuciosamente regrados e envoltos em pompa, e ser recebido por ele era uma honra cobiçada pelos membros da corte. Versailles era sede de todos os órgãos estatais, e a corte inteira, com cerca de 3.500 nobres, morava no palácio (em condições sórdidas, segundo relatos contemporâneos).

Após a morte do rei, o castelo ficou abandonado por alguns anos. Em 1722 foi reocupado por Luís XV e continuou sendo a residência da família real até a Revolução de 1789, quando a mobília foi vendida e os quadros despachados para o Louvre. A partir daí, Versailles caiu no ostracismo até Luís Filipe criar seu gigantesco museu da Glória Francesa no local. O museu ainda existe, mas está decadente. Em 1871, durante a Comuna de Paris, o castelo virou sede do governo nacionalista, e o Parlamento francês continuou se reunindo na casa de ópera de Luís XV até 1879.

Você pode visitar sem um guia os **Apartamentos Estatais**, usados para assuntos oficiais do rei. Uma sucessão de salões de recepções dourados leva à fabulosa **Galerie des Glaces** (Sala de Espelhos), onde foi assinado o Tratado de Versailles após a Primeira Guerra Mundial. Salões ainda mais suntuosos integram os **Apartamentos da Rainha** na ala norte, começando por seu quarto de dormir, que foi fielmente restaurado conforme era em 1787, ou seja, repleto de superfícies folheadas a ouro e bela decoração floral.

### DOMAINE DE MARIE--ANTOINETTE

Diariam: abr-out ter-dom 12h-18h30; nov-mar 12h-17h30.

Escondido nos confins no norte do parque, o Domaine de Marie-Antoinette era o retiro campestre da jovem rainha, no qual ela relaxava da etiqueta rígida da corte. Ela mandou construir aqui cerca de doze edifícios, sem poupar despesas e impondo seu próprio estilo e gosto a tudo, o que lhe rendeu a merecida fama de extravagante.

A peça central é o elegante palácio neoclássico **Petit Trianon**, construído por Gabriel nos anos 1760 para a amante de Luís XV, madame de Pompadour, e dado a Maria Antonieta por seu marido, Luís XVI, como presente de casamento. O interior arejado e bem iluminado cria um grande contraste com a pompa austera do Palácio de Versailles e possui o intrigante *cabinet des glaces montantes*, um salão azul-pálido com espelhos deslizantes que podem ser movimentados para esconder as janelas e criar um ambiente mais intimista. A oeste do palácio, no Jardin Français formal, fica o Teatro da Rainha, onde Maria Antonieta se apresentava regularmente no papel de criada ou pastora diante do rei e de seu círculo íntimo.

Do outro lado do palácio, o bucólico **Jardin Anglais** tem um regato sinuoso, margens gramadas e uma gruta artificial, além do encantador, porém bizarro, **Hameau de la Reine**, uma aldeia e fazenda (atualmente com animais vivos), onde a rainha se entregava à sua fantasia, inspirada em Rousseau, de viver junto à natureza.

O palácio **Grand Trianon**, projetado em estilo italiano por Hardouin-Mansart em 1687 como um retiro campestre para Luís XIV, foi mudado para o estilo império por Napoleão, que morou aqui intermitentemente entre 1805 e 1813.

### PARQUE E JARDIM DE VERSAILLES

Abr-out 7h-20h30, nov-mar 8h-18h.

Dá para passar o dia inteiro explorando o lindo **parque** (grátis, exceto quando há eventos), com jardins simétricos, vista grandiosa, estátuas, fontes e lagos; há placas com detalhes sobre trilhas de extensão variada. Faça um piquenique ou vá a um dos salões de chá, cafés ou restaurantes mais formais espalhados pela região. Apresentações de música barroca são realizadas no jardim (ter primavera e verão; €7,50). Nos finais de semana as fontes bailam ao som da música (€8,50; Ⓦwww. chateauversailles spectacles.fr).

As distâncias no parque são consideráveis. Um *petit train* circula entre o terraço na frente do castelo e os Trianons (€3,50; a cada 15min-1h). Outra opção é alugar um buggy (mediante carta de motorista), uma bicicleta ou um barco a remo.

PÁTIO DE MÁRMORE, NO CHÂTEAU DE VERSAILLES

## DISNEYLAND PARIS

Não há o que discutir: as crianças vão adorar a Disneyland Paris (www.disneylandparis.co.uk) e quem tem espírito jovial vai se divertir muito. Só não dá para entender por que pais americanos trazem seus filhos aqui; pais britânicos também fariam melhor comprando um pacote para a família na Flórida, onde o sol é garantido, as atrações são maiores e melhores, e não há o conflito entre o reino encantado e a cidade encantadora.

Críticas à parte, é fácil reservar um dia para vir aqui, apenas 25 km a leste de Paris. Afinal, há bem mais o que fazer do que em um parque de diversões ou em um parque temático comum. O complexo é dividido em três áreas: Disneyland Park, com a maioria das grandes atrações; o Walt Disney Studios Park, uma tentativa menos emocionante e mais tecnológica de recriar o mundo dos desenhos animados; e a Disney Village, com seus hotéis caros.

## DISNEYLAND PARK

O Disneyland Park oferece várias atrações emocionantes, embora a maioria seja relativamente calma. O Magic Kingdom tem quatro "terras" que se irradiam da **Main Street USA**. A **Fantasyland** agrada a crianças menores, com O Mundo é Pequeno, o Castelo da Bela Adormecida, o Voo de Peter Pan e o elefante voador Dumbo entre as atrações. A **Adventureland** tem os melhores cenários e as excelentes atrações Piratas do Caribe e Indiana Jones e o Templo da Perdição.

### Como ir à Disneyland

Para **ir de Paris à Disneyland**, pegue a linha A da RER em Châtelet-Les Halles, Gare de Lyon ou Nation para a estação Marne-la-Vallée/Chessy, que fica defronte aos portões principais do parque. O trajeto dura cerca de 35 minutos. Se vier direto **do aeroporto**, há ônibus de traslado no Charles de Gaulle, no Beauvais e no Orly que chegam aqui em 45 minutos (a cada 30min–1h a partir de 8h30; consulte horários e paradas em www.vea.fr). Os bilhetes custam €17 por trecho, mas crianças menores de 12 anos pagam €13 e para menores de 3 anos são grátis. Marne-la-Vallée/Chessy também tem uma estação de trem TGV, ligada a Lille, Lyon e Londres através de trens Eurostar especiais. Para ir de carro ao parque, é só seguir a A4 por 32km no leste de Paris: pegue a saída "Porte de Bercy" no anel viário *(périphérique)*, siga a "direction Metz/Nancy" e pegue a saída 14. De Calais, siga a A26, mude para a A1, a A104 e, por fim, entre na A4.

A maioria das pessoas compra passes para a Disney on-line aproveitando ofertas sazonais, porém é possível comprá-los nos centros de informação turística. Os preços mudam ao longo do ano e existe uma variedade incrível de opções, como o ingresso "1 parque/1 dia" (a partir de €53 adulto), que permite entrar no Disneyland Park ou no Walt Disney Studios Park. Ingressos de um dia dando acesso a ambos os parques custam €64; há também ingressos de dois e três dias. Entradas para crianças entre 3-11 anos tendem a custar €10 a menos do que para adultos. O **horário de funcionamento** varia, portanto verifique ao comprar o ingresso, mas geralmente vai de 9/10h-18/20/22h ou até 23h no auge do verão.

ATRAÇÃO NA DISNEYLAND PARIS

A **Frontierland**, meio perdida no Velho Oeste, abriga a arrepiante montanha-russa Big Thunder Mountain, inspirada em um trem de mineração, e a Mansão Mal-Assombrada. Na **Discoveryland** há uma experiência em 3-D chamada "Querida, Encolhi a Plateia", a batalha interativa Buzz Lightyear com laser e as apavorantes montanhas-russas Space Mountain. A **parada** diária de carros alegóricos, com todos os personagens famosos, desce a Main Street USA por volta das 19h. Regularmente há eventos menores e shows especiais, incluindo o de fogos de artifício.

## WALT DISNEY STUDIOS PARK

Embora tenha sua parcela de grandes atrações, o Walt Disney Studios Park dá ênfase às glórias passadas e presentes da Disney no campo da animação. Você pode desenhar, fazer parte da plateia de um filme ou de um programa de TV e assistir a efeitos especiais e shows de dublês. A realidade virtual do Armageddon é arrepiante – com a estação espacial bombardeada por meteoros –, o passeio pelo Catastrophe Canyon desabando é divertido, e crianças menores vão adorar interagir ao vivo com Stitch, o maluco alienígena azul.

# HOSPEDAGEM

# Hotéis

Paris dispõe de uma enorme estrutura hoteleira. Todos os hotéis aqui citados oferecem algo especial – seja a ótima localização, a decoração muito elegante ou a acolhida calorosa. A maioria dos estabelecimentos grandiosos fica na área da Champs-Élysées, ao passo que o bairro do Marais é uma boa aposta para algo elegante, porém mais descontraído. Hotéis antigos e mais caseiros se concentram no Quartier Latin, em St-Germain e na área da Torre Eiffel.

A maioria dos hotéis se enquadra em duas categorias: nos mais simples há quartos com banheiro próprio ou partilhado, e lugares caros podem cobrar uma tarifa premium por quartos maiores ou mais luxuosos. Os preços não são exorbitantes em termos de Europa, mas os quartos podem ser surpreendentemente pequenos. Muitos hotéis cobram menos do que o anunciado; as indicações a seguir são da tarifa mais baixa por um quarto de casal (duplo). Em geral, o café da manhã custa entre €6 e €12 a mais por pessoa.

## As ilhas

**HÔTEL HENRI IV** > 25 place Dauphine Ⓜ Pont Neuf/Cité Ⓣ 01.43.54.44.53. Ⓦ www.henri4hotel.fr. MAPA PP. 38-9, MAPA DE BOLSO C16. Hotel antigo e econômico em bela praça. Uma escada estreita leva aos quinze quartos espalhados por cinco andares (sem elevador). São básicos, mas a maioria foi reformada para um padrão razoável. Faça reserva e ligue dias antes da sua chegada para confirmar. **Duplos €78**

**HÔTEL DE LUTÈCE** > 65 rue St-Louis-en-l'Île Ⓜ Pont-Mairie Ⓣ 01.43.26.23.52, Ⓦ www.paris-hotel-lutèce.com. MAPA PP. 38-9, MAPA DE BOLSO E17. Na ilha mais cobiçada da França, esta casa esguia do século XVII tem um charme aconchegante e uma equipe cordial. Os quartos são pequenos, porém confortáveis, e têm vigas de madeira e decoração contemporânea em tons de creme e terracota. **Duplos €210**

### Reserve sua hospedagem

Aconselha-se reservar sua hospedagem com bastante antecedência. Todos os recepcionistas falam um pouco de inglês, mas cada vez mais também é possível fazer reserva on-line. Se fizer por telefone, talvez seja preciso dar os dados de um cartão de crédito ou enviar depois uma confirmação por escrito ou por fax. O órgão oficial de turismo faz reservas de graça pessoalmente em um de seus postos (p. 187) ou pelo Ⓦ www.parisinfo.com; muitos hotéis nesse site oferecem descontos.

# Champs-Élysées e Tuileries

**BEST WESTERN PREMIER L'HOTEL PERGOLÈSE** > 3 rue Pergolèse Ⓜ Argentine ⓣ 01.53.64.04.04, Ⓦ www.hotelpergolese.com. MAPA PP. 48-9, MAPA DE BOLSO A5. Este hotel-butique dentro de um edifício alto fica em uma rua calma perto do Arco do Triunfo. É bem contemporâneo – pisos de madeira, cores neutras, estilo chique –, mas os sofás e o serviço cordial o tornam aconchegante. Quartos de frente para a rua ou um pátio interno; alguns são modestos, mas a maioria é confortável e tem ótimos banheiros. **Duplos a partir de €132**

**HÔTEL BRIGHTON** > 218 rue de Rivoli Ⓜ Tuileries ⓣ 01.47.03.61.61, Ⓦ www.brightonhotelparis.com. MAPA PP. 48-9, MAPA DE BOLSO A14. Hotel elegante datado do final do século XIX. Os quartos Clássicos com vista interna são bons, mas os Superiores são bem melhores, sobretudo os que têm uma vista magnífica dos jardins Tuileries. **Clássicos €180, superiores €240**

**HÔTEL LE BRISTOL** > 112 rue du Faubourg St-Honoré Ⓜ Miromesnil ⓣ 01.53.43.43.00, Ⓦ www.lebristolparis.com. MAPA PP. 48-9, MAPA DE BOLSO D5. O hotel mais luxuoso de Paris continua discreto e aconchegante. Gobelinos adornam as paredes e alguns quartos têm jardim na cobertura. Há também jardim, piscina, academia e restaurante gourmet. **Duplos a partir de €800**

**HOSPES LANCASTER** > 7 rue de Berri Ⓜ George V ⓣ 01.40.76.40.76, Ⓦ www.hotel-lancaster.fr. MAPA PP. 48-9, MAPA DE BOLSO C5. Outrora um *pied-à-terre* de estrelas como Garbo e Dietrich, esta casa do século XIX elegantemente restaurada ainda serve de refúgio para quem é caçado pelos paparazzi. Os quartos mantêm traços originais e são repletos de antiguidades Luís XVI e rococó, mas exibem um toque contemporâneo. Há também um restaurante supremo e um jardim interno em estilo zen. **Duplos a partir de €410**

**HÔTEL DE LA TRÉMOILLE** > 14 rue de la Trémoille Ⓜ Alma-Marceau ⓣ 01.56.52.14.00, Ⓦ www.hotel-tremoille.com. MAPA PP. 48-9, MAPA DE BOLSO C6. Prestigioso quatro-estrelas com belos quartos, decoração harmoniosa e banheiros em preto e branco; o serviço de quarto é entregue por uma espécie de escotilha projetada para não perturbar os hóspedes. Há também spa e academia. **Duplos a partir de €345**

# Área da Torre Eiffel

**HÔTEL DU CHAMPS-DE-MARS** > 7 rue du Champs-de-Mars Ⓜ École-Militaire ⓣ 01.45.51.52.30, Ⓦ www.hotelduchampdemars.com. MAPA PP. 56-7, MAPA DE BOLSO C8. Quartos aconchegantes, coloridos e a preço excelente em um hotel bem administrado. A localização também é ótima, em um bairro perto do animado mercado da rue Cler. **Duplos €115**

**HÔTEL DU PALAIS BOURBON** > 49 rue de Bourgogne Ⓜ Varenne ⓣ 01.44.11.30.70, Ⓦ www.hotel-palais-bourbon.com. MAPA PP. 56-7, MAPA DE BOLSO E8. Este belo edifício antigo em uma rua calma no bairro chique perto do Musée Rodin oferece quartos espaçosos e belamente decorados com pisos de parquê e muitos detalhes de época. Há também quartos para famílias (€250). O café da manhã está incluso na diária. **Duplos a partir de €190**

**HÔTEL SAINT DOMINIQUE** > 62 rue Saint-Dominique Ⓜ Invalides/La Tour-Maubourg ⓣ 01.47.05.51.44, Ⓦ www.hotelstdominique.com. MAPA PP. 56-7, MAPA DE BOLSO D8. Hotel acolhedor no meio deste bairro elegante perto da Torre Eiffel. Os quartos pequenos mas decorados com bom gosto, ficam em torno de um belo pátio onde você pode se sentar em meio às folhagens. Quartos de solteiro e triplos disponíveis. **Duplos €100-160**

## Grands Boulevards e passages

**HÔTEL CHOPIN** > 46 Passage Jouffroy, entrada no bd Montmartre perto da rue du Faubourg-Montmartre Ⓜ Grands-Boulevards Ⓣ 01.47.70.58.10, Ⓦ www.hotelchopin.fr. MAPA PP. 68-9, MAPA DE BOLSO G5. Hotel calmo e charmoso em um edifício de época escondido no final de uma pitoresca *passage* dos anos 1850. Os quartos são agradáveis, mas os mais baratos são apertados e um tanto escuros. **Duplos €98-114**

**HÔTEL MANSART** > 5 rue des Capucines Ⓜ Opéra/Madeleine Ⓣ 01.42.61.50.28, Ⓦ www.paris-hotel-mansart.com. MAPA PP. 68-9, MAPA DE BOLSO A13. Bem próximo ao Ritz, este hotel gracioso tem quartos a uma fração do preço imaginado. Embora não sejam luxuosos, são agradavelmente decorados em estilo Luís XIV. Peça para ver alguns quartos, pois três na categoria padrão (standard) têm sacada (€225), e outros têm banheiros enormes. Os mais caros são voltados para a place Vendôme. **Duplos €150-350**

**RELAIS ST HONORÉ** > 308 rue St Honoré Ⓜ Tuileries Ⓣ 01.42.96.06.06, Ⓦ http://relaissainthonore.com. MAPA PP. 68-9, MAPA DE BOLSO B14. Pequeno hotel instalado em uma casa do século XVII reformada e com equipe eficiente e cordial. Os quartos têm vigas de madeira, cores quentes e belos tecidos. Oferece acesso grátis à internet de banda larga e TVs de tela plana. **Duplos €229**

**HÔTEL THÉRÈSE** > 5-7 rue Thérèse Ⓜ Palais Royal-Musée du Louvre Ⓣ 01.42.96.10.01, Ⓦ www.hoteltherese.com. MAPA PP. 68-9, MAPA DE BOLSO B14. Atraente hotel-butique em uma rua calma da qual se pode ir a pé ao Louvre. Oferece quartos "tradicionais" mais caros, nos quais imperam móveis de madeira escura, e quartos "clássicos" menores, porém a preço mais acessível. Reserve com alguma antecedência, pois o lugar é bastante concorrido. **Duplos a partir de €165**

**HÔTEL VIVIENNE** > 40 rue Vivienne Ⓜ Grands-Boulevards/Bourse Ⓣ 01.42.33.13.26, Ⓦ www.hotel-vivienne.com. MAPA PP. 68-9, MAPA DE BOLSO G6. Idealmente situado para ir à Opéra Garnier e aos Grands Boulevards, este lugar simpático oferece quartos de bom tamanho decorados com muita madeira e gravuras. **Duplos só com chuveiro e banheiro partilhado €83; duplos com banheiro completo €86**

## Beaubourg e Les Halles

**RELAIS DU LOUVRE** > 19 rue des Prêtres St-Germain l'Auxerrois Ⓜ Palais Royal-Musée du Louvre Ⓣ 01.40.41.96.42, Ⓦ www.relaisdulouvre.com. MAPA P. 80, MAPA DE BOLSO C15. Hotel discreto com dezoito quartos em uma rua calma defronte à igreja de St-Germain l'Auxerrois. A decoração tradicional tem ricos tecidos, tapetes turcos e móveis robustos. O ambiente descontraído e o atendimento charmoso atraem uma clientela fiel. **Duplos €141**

**HÔTEL SAINT-MERRY** > 78 rue de la Verrerie Ⓜ Rambuteau Ⓣ 01.42.78.14.15, Ⓦ www.hotel-saintmerry.com. MAPA P. 80, MAPA DE BOLSO E15. Você pode ter fantasias medievais góticas neste pequeno hotel pitoresco em um antigo presbitério ligado à Eglise Saint-Merry. Há dez quartos muito interessantes e duas suítes, todos com móveis de madeira escura, paredes de pedras aparentes e ferro batido; o quarto 9, que abriga um botaréu, é o mais cobiçado, e talvez o mais original, de Paris. **Duplos €160, suíte €335**

## Marais

**HÔTEL DU BOURG TIBOURG** > 19 rue du Bourg-Tibourg Ⓜ Hôtel-de-Ville Ⓣ 01.42.78.47.39, Ⓦ www.hotelbourgtibourg.com. MAPA PP. 86-7, MAPA DE BOLSO F16. Neste suntuoso hotel-butique, o oriental sempre se mescla ao medieval, com um toque de Segundo Império. Os quartos minúsculos têm ricos veludos, sedas e cortinas. É o hotel ideal para uma escapada romântica. **Duplos €250-270**

**HÔTEL DE LA BRETONNERIE**
> 22 rue Ste Croix de la Bretonnerie Ⓜ Hôtel-de-Ville Ⓣ 01.48.87.77.63, Ⓦ www.bretonnerie.com. MAPA PP. 86-7, MAPA DE BOLSO F16. Hotel charmoso em uma das ruas mais animadas do Marais, tem quartos decorados com belos tecidos, móveis de carvalho e, em alguns casos, camas com dossel. Os quartos com vigas no sótão do quarto andar são especialmente atraentes, mas os da frente são barulhentos à noite. **Duplos €145-175, suítes a partir de €200**

**HÔTEL CARON DE BEAUMARCHAIS**
> 12 rue Vieille-du-Temple Ⓜ Hôtel-de-Ville Ⓣ 01.42.72.34.12, Ⓦ www.carondebeaumarchais.com. MAPA PP. 86-7, MAPA DE BOLSO F16. Com o nome do dramaturgo francês do século XVIII Beaumarchais, esta preciosidade tem apenas dezenove quartos. Tudo – das gravuras originais e os móveis em estilo Luís XVI ao piano no saguão – evoca o gosto refinado da alta sociedade de Paris antes da Revolução. Os quartos que dão para o pátio são pequenos mas aconchegantes, e os voltados para a rua (€195) são mais espaçosos, sendo que alguns têm sacadas e outros, lustres. **Duplos €145-195**

**HÔTEL DUO** > 11 rue du Temple Ⓜ Hôtel-de-Ville Ⓣ 01.42.72.72.22, Ⓦ www.duo–paris.com. MAPA PP. 86-7, MAPA DE BOLSO E16. Duas elegantes casas conjugadas abrigam este hotel-butique contemporâneo com quartos pequenos porém elegantes, decorados em cores suaves. **Duplos €210**

**GRAND HÔTEL JEANNE D'ARC**
> 3 rue de Jarente Ⓜ St-Paul Ⓣ 01.48.87.62.11, Ⓦ www.hoteljeannedarc.com. MAPA PP. 86-7, MAPA DE BOLSO G16. Em uma velha casa no Marais, próximo da encantadora place du Marché-Ste-Catherine, este hotel econômico passou por uma repaginação recentemente. Os quartos com banheiro são bem pequenos, têm paredes de cores vivas e, em alguns casos, tapetes e edredons contrastantes, mas tudo parece harmonizado. **Duplos €96-119**

**HÔTEL DE NICE** > 42 bis rue de Rivoli Ⓜ Hôtel-de-Ville Ⓣ 01.42.78.55.29, Ⓦ www.hoteldenice.com. MAPA PP. 86-7, MAPA DE BOLSO F16. Um encantador charme antigo caracteriza este hotel de seis andares. Seus belos quartos têm gravuras antigas e revestimentos em cores fortes. Janelas antirruído protegem contra o tráfego na rue de Rivoli. **Duplos €110**

**HÔTEL PAVILLON DE LA REINE**
> 28 pl des Vosges Ⓜ Bastille Ⓣ 01.40.29.19.19, Ⓦ www.pavillon-de-la-reine.com. MAPA PP. 86-7, MAPA DE BOLSO G16. Escolha perfeita para lua de mel, esta bela mansão coberta de hera perto da elegante place des Vosges preserva um ambiente intimista e tem equipe cordial. **Duplos a partir de €330**

**HÔTEL DU PETIT MOULIN** > 29-31 rue du Poitou Ⓜ Saint Sébastien Froissart/Filles du Calvaire Ⓣ 01.42.74.10.10, Ⓦ www.paris-hotel-petitmoulin.com. MAPA PP. 86-7, MAPA DE BOLSO G15. Glamuroso hotel-butique em uma antiga padaria inteiramente redesenhada por Christian Lacroix. A *joie de vivre* do estilista reina nos dezessete quartos, fundindo estilos que vão do elegante barroco ao kitsch dos anos 1960: rosa-shocking e verde-limão convivem com estampas *toile de Jouy* e cadeiras côncavas junto a penteadeiras antigas. **Duplos €190-350**

**HÔTEL ST-LOUIS MARAIS**
> 1 rue Charles-V Ⓜ Sully-Morland Ⓣ 01.48.87.87.04, Ⓦ www.saintlouismarais.com. MAPA PP. 86-7, MAPA DE BOLSO G17. Antigamente parte do Convento dos Celestinos do século XVII, este hotel sereno mantém seu clima de época com paredes de pedra, vigas aparentes e pisos ladrilhados. Os quartos padrão têm ducha privativa, e os superiores têm banheira; todos com TV de tela plana. Os duplos mais baratos são bem pequenos. **Duplos €115 e €140**

## Bastille e o leste de Paris

**LE CITIZEN HÔTEL** > 96 quai de Jemmapes Ⓜ Jacques Bonsergent Ⓣ **01.83.62.55.50,** Ⓦ **www. lecitizenhotel.com.** MAPA P. 104, MAPA DE BOLSO K5. O Citizen é um novo hotel ecologicamente correto com apenas doze quartos. A decoração em estilo zen com madeiras claras e tons pastel os torna agradáveis e arejados, todos com janelas voltadas para o Canal St Martin. Os quartos mais em conta são compactos, enquanto os mais caros têm o dobro do tamanho. **Duplos €175**

**LE GÉNÉRAL HÔTEL** > 5-7 rue Rampon Ⓜ **République** Ⓣ **01.47.00. 41.57,** Ⓦ **www.legeneralhotel.com.** MAPA P. 104, MAPA DE BOLSO G14. Com equipe solícita, este hotel-butique é uma aula de design moderno enxuto. Os quartos contam com banheiros impecáveis e móveis de pau-rosa. As instalações incluem sauna e academia, e a área para café da manhã vira um bar à noite. **Duplos €200–260**

**MAMA SHELTER** > 109 rue de Bagnolet Ⓜ Alexandre-Dumas Ⓣ **01.43.48.48.48,** Ⓦ **www.mama shelter.com.** MAPA DE BOLSO C21. Um dos hotéis mais comentados em Paris, o *Mama Shelter* é da família Trigano, que fundou o Club Med. Philippe Starck centrou o design em uma perspectiva industrial chique, e o custo-benefício é excelente. Os quartos com banheiro luxuosos têm tapetes e pé-direito com grafites, iMacs e máscaras decorativas de super-heróis. Um ótimo bar e restaurante, terraço ao ar livre e atendimento impecável completam o pacote. **Duplos €119**

**HÔTEL MARAIS BASTILLE** > 36 bd Richard-Lenoir Ⓜ Bréguet-Sabin/ Bastille Ⓣ **01.48.05.75.00,** Ⓦ **www. maraisbastille.com.** MAPA P. 100, MAPA DE BOLSO H16. Parte da rede Best Western, este hotel com 37 quartos passou recentemente por uma redecoração assinada pelo designer de interiores Michel Jouannet. Os pequenos e iluminados quartos são decorados em tons de bege, cinza e verde-musgo, com toques de laranja. **Duplos €125**

**HÔTEL DU NORD** > 47 rue Albert Thomas Ⓜ Jacques Bonsergent/ Republique Ⓣ **01.42.01.92.10,** Ⓦ **www. hoteldunord-leparivelo.com.** MAPA P. 104, MAPA DE BOLSO K6. A bela entrada de hera leva à aconchegante recepção e às 23 suítes simples. As mais em conta, voltadas para o pátio, são pequenas e menos iluminadas. Há dez bicicletas que os hóspedes podem usar gratuitamente. **Duplos €71-84,50**

**NOUVEL HÔTEL** > 24 av du Bel Air Ⓜ **Nation** Ⓣ **01.43.43.01.81,** Ⓦ **www. nouvel-hotel-paris.com.** MAPA P. 100, MAPA DE BOLSO M10. Hotel calmo de gestão familiar e ar provinciano, tem quartos pequenos e limpos, com ducha ou banheiro privativo, TV e telefone. Alguns são voltados para um belo jardim (o nº 9 é o melhor). É um pouco fora de mão, mas a RER por perto garante idas rápidas ao centro. **Duplos €95 (ducha), €109 (banheiro)**

**HÔTEL DE LA PORTE DORÉE** > 273 av Daumesnil Ⓜ Porte-Dorée Ⓣ **01.43.07.56.97,** Ⓦ **www.hotel delaportedoree.com.** MAPA P. 100, MAPA DE BOLSO M11. Hotel acolhedor e reformado com bom gosto por uma família franco-americana. Mantém muitos móveis antigos e elementos de época como frisos nos tetos e lareiras, mas todos os quartos têm ducha ou banheiro privativo, TV a cabo e camas confortáveis. **Duplos a partir de €60**

**LE QUARTIER BERCY SQUARE** > 33 boulevard de Reuilly Ⓜ Daumesnil/ Dugommier Ⓣ **01.44.87.09.09,** Ⓦ **www.lequartierhotelbs.com.** MAPA P. 100, MAPA DE BOLSO M11. Uma boa novidade entre os hotéis design em Paris, o *Le Quartier* fica em um bairro fora do circuito turístico. Os quartos com banheiro são pequenos, porém elegantes, com curvas suaves, iluminação sutil e detalhes práticos como equipamentos para fazer chá e café. A equipe geralmente é cordial, mas tem surtos de arrogância. **Duplos a partir de €107**

**HÔTEL SAINT LOUIS BASTILLE** > 114 bd Richard Lenoir Ⓜ Oberkampf Ⓣ 01.43.38.29.29, Ⓦ www.saintlouisbastille.com. MAPA P. 104, MAPA DE BOLSO H14. Hotel confortável e agradável, tem quartos belamente decorados em tons suaves de cinza, creme e bege, móveis em estilo rococó e gravuras de Boucher nas paredes, além de banheiros brancos. Os quartos da frente padecem com o ruído do tráfego. **Duplos a partir de €135**

## Quartier Latin

**HÔTEL DU COMMERCE** > 14 rue de la Montagne-Ste-Geneviève Ⓜ Maubert-Mutualité Ⓣ 01.43.54.89.69, Ⓦ www.commerce-paris-hotel.com. MAPA PP. 114-5, MAPA DE BOLSO D18. Hotel econômico com quartos que variam dos mais baratos só com pia (€54, €44 para uma pessoa) a modernas suítes com banheiro (€74) e quartos para família (€144. A cozinha e a área de refeições são de uso comum, há acesso grátis à internet e a localização é excelente. **Duplos €64-74**

**LES DEGRÉS DE NOTRE DAME** > 10 rue des Grands Degrés Ⓜ St-Michel/Maubert-Mutualité Ⓣ 01.55.42.88.88, Ⓦ www.lesdegreshotel.com. MAPA PP. 114-5, MAPA DE BOLSO E17. Este hotel charmoso e muito peculiar tem apenas dez quartos; portanto, reserve bem antes. O edifício é antigo e todos os quartos são diferentes, com preços conforme o tamanho. Há toques pessoais como murais pintados à mão, espelhos antigos e recantos curiosos. Talvez o quarto mais encantador seja o do sótão, com sua própria escada. Café da manhã incluso. **Duplos €100-115**

**ESMERALDA** > 4 rue St-Julien-le-Pauvre Ⓜ St-Michel/Maubert-Mutualité Ⓣ 01.43.54.19.20, Ⓔ hotel.esmeralda@orange.fr. MAPA PP. 114-5, MAPA DE BOLSO D17. Em uma velha casa na praça Viviani, este hotel mantém um ar antiquado. Há quartos aconchegantes com banheiros e decoração à base de veludo vermelho e revestimentos florais desbotados. Alguns quartos têm vista para Notre-Dame (€100-110). **Duplos €90**

**FAMILIA HÔTEL** > 11 rue des Ecoles Ⓜ Cardinal-Lemoine/Maubert-Mutualité/Jussieu Ⓣ 01.43.54.55.27, Ⓦ www.familiahotel.com. MAPA PP. 114-5, MAPA DE BOLSO E18. Hotel cordial de gestão familiar no centro do *quartier*. Os quartos são pequenos e atraentes, com vigas e papel de parede *toile de Jouy*; alguns têm vista para Notre-Dame e outros têm sacada. Café da manhã incluso €6. **Duplos €102-132**

**HÔTEL DES GRANDES ECOLES** > 75 rue du Cardinal-Lemoine Ⓜ Cardinal-Lemoine Ⓣ 01.43.26.79.23, Ⓦ www.hotel-grandes-ecoles.com. MAPA PP. 114-5, MAPA DE BOLSO E19. Uma travessa de pedra leva a um jardim amplo e a este hotel tranquilo, com belos quartos antigos. Faz reservas com três meses de antecedência no 15º dia de cada mês; não se atrase um dia sequer. **Duplos €120-145**

**HÔTEL MARIGNAN** > 13 rue du Sommerard Ⓜ Maubert-Mutualité Ⓣ 01.43.54.63.81, Ⓦ www.hotel-marignan.com. MAPA PP. 114-5, MAPA DE BOLSO D18. Hotel voltado às necessidades de mochileiros estrangeiros, oferece Wi-Fi grátis, lavanderia, ferro de passar, cozinha, biblioteca de guias de viagem e quartos para até cinco pessoas. Os mais baratos partilham banheiros. Não aceita cartão de crédito (exceto acima de €400). **Duplos €66-103**

**HÔTEL RÉSIDENCE HENRI IV** > 50 rue des Bernardins Ⓜ Maubert-Mutualité Ⓣ 01.44.41.31.81, Ⓦ www.residencehenri4.com. MAPA PP. 114-5, MAPA DE BOLSO E18. Em um beco sem saída recuado da agitada rue des Ecoles, este hotel discreto e elegante oferece quartos em estilo clássico. Alguns dispõem de elementos de época como lareiras, e todos contam com miniquitinetes. **Duplos a partir de €120**

**SELECT HÔTEL** > 51 place de la Sorbonne Ⓜ Cluny-Sorbonne Ⓣ 01.46.34.14.80, Ⓦ www.selecthotel.fr. MAPA PP. 114-5, MAPA DE BOLSO C18. Bem na *place*, este hotel passou por uma repaginação. Exibe paredes de pedras aparentes e elementos em couro e madeira. **Duplos a partir de €218**

## St-Germain

**HÔTEL DU GLOBE** > 15 rue des Quatre-Vents Ⓜ Odéon Ⓣ 01.43.26.35.50, Ⓦ www.hotel-du-globe.fr. MAPA PP. 124-5, MAPA DE BOLSO C17. Hotel acolhedor em um edifício alto e estreito do século XVII, tem camas com dossel, paredes de pedra, vigas no teto e outros detalhes do gênero. Embora pequenos, os quartos não são caros em vista da localização. **Duplos €99-170**

**GRAND HÔTEL DES BALCONS** > 3 rue Casimir-Delavigne Ⓜ Odéon Ⓣ 01.46.34.78.50, Ⓦ www.balcons.com. MAPA PP. 124-5, MAPA DE BOLSO C18. Hotel confortável que manteve alguns motivos art déco nos quartos modernizados. Além do preço justo, tem ótima localização perto do Odéon e do Jardin du Luxembourg. Exceto no quinto andar, as sacadas pequenas são mais para efeito decorativo. **Duplos €119-222**

**HÔTEL DES MARRONNIERS** > 21 rue Jacob Ⓜ St-Germain-des-Prés Ⓣ 01.43.25.30.60, Ⓦ www.hotel-marronniers.com. MAPA PP. 124-5, MAPA DE BOLSO B16. Hotel romântico com quartos pequenos adornados com cortinas de veludo e tecidos caros revestindo as paredes. A sala de café da manhã se abre para um agradável jardim em um pátio com seixos. **Duplos a partir de €205**

**HÔTEL MICHELET-ODÉON** > 6 place de l'Odéon Ⓜ Odéon Ⓣ 01.53.10.05.60, Ⓦ www.hotelmicheletodeon.com. MAPA PP. 124-5, MAPA DE BOLSO C18. Uma verdadeira pechincha para um hotel tão perto do Jardin du Luxembourg. Os quartos são muito atraentes (sobretudo os voltados para a praça) e maiores do que o usual nesta faixa de preço. **Duplos a partir de €120**

**HÔTEL DE NESLE** > 7 rue de Nesle Ⓜ St-Michel Ⓣ 01.43.54.62.41, Ⓦ www.hoteldenesleparis.com. MAPA PP. 124-5, MAPA DE BOLSO C16. Hotel excêntrico e às vezes caótico cujos quartos têm murais históricos com quadrinhos que as pessoas adoram ou detestam. Os quartos são minúsculos e baratos, levando-se em conta a localização central. **Duplos a partir de €75**

**RELAIS CHRISTINE** > 3 rue Christine Ⓜ Odéon/St Michel Ⓣ 01.40.51.60.80, Ⓦ www.relais-christine.com. MAPA PP. 124-5, MAPA DE BOLSO C17. Um quatro-estrelas muito elegante e romântico ao redor de um pátio oculto, em um antigo convento do século XVI. Vale a pena pagar os 20% a mais por um dos quartos *supérieures*. **Duplos a partir de €320**

**RELAIS SAINT-SULPICE** > 3 rue Garancière Ⓜ St-Sulpice/St-Germain-des-Prés Ⓣ 01.46.33.99.00, Ⓦ www.relais-saint-sulpice.com. MAPA PP. 124-5, MAPA DE BOLSO B18. Em uma casa aristocrática bem atrás da abside de St-Sulpice, este pequeno hotel de charme discreto tem quartos bem equipados e pintados em tons alegres da Provence. A sauna é um ótimo bônus. **Duplos a partir de €222**

**HÔTEL DE L'UNIVERSITÉ** > 22 rue de l'Université Ⓜ Rue du Bac Ⓣ 01.42.61.09.39, Ⓦ www.hoteluniversite.com. MAPA PP. 124-5, MAPA DE BOLSO A16. Aconchegante hotel-butique três-estrelas com detalhes antigos, incluindo vigas no teto e lareiras nos quartos maiores e um pouco mais caros. **Duplos €190-250**

## Montparnasse e o sul de Paris

**HÔTEL DE LA LOIRE** > 39bis rue du Moulin Vert Ⓜ Pernety/Alésia Ⓣ 01.45.40.66.88, Ⓦ www.hoteldelaloire-paris.com. MAPA P. 134. Em uma rua para pedestres, este encantador hotel familiar oferece quartos duplos com banheiros impecáveis, que são uma pechincha. A opção mais barata (com banheiro partilhado) são os quartos mais escuros no anexo ao longo do jardim tranquilo. Cada quarto é diferente, mas todos têm toques especiais. Wi-Fi grátis. **Duplos por cerca de €75**

**HÔTEL MISTRAL** > 24 rue de Cels Ⓜ Pernety/Alésia Ⓣ 01.43.20.25.43, Ⓦ www.hotel-mistral-paris.com. MAPA P. 134, MAPA DE BOLSO E12. Hotel aconchegante e agradável numa rua muito tranquila. Tem um pequeno pátio com jardim e sala de refeições/cozinha comunitárias. Alguns quartos têm ducha, mas partilham o banheiro (€70). **Duplos €90**

**HÔTEL PORT-ROYAL** > 8 bd Port-Royal Ⓜ **Gobelins** Ⓣ **01.43.31.70.06,** Ⓦ **www.hotelportroyal.fr.** MAPA PP. 138-9, MAPA DE BOLSO H12. Com preço acessível, este uma-estrela cordial pertence à mesma família desde os anos 1930. Duplos pequenos, porém atraentes e muito limpos. Os quartos que partilham banheiros são bem mais baratos (€58, banho €2,50). Fica em uma área residencial calma do boulevar na ponta da rue Mouffetard, perto do metrô e do Quartier Latin. Não aceita cartão de crédito. **Duplos €58-89**

**HÔTEL PRINTEMPS** > 31 rue du Commerce Ⓜ **La Motte-Picquet-Grenelle/ Émile-Zola** Ⓣ **01.45.79.83.36.** MAPA PP. 138-9, MAPA DE BOLSO B10. Os móveis baratos, as paredes finas e a decoração gasta não impedem que esta seja uma boa opção para mochileiros. Entre as vantagens estão a localização em um bairro animado e seguro, a boa acolhida e os preços baixos. Os melhores quartos têm pequenas sacadas. **Duplos €50**

**RÉSIDENCE LES GOBELINS** > 9 rue des Gobelins Ⓜ **Gobelins** Ⓣ **01.47.07.26.90,** Ⓦ **www.hotelgobelins.com.** MAPA PP. 138-9, MAPA DE BOLSO H12. Hotel antigo e sereno, com um jardim florido, em uma rua estreita da qual se vai a pé à rue Mouffetard no Quartier Latin. Como seus quartos grandes, simples e confortáveis são uma pechincha, reserve com antecedência. **Duplos €98**

**HÔTEL TOLBIAC** > 122 rue de Tolbiac Ⓜ **Tolbiac/Place d'Italie** Ⓣ **01.44.24.25.54,** Ⓦ **www.hotel-tolbiac.com.** MAPA P. 137. Em um cruzamento barulhento, este hotel econômico grande e de cores vivas oferece internet e Wi-Fi grátis, e bons preços (duplos com banheiros partilhados por €50). **Duplos €67**

**SOLAR HÔTEL** > 22 rue Boulard Ⓜ **Denfert-Rochereau** Ⓣ **01.43.21.08.20,** Ⓦ **www.solarhotel.fr.** MAPA P. 134, MAPA DE BOLSO F12. Em uma rua no antigo Montparnasse, este hotel econômico é bem original – há pinturas de artistas locais nas paredes, eventos culturais no jardim dos fundos e práticas ecológicas, como equipamentos que poupam energia, desjejum orgânico e empréstimo de bicicletas. Não desanime com a fachada: os quartos são básicos, confortáveis e têm banheiro, TV e Wi-Fi grátis. Os hóspedes podem usar a cozinha e a sala de estar. **Duplos €69**

## Montmartre e o norte de Paris

**HÔTEL AMOUR** > 8 rue Navarin Ⓜ **Pigalle** Ⓣ **01.48.78.31.80,** Ⓦ **www.hotel amourparis.fr.** MAPA PP. 144-5, MAPA DE BOLSO G4. Hotel design com clientela abastada. Exibe parquê antigo, pintura recente e a pornografia de Pigalle como tema. Cada quarto tem iPod e decoração próprios – um é todo preto com globos de discoteca acima da cama –, mas nenhum tem telefone ou TV. Há também uma ampla área de refeições e um bar de vodcas. **Duplos a partir de €155**

**HÔTEL DES ARTS** > 5 rue Tholozé Ⓜ **Abbesses/Blanche** Ⓣ **01.46.06.30.52,** Ⓦ **www.montmartrehotel.com.** MAPA PP. 144-5, MAPA DE BOLSO G3. A decoração não impressiona, ao contrário da acolhida calorosa (inclusive do cão da família) e da localização em uma romântica rua de pedra no meio do bairro de Abbesses, defronte a um cinema de arte. Os quartos Superiores têm linda vista. **Duplos a partir de €95-140**

**HÔTEL BONSÉJOUR MONTMARTRE** > 11 rue Burq Ⓜ **Abbesses** Ⓣ **01.42.54.22.53,** Ⓦ **www.hotel-bonsejour-montmartre.fr.** MAPA PP. 144-5, MAPA DE BOLSO G3. Considerando a localização – em uma rua calma nas encostas de Montmartre, a poucos passos dos bares e restaurantes do bairro – e os quartos antigos e limpos com ducha (e banheiro no corredor), este hotel é uma pechincha. Prefira os quartos 23, 33, 43 ou 53, que são de canto e têm sacadas. **Duplos a partir de €68**

**PLACE CAULAINCOURT** > 2 place Caulaincourt, na 63 rue Caulaincourt Ⓜ Lamarck-Caulaincourt Ⓣ 01.46.06.46.06, Ⓦ www.caulaincourt.com. MAPA PP. 144-5, MAPA DE BOLSO G2. Você pode partilhar a hospedagem (€59) ou ter um quarto com banheiro neste animado hotel/hostel econômico em Montmartre. Dormitórios custam €29-31 por noite. Os quartos são pequenos e bagunçados, porém decentes. Café da manhã e Wi-Fi grátis, e aluguel de bicicletas. **Duplos €70-80**

**HÔTEL ELDORADO** > 18 rue des Dames Ⓜ Place-de-Clichy Ⓣ 01.45.22.35.21, Ⓦ www.eldoradohotel.fr. MAPA PP. 144-5, MAPA DE BOLSO E3. Hotel na área boêmia de Batignolles. Os quartos com alguns detalhes antigos têm móveis curiosos e cores vivas, e há um anexo no pátio nos fundos. Quartos com banheiro partilhado por €58. Bom bistrô interno. **Duplos €58-85**

**HÔTEL ERMITAGE** > 24 rue Lamarck Ⓜ Anvers Ⓣ 01.42.64.79.22, Ⓦ www.ermitagesacrecoeur.fr. MAPA PP. 144-5, MAPA DE BOLSO H3. Hotel calmo de gestão familiar atrás da Sacré-Coeur. Os quartos antiquados têm muito chintz; os de trás têm vista do norte de Paris. Café da manhã de cortesia servido nos quartos. Vá de funicular para evitar a ladeira. Não aceita cartão de crédito. **Duplos €96**

**HÔTEL LANGLOIS** > 63 rue St-Lazare Ⓜ Trinité Ⓣ 01.48.74.78.24, Ⓦ www.hotel-langlois.com. MAPA PP. 144-5, MAPA DE BOLSO F5. Embora tenha todas as comodidades de um duas-estrelas, este hotel cordial mudou pouco no último século, mantendo os mesmos móveis antigos e alguns quartos bonitos. **Duplos €140**

**STYLE HÔTEL** > 8 rue Ganneron (fim da av Clichy) Ⓜ Place-de-Clichy Ⓣ 01.45.22.37.59. MAPA PP. 144-5, MAPA DE BOLSO F3. Uma fachada sem graça em Batignolles esconde um belo hotel econômico com pisos de madeira, lareiras de mármore e um pátio. Ótimo preço, sobretudo para os quartos com banheiros partilhados (€40). **Duplos €60**

# Albergues

Albergues são ótimos para economizar, mas muitas vezes é mais barato dividir um quarto em um hotel econômico. Muitos fazem reserva, incluindo as três redes principais desse segmento: a FUAJ (Ⓦ www.fuaj.fr), que integra a Hostelling International; a UCRIF (Ⓦ www.ucrif.asso.fr), que atrai grupos; e a MIJE (Ⓦ www.mije.com), com três ótimos albergues em edifícios históricos no Marais. Albergues independentes costumam ser barulhentos e muitas vezes têm bares internos.

**D'ARTAGNAN** > 80 rue Vitruve Ⓜ Porte-de-Bagnolet Ⓣ 01.40.32.34.56, Ⓦ www.fuaj.org. MAPA DE BOLSO C21. Este moderno hostel da HI é o maior na França, com 440 leitos e instalações como um pequeno cinema, restaurante e bar, acesso à internet e uma piscina. É preciso sair dos quartos entre 11h e 15h para a limpeza. Como é muito concorrido, chegue cedo, reserve on-line ou ligue para a central de reservas: Ⓣ 01.44.89.87.27. Duplos e quartos para três a cinco pessoas custam alguns euros a mais do que os dormitórios. **Dormitórios a partir de €27,80**

**BVJ LOUVRE** > 20 rue Jean-Jacques-Rousseau Ⓜ Louvre/Châtelet-Les-Halles Ⓣ 01.53.00.90.90, Ⓦ www.bvjhotel.com. MAPA PP. 68-9, MAPA DE

BOLSO C14. Com 200 leitos em quartos single e dormitórios (para oito pessoas e com algumas regras), o *BVJ Louvre* atrai estudantes estrangeiros. O restaurante só fecha dom. **Dormitórios €30, quartos para 2 €70**

**BVJ PARIS QUARTIER LATIN**
> 44 rue des Bernardins Ⓜ Maubert--Mutualité Ⓣ **01.43.29.34.80,** Ⓦ **www.bvjhotel.com.** MAPA PP. 114-5, MAPA DE BOLSO E18. Hostel impecável e bem localizado. Quartos single (€45) e dormitórios a bons preços; para duplos (€66), procure outro lugar. **Dormitórios €29**

**LE FAUCONNIER** > 11 rue du Fauconnier Ⓜ St-Paul/Pont Marie Ⓣ **01.42.74.23.45,** Ⓦ **www.mije.com.** MAPA PP. 86-7, MAPA DE BOLSO F17. Hostel da MIJE em um belo edifício do século XVII reformado. Dormitórios para três a oito pessoas, além de alguns quartos de solteiro (€51) e duplos (€76) com duchas. **Dormitórios €31**

**LE FOURCY** > 6 rue de Fourcy Ⓜ St-Paul Ⓣ **01.42.74.23.45.** MAPA PP. 86-7, MAPA DE BOLSO F17. Outro excelente hostel da MIJE (mesmos preços que o *Le Fauconnier*, ver acima). Em uma bela mansão, possui um pequeno jardim e um restaurante barato. Duplos e triplos também disponíveis.

**JULES FERRY** > 8 bd Jules-Ferry Ⓜ République Ⓣ **01.43.57.55.60,** Ⓦ **www.fuaj.fr.** MAPA P. 104, MAPA DE BOLSO H13. Hostel da HI bem central, em uma área animada na base da colina de Belleville. É difícil conseguir lugar, mas o pessoal ajuda a achar outro. Duas a quatro pessoas em cada quarto. **Dormitórios a partir de €25,80**

**MAUBUISSON** > 12 rue des Barres Ⓜ Pont Marie/Hôtel de Ville Ⓣ **01.42.74.23.45.** MAPA PP. 86-7, MAPA DE BOLSO F16. Hostel da MIJE que ocupa um magnífico edifício medieval em uma rua calma. Permite usar o restaurante do *Le Fourcy* (ver acima). Apenas dormitórios para até quatro pessoas. **Dormitórios €31**

**OOPS** > 50 ave des Gobelins Ⓜ Gobelins Ⓣ **01.47.07.47.00,** Ⓦ **www.oops-paris.com.** MAPA P. 137, MAPA DE BOLSO J12. Inaugurado em 2007, este hostel chique é decorado com padrões modernos. Os dormitórios têm banheiro, há Wi-Fi grátis, café da manhã básico e funciona 24 horas. Duplos a partir de €80-100. Localização razoável a duas paradas de metrô no sul do Quartier Latin. **Dormitórios €28-32**

**ST CHRISTOPHER'S PARIS**
> 68-74 quai de la Seine Ⓜ Crimée/Laumière Ⓣ **01.40.34.34.40,** Ⓦ **www.st-christophers.co.uk/paris-hostels.** MAPA P. 104, MAPA DE BOLSO L3. Hostel grande fora do centro, é voltado para as águas da Bassin de la Villette. Os quartos para seis a oito pessoas são agradáveis em termos práticos. Há também um bar ótimo, um restaurante barato e internet grátis. Oferece quartos com duas camas de solteiro ou uma de casal. **Dormitórios €27-37**

**LE VILLAGE HOSTEL** > 20 rue d'Orsel Ⓜ Anvers Ⓣ **01.42.64.22.02,** Ⓦ **www.villagehostel.fr.** MAPA PP. 144-5, MAPA DE BOLSO H3. Atraente hostel independente em um belo edifício, tem boas instalações e um terraço com vista da Sacré-Coeur. Café da manhã incluso. Pequenos descontos no inverno. **Dormitórios €28**

**WOODSTOCK HOSTEL** > 48 rue Rodier Ⓜ Anvers/St-Georges Ⓣ **01.48.78.87.76,** Ⓦ **www.woodstock.fr.** MAPA PP. 144-5, MAPA DE BOLSO H4. Hostel confiável com bar próprio, tem ótima localização em uma rua agradável perto de Montmartre. Café da manhã incluso. **Dormitórios €25-27**

**YOUNG AND HAPPY HOSTEL**
> 80 rue Mouffetard Ⓜ Monge/Censier-Daubenton Ⓣ **01.47.07.47.07,** Ⓦ **www.youngandhappy.fr.** MAPA PP. 114-5, MAPA DE BOLSO H11. Hostel básico e barulhento para estudantes em uma rua animada. Dormitórios com ducha para quatro e alguns duplos (€26 por pessoa). Funciona 11h-16h. **Dormitórios a partir de €19-30**

EAU DE PARFUM
L'HEURE BLEUE
GUERLAIN
PARIS

# DICAS DE VIAGEM

# Chegada

É fácil ir dos dois principais aeroportos para o centro de Paris usando os eficientes meios de transporte público. O aeroporto de Beauvais, de voos econômicos, conta com ônibus. Para quem chega de trem é ainda mais fácil: basta pegar o metrô.

## De avião

Os dois principais **aeroportos** de Paris com voos internacionais são o Roissy-Charles de Gaulle e o de Orly, ambos com conexões para o centro. Há informações a respeito em Ⓦ www.aeroportsdeparis.fr. Um terceiro aeroporto, o Beauvais, é utilizado pela Ryanair. Vale a pena comprar um cartão Paris Visite nos aeroportos, o qual dá direito a várias viagens para a cidade e dentro dela (p. 181).

### AEROPORTO ROISSY-CHARLES DE GAULLE

O **Aeroporto Roissy-Charles de Gaulle** (informações 24h em inglês Ⓣ 01.70.36.39.50), conhecido como Charles de Gaulle e pela sigla CDG, fica 23km a nordeste da cidade. Há dois terminais principais ligados por ônibus de traslado.

Para ir ao centro da cidade, basta pegar o trem **Roissyrail** na linha B da RER, que leva 30 minutos (a cada 15min 5h-0h; €9,25 um trecho). É melhor pegá-lo direto no CDG 2, pois no CDG 1 é preciso pegar primeiro um ônibus de traslado (*navette*) para a estação da RER. O trem vai rapidamente até a Gare du Nord e depois para em Châtelet-Les Halles, St-Michel e Denfert-Rochereau, onde há estações de metrô para vários destinos. Essa linha também tem trens comuns, os quais têm mais paradas e menos espaço para acomodar a bagagem.

Várias **empresas de ônibus** saem do aeroporto para alguns locais no centro da cidade, mas demoram mais do que o Roissyrail. O **Roissybus**, por exemplo, liga o CDG 1 e o CDG 2 com a Opéra-Garnier (esquina das rues Auber e Scribe; Ⓜ Opéra/RER Auber); ele parte a cada 15 ou 30 minutos das 5h45 até 23h, custa €10 por trecho e leva cerca de uma hora. Há também dois ônibus da Air France (Ⓦ http://videocdn.airfrance.com/cars-airfrance): um para diante da RER/metrô Charles-de-Gaulle-Etoile e o outro na Gare de Lyon antes do ponto final na Gare Montparnasse. Os horários são semelhantes aos do Roissybus, mas os bilhetes são mais caros, a €24-27 ida e volta.

Uma alternativa mais útil é o **micro-ônibus de porta em porta** Paris Blue, que custa a partir de €32 para duas pessoas e não cobra a mais pela bagagem. Ele funciona dia e noite, mas exige reserva com pelo menos 24 horas de antecedência pelo Ⓣ 01.30.11.13.00 ou via Ⓦ www.paris-blue-airport-shuttle.fr.

**Táxis** do CDG para o centro de Paris custam cerca de €50 no taxímetro e levam entre 50 minutos e uma hora. No entanto, se seu voo chegar depois da meia-noite, só lhe resta pegar um táxi ou um micro-ônibus.

### AEROPORTO DE ORLY

O **Aeroporto de Orly** (Ⓣ 01.70.36.39.50), 14km ao sul de Paris, tem dois terminais, Orly Sud (sul; de voos internacionais) e Orly Ouest (oeste; de voos domésticos), ligados por um ônibus de traslado – mas é possível fazer esse trajeto a pé.

Para ir para o centro, pegue o **Orlyval**, um trem veloz para a estação Antony da RER, onde há trens da linha B da RER para as estações centrais da RER/metrô Denfert-Rochereau, St-Michel e Châtelet-Les Halles; o trem sai a cada 4 a 7 minutos das 6h às 23h (€10,90 um trecho, incluindo traslado; 35min até Châtelet). Outra opção ligada à RER é o **ônibus de traslado** *(navette)* "**Paris par le train**", que vai à estação Pont de Rungis da linha C da RER, de onde trens saem a cada 20 minutos das 5h às 23h30 para a Gare d'Austerlitz e outras paradas de metrô (€6,45 um trecho; trem 35min, duração total de cerca de 50min). Para fora de Paris, o trem sai da Gare d'Austerlitz das 5h40 até 22h40.

**Táxis** levam cerca de 35 minutos até o centro da cidade e custam por volta de €35.

#### AEROPORTO DE BEAUVAIS

O **Aeroporto de Beauvais** (Ⓣ 08.92.68.20.66, Ⓦ www.aeroportbeauvais.com) fica bem distante de Paris – 65km a noroeste – e é utilizado pela Ryanair. Ônibus (€15 um trecho) circulam entre o aeroporto e a Porte Maillot na orla noroeste de Paris, onde você pode pegar a linha 1 do metrô até o centro. Esses ônibus levam cerca de uma hora, e saem entre 15 e 30 minutos após a chegada do voo e cerca de três horas antes de o avião partir de volta. Os bilhetes estão à venda no site do aeroporto, na ala de desembarque e na loja do Beauvais na 1 boulevard Pershing, perto do terminal da Porte Maillot.

### De trem

O ponto final dos trens **Eurostar** (Ⓣ 08.92.35.35.39, Ⓦ www.eurostar.com) é a **Gare du Nord**, no nordeste da cidade – polo de convergência de trens internacionais, de longa distância e suburbanos, e de diversas linhas de metrô e ônibus. Saindo do trem, vire à esquerda para o metrô e a RER, depois à direita e passe pela porta lateral para pegar um táxi (cerca de €10 até o centro). Os escritórios da Eurostar e o check-in para partidas ficam no mezanino, acima da entrada principal da estação.

A Gare du Nord também recebe os trens de Calais e de países do Norte da Europa, como a Bélgica. Paris tem mais cinco estações de trem integrantes da rede nacional SNCF: a **Gare de l'Est** serve o leste da França e o centro e o leste da Europa; a **Gare St-Lazare** serve a costa da Normandia e Dieppe; a **Gare de Lyon** serve a Itália, a Suíça e os trens TGV para o sudeste da França. Ao sul do rio, a **Gare Montparnasse** é o terminal para Chartres, Bretanha, a costa Atlântica e linhas TGV para o sudoeste da França e o vale do Loire; a **Gare d'Austerlitz** tem trens comuns para o vale do Loire e a Dordogne. A estação ferroviária **Gare de Paris-Bercy** fica abaixo dos trilhos da Gare de Lyon, no boulevard de Bercy.

Para **informações** sobre trens no país e reservas, ligue para Ⓣ 36.35 (só na França), ou consulte Ⓦ www.sncf.com. Para informações sobre linhas suburbanas, ligue para Ⓣ 36.58 ou visite o site Ⓦ www.transilien.com. **Bilhetes** estão à venda em qualquer estação de trem, agência de viagem e on-line no site da SNCF.

### De carro

Se vier de ônibus doméstico ou internacional, é muito provável que ele pare na principal **Gare Routière**, na orla leste da cidade; o metrô Gallieni (linha 3) leva até o centro. Se vier de carro, não atravesse a cidade. Use o anel viário – o **boulevard périphérique** – para chegar à *porte* mais próxima: é mais rápido, exceto em horários de pico, e mais fácil para se orientar.

# Como circular

Embora caminhar seja a melhor forma de conhecer Paris, seu **sistema de transporte público** integrado de ônibus, metrô, bonde e trem – a RATP (Régie Autonome des Transports Parisiens; www.ratp.fr) – tem preços razoáveis, é veloz e meticulosamente sinalizado. Há um mapa do metrô no início deste guia, mas mapas grátis de metrô e ônibus de diversos tamanhos e grau de detalhamento estão disponíveis na maioria das estações, terminais de ônibus e postos de turismo: o maior e mais útil é o *Grand Plan de Paris numéro 2*, que mostra com exatidão por onde passam as linhas de metrô, RER e ônibus da cidade. Se você quiser apenas um mapa de bolso prático de metrô/ônibus, peça o *Petit Plan de Paris* ou o *Paris Plan de Poche*, que é menor. Há uma versão útil de busca interativa on-line em www.ratp.fr.

## Bilhetes e passes

Para uma estada curta, vale a pena comprar um **carnê** de dez bilhetes em qualquer estação ou *tabac* por €12,70 (já que o bilhete unitário custa €1,70 ou €1,90 se comprado no ônibus). A RATP se divide em **cinco zonas**, e o sistema de metrô nas zonas 1 e 2. Os mesmos bilhetes são válidos para ônibus (incluindo o noturno), metrô e, dentro dos limites da cidade e subúrbios próximos (zonas 1 e 2), nas linhas expressas da RER que também se estendem até a Île de France. Um bilhete é sempre necessário no sistema de metrô e dentro das zonas 1 e 2 para qualquer viagem de RER ou ônibus, mas não é possível mudar de ônibus ou de ônibus para metrô/RER com o mesmo bilhete. Crianças de até 4 anos viajam de graça, e na faixa de 4 a 10 anos pagam meia. Não compre de cambistas que circulam nas principais estações – o preço pode ser mais alto e o bilhete inválido. Guarde sempre seu bilhete até o fim

## Conheça Paris usando o transporte público

Um bom meio de conhecer as atrações é andar de **ônibus**. O nº 20 (acesso para portadores de deficiência) sai da Gare de Lyon, segue pelos Grands Boulevards e dá uma volta no 1º e 2º arrondissements. O nº 24 (acesso para portadores de deficiência), entre a Porte de Bercy e a Gare St-Lazare, segue o Sena pela Rive Gauche. O ônibus nº 29 tem uma das melhores rotas da cidade: sai da Gare St-Lazare, passa pela Opéra Garnier, a Bourse e o Centre Pompidou, corta o Marais e a Bastille, e vai até a Gare de Lyon. Para La Voie Triomphale, pegue o ônibus nº 73, que circula entre La Défense e o Musée d'Orsay, ao passo que o ônibus nº 63 faz uma rota panorâmica ao longo do Sena na Rive Gauche, cruza o rio e vai até o Trocadéro, onde há vistas sublimes da Torre Eiffel. Muitas outras linhas de ônibus – fora das horas de pico – fazem percursos interessantes: pegue o *Grand Plan de Paris* em uma estação de metrô e dê uma olhada nas rotas dos ônibus nº 38, nº 48, nº 64, nº 67, nº 68, nº 69, nº 82, nº 87 e nº 95.

O **metrô** também proporciona bons passeios: a linha de superfície na rota sul entre Charles-de-Gaulle-Etoile e Nation (linha 6) descortina vistas da Torre Eiffel, da Île des Cygnes, dos Invalides, da nova Bibliothèque Nationale e do Ministério da Fazenda.

## Voe menos e fique mais tempo!

Nós sabemos o quanto viajar faz bem, mas estamos cientes do impacto da aviação sobre a mudança climática. Portanto, nossa recomendação é reduzir o número de viagens e prolongar cada estada. Se possível, em vez de avião, use outro meio, sobretudo em percursos com menos de 1.000km.

da viagem para não correr o risco de ser multado.

Caso se desloque várias vezes por dia, vale a pena comprar o **passe Mobilis Day** (€6,40 para zonas 1 e 2; €8,55 zonas 1-3), que dá acesso ilimitado a metrô, ônibus, bondes e, dependendo das zonas escolhidas, à RER. O passe Mobilis, porém, não é válido para ir ou vir dos aeroportos.

Outras opções são os passes **Paris Visite** (Ⓦ www.ratp.info/touristes) de 1, 2, 3 e 5 dias por €9,75, €15,85, €21,60 e €31,15 para Paris e subúrbios próximos, ou por €20,50, €31,15, €44,65 e €53,40 incluindo os aeroportos, Versailles e Disneyland Paris (compre este assim que chegar ao Roissy-Charles de Gaulle ou ao Orly para ganhar tempo e dinheiro). Há também a versão para crianças pela metade do preço. Tais passes estão à venda nas estações de metrô e da RER, postos de turismo e on-line em Ⓦ www.parismetro.com. Os passes Paris Visite se tornam válidos a partir de seu primeiro uso e dão acesso ilimitado a deslocamentos (nas zonas escolhidas) de ônibus, metrô, bonde, RER, SNCF, Montmartrobus por Montmartre e funicular de Montmartre entre 5h30 e 1h30; além disso, eles também dão descontos em certos monumentos, museus e passeios, incluindo ingressos de um dia para a Disneyland Paris. Se for a Paris pela Eurostar, poupe tempo comprando passes no posto de informações no terminal internacional da Eurostar em St Pancras.

### Metrô e RER

O **metrô**, combinado com as linhas expressas suburbanas da **RER** (Réseau Express Régional), é o meio mais simples de circular na cidade. Ele funciona das 5h20 à 1h20, e os trens da RER das 4h45 até 1h30. As estações (abreviação: Ⓜ Concorde, RER Luxembourg etc.) são espaçadas de modo uniforme e raramente você estará a mais de 500m de uma no centro, embora as interligações possam demandar boas caminhadas, incluindo muitas escadas. Toda estação tem uma grande planta da rede fora da entrada e outras dentro, além de um mapa dessa área específica. As linhas de metrô são codificadas por cores e números, e designadas por letras no caso da RER, apesar de serem sinalizadas dentro do sistema com os nomes das estações finais: por exemplo, para ir de Montparnasse a Châtelet, siga a placa "Direction Porte-de-Clignancourt"; da Gare d'Austerlitz para Grenelle na linha 10, siga "Direction Boulogne-Pont-de-St-Cloud". As numerosas interligações *(correspondances)* possibilitam andar por toda a cidade em linha relativamente reta. Para viagens de RER além da cidade, verifique se a estação desejada está iluminada no painel de chegadas e partidas na plataforma.

## Ônibus e bondes

Os **ônibus** municipais (5h30-20h30; alguns funcionam até 1h30) são fáceis de usar e mostram bem mais a cidade do que o metrô. Muitas linhas, porém, não funcionam aos domingos e feriados – entre em Ⓦ www.ratp.fr para ver um mapa das melhores rotas turísticas.

Paradas de ônibus mostram o nome da parada, os números dos ônibus que param ali, um mapa com as paradas na rota e os horários do primeiro e do último ônibus. Como em todo o transporte público, você pode comprar um bilhete unitário (€1,70 ou €1,90 com o motorista) ou um carnê pré-pago de bilhetes ou passes (p. 180); insira o bilhete em uma das máquinas a bordo para validá-lo. Aperte o botão vermelho para solicitar uma parada.

Nas tardes de domingo e em feriados de meados de abril a meados de setembro, um **Balabus** especial (não confunda com o Batobus na p. ao lado) passa por todas as atrações entre o Grande Arche de la Défense e a Gare de Lyon (a cada 15-20min 12h-21h). Paradas de ônibus têm a inscrição "Balabus", e você vai precisar de um a três bilhetes de ônibus, dependendo da extensão de seu passeio. Os passes Paris Visite e Mobilis também são válidos.

**Ônibus noturnos** (Noctilien; Ⓦ www.noctilien.fr) fazem 47 rotas pelo menos a cada hora de 0h30 às 5h30 entre a Place du Châtelet e os subúrbios. Veja detalhes on-line.

Há quatro **linhas de bonde** dentro e em torno de Paris, e outras estão planejadas; a mais útil é a T3, que segue a orla sul da cidade desde a Pont du Garigliano no Sena, no 15º arrondissement, até o metrô Pont d'Ivry. Bondes a cada 5 ou 10 minutos entre 4h50 e 23h40; as paradas são sinalizadas com um "T" grande.

## Táxis

As tarifas de táxi são bem razoáveis, a menos que você peça um por telefone, pois a ida para apanhá-lo custa €2,30 a mais. A cobrança mínima é de €6,20, mais €1 para cada item de bagagem. Esperar o cliente custa a partir de €29,95 por hora. Os taxistas não têm de pegar mais de três passageiros (e não gostam quando alguém se senta na frente); se um quarto passageiro for aceito, eles cobram €3 a mais na conta final. Deve-se dar uma **gorjeta** de 10%.

É melhor esperar em um **ponto de táxi** *(arrêt taxi)* do que acenar para um na rua. Se a luz verde no alto do veículo estiver acesa, o táxi está livre. Como é difícil conseguir táxi na hora do almoço e após as 19h, talvez seja melhor ligar pedindo um – as principais empresas atendem pelo número Ⓣ 01.45.30.30.30.

## Bicicletas

Os parisienes adotaram plenamente o Vélib' (Ⓦ www.velib.paris.fr), o esquema self-service implantado em 2007. Milhares de bicicletas esguias, modernas – e pesadas – ficam estacionadas em cerca de 1.500 pontos espalhados pela cidade; você simplesmente pega uma bicicleta em um desses pontos ou *borne*, vai a seu destino e a estaciona de novo. O esquema tem tido problemas eventuais com vandalismo e roubo, mas é muito utilizado e amplamente aprovado.

Passes – €1,70 para um dia e €8 semanal – estão à venda on-line e em máquinas em cada *borne*; insira seu cartão de crédito (é cobrado também um depósito de €150, só descontado em caso de dano à bicicleta). Os 30 primeiros minutos de uso do passe são grátis, mas a partir daí o custo é de €2 pela meia hora seguinte, €3 pela próxima e €4 para cada meia hora adicional. Capacetes não são fornecidos. Há entre doze e vinte estandes de bike em cada *borne*, que ficam a cerca de 300m de distância entre si. Mapas da rede ficam expostos nos *bornes*, podendo também ser impressos com antecedência através do site. Ciclistas que desrespeitam o sinal vermelho em Paris podem ser imediatamente multados em €100.

## Barcos

Um meio excelente de circular em Paris é o **Batobus** (T 08.25.05.01.01, W www.batobus.com), que funciona o ano todo, exceto em janeiro, e para em oito pontos ao longo do Sena, incluindo a Torre Eiffel e o Jardin des Plantes. Os barcos saem a cada 15-30 minutos (fev-mar, nov e dez 10h30-16h30; mar-mai, set e out 10h-19h; jun-ago 10h-21h30). A viagem de ida e volta dura cerca de 90 minutos e você pode embarcar e desembarcar quantas vezes quiser – o passe de um dia custa €15, de dois dias seguidos €18 e de cinco dias seguidos €21 (crianças pagam meia).

## Dirigir

Circular **de carro** – ao menos de dia – dificilmente vale a pena devido à dificuldade para encontrar um local para estacionar. É melhor se hospedar em um lugar simples na orla da cidade e utilizar o transporte público. Caso decida usar o sistema de estacionamento pré-pago, você deve comprar um **Paris Carte** (como um cartão telefônico), que custa €15-40 em uma *tabac*, e procurar placas azuis com "P" nos parquímetros cinza. Para a cobrança, insira o cartão no parquímetro e o valor será automaticamente debitado do cartão – isso custa €1,20-3,60 por hora, conforme o local, por um máximo de duas horas. Ou recorra a um **estacionamento** subterrâneo, que custa até €2,50 por hora ou cerca de €25 por 24 horas.

Se você quiser alugar um carro em Paris, a opção mais em conta é o sistema pioneiro de aluguel de carros elétricos, o **Autolib'** (W autholib.eu), que funciona seguindo o modelo do Velib' (ao lado). Há cerca de 3.000 veículos disponíveis em diversos pontos espalhados pela cidade. Eles podem ser pegos em um ponto e devolvidos em outro. Assim como no Velib', é preciso comprar um cartão antes, na internet ou em um dos 75 Espaces Autolib' de Paris. Esses cartões valem por um dia (€10) ou uma semana (€15). Os primeiros 30min custam €7, o segundo €6 e os outros subsequentes €8. O sistema é válido para qualquer pessoa habilitada com mais de 18 anos.

## Passeios de barco

A maioria dos turistas sonha em fazer um **passeio de barco** no Sena. A operadora mais conhecida é a dos célebres Bateaux-Mouches (W www.bateaux-mouches.fr). Saindo do Embarcadère da Pont de l'Alma na Rive Droite no 8º (M Alma-Marceau), os passeios duram 1h10min, custam €11 (€5 para crianças e maiores de 65 anos) e passam pelas grandes atrações da área, como a Notre-Dame e o Louvre. De abril a setembro os barcos saem a cada 30-45 minutos das 10h15 às 19h, e depois a cada 20 minutos das 19 às 23h; no inverno as partidas são menos frequentes e requerem no mínimo 50 passageiros.

# Informações

## Endereços

Paris se divide em vinte distritos, os arrondissements. O primeiro arrondissement, ou "1º", é centrado no Louvre, no miolo da cidade. Os demais se irradiam em sentido horário: o 2º, 3º e 4º são centrais; o 5º, 6º e 7º ficam na parte interna da margem esquerda (sul) do rio; o 8º até o 20º formam os distritos externos. Os endereços parisienses citam o arrondissement, além da estação ou estações de metrô mais próximas.

## Bancos e câmbio

Facilmente encontrados, os **caixas eletrônicos** – *distributeurs* ou *points argent* – dão instruções em francês ou inglês. Você também pode usar cartões de crédito para sacar dinheiro (com juros) em bancos e caixas eletrônicos.

Os bancos oferecem as melhores **taxas de câmbio**, porém sempre cobram uma comissão. Previna-se contra casas de câmbio em pontos de chegada e atrações turísticas, pois você pode ser lesado. Os bancos funcionam de segunda a sexta das 9h às 16h ou 17h. Alguns bancos fecham no almoço; outros abrem nos sábados das 9h às 12h; todos fecham aos domingos e feriados. Casas de câmbio funcionam até 18h ou 19h, não fecham para almoço e podem abrir aos domingos em áreas mais turísticas.

## Cinemas

Paris é famosa pela quantidade de cinemas, e os cinéfilos contam com cerca de 300 filmes em cartaz a cada semana. Raramente é preciso comprar ingresso com antecedência, e o custo é de cerca de €9. Entre os cinemas mais interessantes da cidade estão: **Le Grand Rex**, 1 bd Poissonnière (M Bonne Nouvelle), um famoso cinema art déco que exibe blockbusters (geralmente dublados); **Max Linder Panorama**, 24 bd Poissonnière (M Bonne Nouvelle), um cinema dos anos 1930 com filmes no formato original e excelente sistema de som; **La Pagode**, 57 bis rue de Babylone (M François-Xavier), que imita um pagode japonês e é o cinema mais bonito da cidade; e o bloco de cinemas no cruzamento das ruas Champollion e des Ecoles, **Reflet Medicis**, **La Filmothèque** e **Le Champo** (M Cluny-La Sorbonne), os quais exibem filmes raros e clássicos. A **Cinémathèque Française**, 51 rue de Bercy (W www.cinematheque.fr; M Bercy) exibe dezenas de filmes por semana, incluindo vários de arte, e cobra apenas €6,50.

## Segurança

Há risco de furtos no metrô, em estações de trem e locais turísticos como Les Halles e em torno da rue de la Huchette, no Quartier Latin. Crimes graves contra turistas são raros. Caso seja vítima de furto, registre a ocorrência no *commissariat de police* do arrondissement onde o delito foi cometido. A Préfecture de Police de Paris fica no 7 boulevard du Palais (T 01.53.73.53.73). Em caso de estupro, ligue para o SOS Viol T 08.00.05.95.95.

## Embaixadas e consulados

**Embaixada da França no Brasil**: SES – Av. das Nações, lote 04, quadra 801, CEP: 70404-900, Brasília-DF T (61) 3222.3999, W www.ambafrance-br.org. **Embaixada do Brasil na França**: 65 avenue Franklin D. Roosevelt – 75008 **Consulado-Geral da França em São Paulo**: avenida Paulista, 1842, Torre Norte, 14º andar, CEP: 01310-200,

São Paulo-SP Ⓣ (11) 3371.5400 Fax: (11) 3371.5410. **Consulado-Geral da França no Rio de Janeiro:** av. Presidente Antônio Carlos, 58, Centro Cidade, Cep: 20020-010 , Rio de Janeiro-RJ Ⓣ (21) 3974.6699

## Gays e lésbicas

Paris tem uma comunidade gay vibrante, e é raro haver reações de preconceito ou hostilidade. Pela lei, a França é liberal quanto à homossexualidade, com consentimento legal a partir de 16 anos e leis protegendo os direitos de casais do mesmo sexo. O Centre Gai Lesbien Bi et Trans, 63 rue Beaubourg, 3º, Ⓣ01.43.57.21.47, Ⓦwww.centrelgbtparis.org (ter-sáb 15h30-20h; ⓂArts et Métiers), fornece informações e orientações úteis. Bons contatos e listas são publicados na excelente revista mensal *Têtu* (Ⓦwww.tetu.com).

## Saúde

Farmácias dão boas orientações para casos sem gravidade e indicam os medicamentos ou médicos apropriados. A maioria funciona das 8h-20h e todas indicam as que estão de plantão à noite. Há um bom farmacêutico que fala inglês na Swann, 6 rue Castiglione, 1º (Ⓣ01.42.60.72.96). Entre as farmácias abertas à noite estão a Dérhy/ Pharmacie des Champs-Élysées, 84 avenue des Champs-Élysées, 8º (Ⓣ01.45.62.02.41; 24h; Ⓜ George-V); Pharmacie des Halles, 10 bd Sébastopol, 4º (Ⓣ01.42.72.03.23; seg-sáb 9h-0h, dom 9h-22h; ⓂChâtelet). Cidadãos britânicos com cartão do Seguro Europeu de Saúde (disponível em agências de correio) podem usar o sistema de saúde francês. Cidadãos de fora da UE devem fazer um seguro de viagem abrangente.

### Números de emergência

Ambulância Ⓣ15; Polícia Ⓣ17; Bombeiros Ⓣ18.

## Internet

O acesso à internet é disseminado em Paris. Se não houver em seu hotel, você achará em um café por perto e nos muitos *points internet* na área central da cidade. A maioria tem expediente longo, mas o preço varia entre €2,50 e €8 por hora. A maior parte das agências de correio também tem um computador destinado ao acesso público à internet. Há ampla oferta de conexão wireless grátis em muitos hotéis, cafés, bares, estações de trem, em locais como o Centre Pompidou e em 200 jardins públicos.

## Achados e perdidos

O **posto de objetos achados** (Bureau des Objets Trouvés) fica na Préfecture de Police, 36 rue des Morillons, 15º; Ⓣ08.21.00.25.25 (seg-qui 8h30-17h, sex 8h30-16h30; Ⓜ Convention). Para itens perdidos no transporte público, ligue para a RATP pelo Ⓣ 01.40.30.52.00. Se perder seu passaporte, procure uma delegacia de polícia e depois a embaixada do Brasil (p. ao lado).

## Passes de museus/ monumentos

O gasto com ingressos de **museus e monumentos** pode pesar, mas basta fazer um planejamento prévio para diminuir esses custos. Os acervos permanentes de todos os museus municipais são grátis o ano todo, e os museus nacionais (incluindo o Louvre e o Musée d'Orsay) dão acesso grátis no primeiro domingo do mês – veja a lista completa em Ⓦwww.rmn.fr – e para menores de 18 anos.

Outros lugares têm entrada gratuita para idades que variam entre 18, 12 e 4 anos. Muitas vezes há ingresso mais barato para a faixa etária 18-26 e para maiores de 60 ou 65 anos (estejam ou não aposentados); é preciso estar com o passaporte ou o RG para comprovar a idade. Alguns descontos (às vezes de um terço) são dados para estudantes com a carteira internacional válida (ISIC, ou International Student Identity Card; Ⓦ www.isiccard.com), em geral, a única aceita para entrada desse segmento.

Caso pretenda visitar muitos museus em pouco tempo, vale a pena comprar o **Paris Museum Pass** (€39 para dois dias seguidos, €54 para quatro dias seguidos, €69 para seis dias seguidos; Ⓦ www.parismuseupass.fr). Disponível on-line, em centros de informação turística e nos museus participantes, o passe vale para cerca de 35 dos museus e monumentos principais, incluindo o Centre Pompidou, o Louvre e o Château de Versailles, evita as filas para ingressos (mas não os controles de segurança), entretanto nem sempre cobre o custo de exposições especiais. O passe de transporte Paris Visite de vários dias (p. 181) também dá descontos para entrar em alguns museus.

## Horários de funcionamento

A maioria das lojas, empresas, serviços de informação, museus e bancos de Paris funciona o dia todo. As exceções são as lojas e empresas menores, que podem fechar para almoço entre 12h30 e 14h. O **horário comercial** básico é de 8h ou 9h até 18h30 ou 19h30 de segunda a sábado para as lojas grandes, e de terça a sábado para as menores (algumas das quais podem abrir na segunda à tarde). Você sempre acha padarias e mercearias abertas em dias que outras fecham – como domingo até meio-dia. As lojas também abrem aos domingos à tarde em Marais e na Champs-Élysées.

Muitos **restaurantes**, **bares** e **cafés** fecham no domingo ou na segunda, e uns poucos restaurantes também fecham no sábado, sobretudo ao meio-dia. É comum bares e cafés funcionarem até 2h ou até mais tarde nas noites de sexta e sábado, fechando mais cedo no domingo. Em geral, restaurantes só servem até as 22h, mas algumas brasseries atendem os notívagos com refeições até de madrugada. Muitos restaurantes e lojas tiram férias entre o meio de julho e o fim de agosto, na Páscoa e no Natal.

## Correio

As agências de correio (la Poste) – com placas amarelas e azuis – funcionam de seg-sex 8h-19h e sáb 8h-12h. No entanto, a agência central de Paris, na 52 rue du Louvre, 1º (Ⓜ Etienne-Marcel), funciona 24 horas para todos os serviços postais (exceto os bancários). Os selos normais *(timbres)* são vendidos por unidade ou em *carnets* de dez. São válidos para cartas *(lettres)* e postais *(cartes postales)* que não excedam 20g. Também é possível comprar selos em tabacarias *(tabacs)*. Para itens mais pesados, a maioria das agências de correio tem *guichets automatiques* amarelos que pesam sua carta ou pacote e fornecem os selos corretos.

## Racismo

Paris é conhecida pelo racismo, mas é raro haver assédio a turistas. Há, porém, relatos de incidentes desagradáveis como restaurantes alegando lotação esgotada, atendentes de loja com ar desconfiado, e turistas do Norte da África ou de aparência árabe serem tratados com evidente hostilidade ou abordados indevidamente por policiais.

## Telefones

Quase todos os telefones públicos aceitam cartões telefônicos *(télécartes)*, à venda em estações de trem e *tabacs*. Muitos orelhões também aceitam cartões de crédito, mas é raro algum aceitar moedas. Para chamadas dentro de Paris, é preciso discar primeiro o código regional – Ⓣ 01. Ligações locais são baratas, sobretudo fora das horas de pico, mas costumam ser mais caras nos hotéis. As tarifas domésticas e internacionais são menores nos fins de semana e em dias de semana das 19h às 8h. Fora desses períodos, €1 dá direito a cerca de cinco minutos de ligação para os EUA ou o Reino Unido. O número na França para pedir informações e ajuda da operadora é Ⓣ 12.

A França adota o padrão de telefonia celular europeu GSM. Se tiver um aparelho compatível (tri-band) e com tecnologia GSM, GSPR, EDGE ou 3G, que também temos no Brasil, a operação será similar à do Brasil.

## Fuso horário

Paris, assim como toda a França, se encontra no fuso horário da região central da Europa (GMT+1), o que significa três horas a mais do que o Brasil, seis horas a mais que o Oriente e nove horas a mais do a região do Pacífico. Na França e em toda a União Europeia, o horário de verão (+1h) vigora do último domingo de março ao último domingo de outubro.

## Gorjetas

Como o serviço quase sempre está incluso nas contas de restaurante, deixe apenas uma gorjeta pequena. Taxistas e cabeleireiros esperam receber cerca de 10%. Só se deve deixar gorjeta em hotéis mais caros; nos demais, é bem provável que o proprietário se aposse dela.

## Informação turística

Os **centros de informação turística** (Ⓦwww.parisinfo.com) de Paris fornecem mapas e informações, reservam hospedagem e vendem passes de transporte e o Paris Museum Pass (p. ao lado). O principal **centro** fica na 25 rue des Pyramides (diariam 10h-19h; ⓂPyramides). Outros postos úteis ficam no Carrousel du Louvre, com acesso pela 99 rue de Rivoli (diariam 10h-18h; ⓂPalais Royal-Musée du Louvre), e também dão informações sobre a Île de France. O posto de informações de Montmartre fica na Place du Tertre (diariam 10h-19h; ⓂAnvers), e há guichês na Gare du Nord (diariam 8h-18h) e na Gare de Lyon (seg-sáb 8h-18h).

Entre os **guias semanais com a programação** em Paris, à venda por um preço acessível em bancas de jornais, o *Pariscope* é o mais completo. Às quarta-feiras, *Le Monde* e *Le Figaro* também têm suplementos grátis sobre o que está em cartaz, enquanto as webzines *Paris Voice* (Ⓦwww.parisvoice.com) e *GoGo Paris* (Ⓦwww.gogoparis.com) cobrem detalhadamente os eventos atuais.

## Portadores de deficiência

Embora a situação esteja gradualmente melhorando, Paris nunca se empenhou em criar uma boa estrutura para portadores de deficiência. As calçadas estreitas dificultam a locomoção dessas pessoas, e o sistema de metrô tem escadas demais. Os museus, porém, são bem mais acessíveis. Antes de viajar, obtenha informações atualizadas junto a organizações que atuam no setor.

# Festivais e eventos

Paris sedia festivais e eventos em profusão. Além dos citados abaixo, a França tem treze **feriados nacionais**: 1º de janeiro; domingo e segunda de Páscoa; Ascensão do Senhor; domingo e segunda de Pentecostes; 1º e 8 de maio; 14 de julho; 15 de agosto; 1º e 11 de novembro; e 25 de dezembro.

## FÊTE DE LA MUSIQUE

**21 de junho** www.fetedelamusique.culture.fr

No dia da Festa da Música anual, músicos ocupam as ruas e há shows grátis por toda a cidade.

## PARADA GAY

**Último sábado de junho**

http://marche.inter-lgbt.org

A Marche des Fiertés LGBT envolve carros alegóricos e fantasias extravagantes, e vai de Montparnasse à Bastille, seguida de festas e eventos nos clubes.

## FÊTE DU CINÉMA

**Fim de junho** www.feteducinema.com

Uma grande chance de ver diversos filmes franceses e estrangeiros clássicos e independentes. O passe integral dá direito a ver um número ilimitado de filmes no fim de semana do festival por €3.

## DIA DA BASTILHA

**14 de julho**

Nesse dia de importância histórica, a cidade comemora a queda da Bastilha em 1789. A festa começa na noite anterior, com muita dança em torno da Place de la Bastille; de manhã há um desfile militar na Champs-Élysées, seguido por fogos de artifício.

## TOUR DE FRANCE

**3º ou 4º domingo de julho**

www.letour.fr

Paris sedia a etapa final do Tour de France, e milhares de pessoas vão às ruas para saudar os ciclistas até a linha de chegada, na Champs-Élysées.

## PARIS PLAGE

**Meados de julho a meados de agosto**

Três trechos do rio Sena – do Louvre até a Pont de Sully; na base da Biblioteca Nacional Mitterrand, perto da piscina Josephine Baker; e na Bassin de la Villette – são transformados em "praias" com areia, espreguiçadeiras e palmeiras. Há também aulas de tai chi chuan, bibliotecas circulantes e cafés disponíveis.

## JOURNÉES DU PATRIMOINE

**3º fim de semana de setembro**

www.journeesdupatrimoine.culture.fr

Edifícios de acesso reservado e outros privados abrem suas portas para mostrar o "patrimônio nacional".

## FESTIVAL D'AUTOMNE

**Última semana de setembro até o Natal**

www.festival-automne.com

O Festival Internacional do Outono é voltado para o teatro e a música, apresentando muitos espetáculos de vanguarda interessantes.

## NUIT BLANCHE

**Início de outubro**

www.paris.fr

Na Nuit Blanche (Noite em Claro) há leituras de poemas, shows e performances em galerias, bares, restaurantes e edifícios públicos espalhados pela cidade.

# Cronologia

**III século a.C.** > A tribo dos *parisii* funda uma aldeia na île de la Cité.

**52 d.C.** > Ao chegar à área, os exércitos de Júlio César encontram um povoado com cerca de 8 mil pessoas.

**Cerca de 275** > São Denis introduz o cristianismo em Paris, mas é martirizado por suas crenças em Montmartre.

**451** > Os exércitos invasores de Átila, o Huno, são repelidos devido à intervenção de Geneviève, uma jovem camponesa de Nanterre que se tornou a santa padroeira da cidade.

**486** > A cidade é tomada por Clóvis, o Franco. Sua dinastia, os belicosos merovíngios, governa Paris pelos dois séculos seguintes.

**768** > Carlos Magno é proclamado rei em St-Denis. Nos 40 anos seguintes, ele conquista metade da Europa, mas passa pouco tempo em Paris.

**845-85** > Vikings saqueiam Paris várias vezes.

**987** > Hugues Capet, um dos condes de Paris, é eleito rei de França e faz de Paris a sua capital.

**Século XIII** > Paris tem um boom econômico. Sua universidade se torna o polo de ensino europeu, e o rei Filipe Augusto constrói uma vasta muralha ao redor da cidade.

**De 1330 até os anos 1430** > A nobreza francesa e a inglesa disputam o poder na Guerra dos Cem Anos.

**1348** > A Peste Negra mata 800 parisienses por dia, dizimando metade da população local. Nos 140 anos seguintes, um ano em cada quatro teve uma peste.

**1429** > Joana d'Arc tenta expulsar os ingleses de Paris, mas somente em 1437 Carlos VII retoma o controle de sua capital.

**1528** > Francisco I traz a corte real de volta do Loire para seu novo palácio no Louvre e decide construir o palácio das Tuileries.

**1572** > No Dia de São Bartolomeu, em 24 de agosto, 3 mil protestantes reunidos em Paris são massacrados por influência da família ultracatólica Guise.

**1607** > O triunfante monarca Henrique IV constrói a Pont Neuf e se empenha em criar uma capital digna.

**1661-1715** > Luís XIV transfere a corte para Versailles, mas a cidade continua crescendo e ganhando riqueza e prestígio.

**1786** >A muralha dos Fermiers Généraux é erigida em volta de Paris, com 57 barreiras (uma das quais se encontra na Place Stalingrad). Ali se cobrava um imposto sobre todos os produtos que entravam em Paris, uma fonte de irritação que terminaria em revolução.

**1789** > Tensões acumuladas explodem em revolução. Parisienses pobres, os "sans-culottes", tomam a prisão da Bastilha em 14 de julho.

**1793** > Os revolucionários derrubam a monarquia e executam Luís XVI. É imposta uma ditadura comandada pelo cruel Robespierre.

**1799** > O general Napoleão Bonaparte dá um golpe e toma o poder. Em 1804, se autoproclama imperador em Notre-Dame.

**Anos 1820** > Paris ganha iluminação a gás e seu primeiro ônibus.

**1830** > Após três dias de luta, conhecidos como *les trois glorieuses*, Luís Filipe é eleito monarca constitucional.

**1848** > Irrompe em junho uma nova revolução. Luís Napoleão Bonaparte, sobrinho de Napoleão, é eleito presidente. Em 1851, ele se autodeclara imperador Napoleão III.

**Anos 1850 e 1860** > O barão Haussmann promove a modernização da cidade criando bulevares retos e longos e praças.

**1863** > No Salon des Refusés, a pintura protoimpressionista *Déjeuner sur l'Herbe*, de Manet, escandaliza Paris.

**1870** > Centenas morrem de inanição quando a cidade é sitiada por tropas da Prússia.

**1871** > Paris se rende em março, mas os prussianos só se retiram após três dias. Na sequência, trabalhadores se revoltam e proclamam a Comuna de Paris, a qual é rapida e violentamente sufocada por tropas francesas.

**1874** > A primeira exposição impressionista é realizada no estúdio do fotógrafo Nadar e divide as opiniões.

**1889** > A nova Torre Eiffel rouba as atenções na Exposition Universelle ou "exposição universal".

**1894** > O capitão Alfred Dreyfus, um judeu, é acusado de ser espião dos alemães e injustamente condenado. O caso divide a sociedade parisiense: os *dreyfusards*, incluindo republicanos e os intelectuais de esquerda Jean Jaurès, Anatole France e Léon Blum, suspeitam de uma armação do exército, e os antidreyfusards, incluindo clérigos, monarquistas e conservadores, dizem que tudo se deve a uma conspiração judaica.

**1895** > Parisienses veem a estreia mundial dos espasmódicos documentários cinéticos dos irmãos Lumière.

**1900** > A rede subterrânea Métropolitain, ou "metrô", é inaugurada.

**1910** > A Grande Enchente de Paris: o rio Sena transborda, deixando milhares de desabrigados e paralisando a cidade. Os parisienses circulam de barco e em passarelas de madeira improvisadas. O prejuízo é estimado em 400 milhões de francos.

**1914** > A guerra com a Alemanha põe fim à Belle Époque. Em setembro, os exércitos do cáiser são detidos na linha de frente por tropas francesas enviadas de Paris, a apenas 24km.

**Anos 1920** > Após a guerra, os decadentes *années folles* (ou "anos loucos") dos anos 1920 resgatam a fama internacional de Paris pelo hedonismo.

**1940** > Em maio e junho, o governo foge de Paris e soldados nazistas entram marchando na Champs--Élysées. Seguem-se quatro anos de domínio hitlerista com parte da população colaborando.

**1942** > Judeus parisienses são delatados por cidadãos franceses e enviados para Auschwitz.

**1944** > A libertação chega em 15 de agosto, com o general de Gaulle desfilando em carro aberto na Champs-Élysées e sendo aclamado pela população.

**1961** > A brutal repressão da França na Argélia, sua colônia, chega ao auge. A polícia mata pelo menos 200 argelinos durante uma passeata pelos direitos civis.

**1968** > Em maio, estudantes de esquerda ocupam edifícios universitários e têm o apoio de milhões de trabalhadores que fazem greve e passeatas.

**1969** > O presidente de Gaulle perde um plebiscito, renuncia e vai para sua casa de campo.

**1973** > Primeiro arranha-céu de Paris, a Tour Montparnasse alardeia seus 56 andares. O anel viário *périphérique* é concluído em abril.

**1981** > O socialista François Mitterand se torna presidente, mas Paris se mantém direitista com o prefeito Jacques Chirac.

**1998** > Em julho, a multirracial seleção francesa vence a Copa do Mundo no novo Stade de France, no subúrbio de St-Denis.

**2001** > Modesto candidato socialista, Bertrand Delanoë é eleito prefeito de Paris em março.

**2002** > Tudo fica mais caro com a introdução do euro, em 1º de janeiro.

**2002** > O candidato de extrema-direita Jean-Marie Le Pen passa no primeiro turno da eleição presidencial, chocando parte da cidade. Cerca de 800 mil pessoas fazem a maior passeata de protesto desde 1968. No segundo turno, Chirac é eleito com 90% dos votos em Paris.

**2002** > O prefeito Bertrand Delanoë lança a nova imagem de Paris transformando 3km às margens do Sena em uma praia estival, a "Paris Plage", com enorme sucesso.

**2003** > Na esteira da rusga de Chirac com George W. Bush sobre o Iraque, turistas dos EUA deixam de vir a Paris. No verão, temperaturas inéditas atingem mais de 40ºC.

**2005** > No fim de outubro, jovens descontentes se rebelam no subúrbio pobre de Clichy-sous-Bois, em Paris. O então ministro do Interior Nicolas Sarkozy, que é de direita, declara estado de emergência.

**2007** > Nicolas Sarkozy se torna presidente. O prefeito Delanoë investe em uma Paris ecológica, criando corredores de ônibus, ciclovias e o sistema Vélib' de aluguel de bicicletas.

**2009** > Paris contempla seu futuro em uma exposição de visões arquitetônicas sobre a megacidade ecológica do amanhã. A chamada "Le Grand Paris" irá absorver seus subúrbios atualmente tão negligenciados.

**2011** > Com base no sucesso do sistema self-service do aluguel de bicicletas, Paris lança o Autolib': cerca de 3 mil carros elétricos estão disponíveis para locação em mil locais em Paris.

# Idioma

Paris não é o lugar ideal para aprender francês: muitos parisienses falam gíria rapidamente e volta e meia lhe dão respostas em inglês. No entanto, vale a pena fazer um esforço e aprender algumas coisas básicas. Dizer um simples "Bonjour, monsieur/madame" pode lhe render um sorriso e a ajuda desejada.

Veja a seguir algumas palavras e frases fundamentais. Para mais detalhes, consulte o *Guia de conversação para viagens – Francês*, Rough Guides, o qual tem um vocabulário extenso, uma tradução detalhada de cardápio e diálogos úteis.

## Pronúncia

A pronúncia aproximada das **vogais** é a seguinte:

**a** como 'a' normal
**e** como 'e' normal
**é** como 'e' normal
**è** como 'é'
**eu** como um 'e' mais fechado
**i** como 'i' normal
**o** como 'o' normal
**o/au** como 'ô'
**ou** como 'u' normal
**u** como um 'u' mais fechado

Mais difíceis são as combinações in/im, en/em, on/om, un/um no final de palavras ou seguidas por consoantes diferentes de n e m. Por exemplo:

**in/im** como em 'an' ou 'am'
**an/am, en/em** como em "ã"
**on/om** como em 'on' ou 'om'
**un/um** como em 'am'

As consoantes se assemelham à pronúncia em português. O 'ch' tem som de 'x', o h é mudo, o 'th' equivale a 't', o 'll' precedido de 'i' soa como 'ie', 'w' como 'v' e o 'r' é bem marcante.

## Palavras e frases

### EXPRESSÕES BÁSICAS

| | |
|---|---|
| **Sim** | Oui |
| **Não** | Non |
| **Por favor** | S'il vous plaît |
| **Obrigado/a** | Merci |
| **Com licença** | Pardon/excusez-moi |
| **Desculpe-me** | Pardon/Je m'excuse |
| **Olá** | Bonjour |
| **Alô** | Allô |
| **Até logo** | Au revoir |
| **Bom dia/ boa tarde** | Bonjour |
| **Boa noite** | Bonsoir |
| **Boa noite (na hora de dormir)** | Bonne nuit |
| **Como vai?** | Comment allez--vous?/Ça va? |
| **Bem, obrigado/a** | Très bien, merci |
| **Eu não sei** | Je ne sais pas |
| **Você fala inglês/português?** | Vous parlez anglais/ potugaise? |
| **Como se diz ...em francês?** | Comment ça se dit...en français? |
| **Qual o seu nome?** | Comment vous appelez-vous? |
| **Meu nome é...** | Je m'appelle... |
| **Sou inglês/ irlandês/ escocês/ brasileiro/ americano/** | Je suis anglais(e)/ irlandais(e)/ écossais(e)/ brésilien(ne)/ américain(e)/ |
| **Tudo bem/de acordo** | D'accord |
| **Entendo** | Je comprends |
| **Não entendo** | Je ne comprends pas |
| **Pode falar mais devagar?** | S'il vous plaît, parlez moins vite |
| **Hoje** | Aujourd'hui |
| **Ontem** | Hier |
| **Amanhã** | Demain |
| **De manhã** | Le matin |
| **De tarde** | L'après-midi |
| **À noite** | Le soir |
| **Agora** | Maintenant |
| **Mais tarde** | Plus tard |
| **Aqui** | Ici |
| **Lá** | Là |

| | |
|---|---|
| **Este/a** | Ceci |
| **Aquele/a** | Cela |
| **Aberto** | Ouvert |
| **Fechado** | Fermé |
| **Grande** | Grand |
| **Pequeno** | Petit |
| **Mais** | Plus |
| **Menos** | Moins |
| **Um pouco** | Un peu |
| **Muito** | Beaucoup |
| **Metade** | La moitié |
| **Barato** | Bon marché/ Pas cher |
| **Caro** | Cher |
| **Bom** | Bon |
| **Ruim** | Mauvais |
| **Quente** | Chaud |
| **Frio** | Froid |
| **Com** | Avec |
| **Sem** | Sans |

## PERGUNTAS

| | |
|---|---|
| **Onde?** | Où? |
| **Como?** | Comment? |
| **Quantos/as?** | Combien? |
| **Quanto custa isto?** | C'est combien? |
| **Quando?** | Quand? |
| **Por quê?** | Pourquoi? |
| **A que horas?** | À quelle heure? |
| **O que é/Qual é?** | Quel est? |

## COMO CIRCULAR

| | |
|---|---|
| **Por favor, como se chega à Torre Eiffel?** | S'il vous plaît, pour aller à la Tour Eiffel? |
| **Onde fica a estação de metrô mais próxima?** | Où est le métro le plus proche? |
| **Ônibus** | Bus |
| **Ponto de ônibus** | Arrêt |
| **Trem** | Train |
| **Barco** | Bâteau |
| **Avião** | Avion |
| **Estação de trem** | Gare |
| **Plataforma** | Quai |
| **A que horas sai?** | Il part à quelle heure? |
| **A que horas chega?** | Il arrive à quelle heure? |
| **Uma passagem para...** | Un billet pour... |
| **Passagem de ida** | Aller simple |
| **Passagem de ida e volta** | Aller retour |
| **Aonde você vai?** | Vous allez où? |
| **Vou para...** | Je vais à... |
| **Quero descer em...** | Je voudrais descendre à... |
| **Perto de** | Près/pas loin |
| **Longe** | Loin |
| **À esquerda** | À gauche |
| **À direita** | À droite |

## HOSPEDAGEM

| | |
|---|---|
| **Um quarto de solteiro/ para duas pessoas** | une chambre pour une/deux personnes |
| **com cama de casal** | avec un grand lit |
| **com chuveiro** | une chambre avec douche |
| **com banheiro** | une chambre avec salle de bains |
| **para uma/duas/ três noites** | pour une/deux/trois nuit(s) |
| **com vista** | avec vue |
| **Chave** | Clef |
| **Passar a ferro** | Repasser |
| **Lavar a roupa** | Faire la lessive |
| **Lençóis** | Draps |
| **Cobertores** | Couvertures |
| **Calmo** | Calme |
| **Barulhento** | Bruyant |
| **Água quente** | Eau chaude |
| **Água fria** | Eau froide |
| **O café da manhã está incluso?** | Est-ce que le petit déjeuner est compris? |
| **Gostaria de tomar o café da manhã** | Je voudrais prendre le petit déjeuner |
| **Não quero café da manhã** | Je ne veux pas le petit déjeuner |
| **Albergue da juventude** | Auberge de jeunesse |

## COMER FORA

| | |
|---|---|
| **Gostaria de reservar** | Je voudrais réserver |
| **...uma mesa** | ...une table |
| **...para duas pessoas** | ...pour deux personnes |
| **...às oito e trinta** | ...à vingt heures et demie |

| | |
|---|---|
| Vou querer o menu de trinta euros | Je prendrai le menu à trente euros |
| Garçom! | Monsieur/madame! (nunca "garçon") |
| A conta, por favor | L'addition, s'il vous plaît |

**DIAS DA SEMANA**

| | |
|---|---|
| Segunda-feira | Lundi |
| Terça-feira | Mardi |
| Quarta-feira | Mercredi |
| Quinta-feira | Jeudi |
| Sexta-feira | Vendredi |
| Sábado | Samedi |
| Domingo | Dimanche |

**NÚMEROS**

| | |
|---|---|
| 1 | un |
| 2 | deux |
| 3 | trois |
| 4 | quatre |
| 5 | cinq |
| 6 | six |
| 7 | sept |
| 8 | huit |
| 9 | neuf |
| 10 | dix |
| 11 | onze |
| 12 | douze |
| 13 | treize |
| 14 | quatorze |
| 15 | quinze |
| 16 | seize |
| 17 | dix-sept |
| 18 | dix-huit |
| 19 | dix-neuf |
| 20 | vingt |
| 21 | vingt-et-un |
| 22 | vingt-deux |
| 30 | trente |
| 40 | quarante |
| 50 | cinquante |
| 60 | soixante |
| 70 | soixante-dix |
| 75 | soixante-quinze |
| 80 | quatre-vingts |
| 90 | quatre-vingt-dix |
| 95 | quatre-vingt--quinze |
| 100 | cent |
| 101 | cent un |
| 200 | deux cents |
| 1.000 | mille |
| 2.000 | deux mille |
| 1.000.000 | un million |

## Cardápio

**VOCABULÁRIO BÁSICO**

| | |
|---|---|
| déjeuner | almoço |
| dîner | jantar |
| menu | menu fixo |
| carte | menu |
| à la carte | à la carte |
| entrées | entradas |
| les plats | pratos principais |
| pain | pão |
| beurre | manteiga |
| fromage | queijo |
| oeufs | ovos |
| lait | leite |
| poivre | pimenta-do-reino |
| sel | sal |
| sucre | açúcar |
| fourchette | garfo |
| couteau | faca |
| cuillère | colher |
| bio | orgânico |
| à la vapeur | ao vapor |
| au four | ao forno |
| cru | cru |
| frit | frito |
| fumé | defumado |
| grillé | grelhado |
| rôti | assado |
| salé | salgado |
| sucré | doce |
| à emporter | para viagem |

**BEBIDAS**

| | |
|---|---|
| eau minérale | água mineral |
| eau gazeuse | água com gás |
| eau plate | água sem gás |
| carte des vins | carta de vinhos |
| une pression | chope |
| un café | café (expresso) |
| un crème | café com leite |
| bouteille | garrafa |
| verre | copo |

| | |
|---|---|
| **un quart/demi de rouge/blanc** | um quarto/meio litro de vinho tinto/branco da casa |
| **un (verre de) rouge/blanc** | um copo de vinho tinto/branco |

## LANCHES

| | |
|---|---|
| **crêpe** | panqueca (doce) |
| **un sandwich/ une baguette** | sanduíche |
| **croque- -monsieur** | sanduíche gratinado de queijo e presunto |
| **omelette** | omelete |
| **nature** | simples |
| **aux fines herbes** | com ervas |
| **au fromage** | com queijo |
| **assiette anglaise** | porção de carnes frias |
| **crudités** | legumes crus com molhos |

## PEIXE (POISSON) E FRUTOS DO MAR (FRUITS DE MER)

| | |
|---|---|
| **anchois** | anchova |
| **brème** | brema |
| **brochet** | solha |
| **cabillaud** | bacalhau fresco |
| **carrelet** | espadim |
| **colin** | pescada |
| **coquilles st-jacques** | vieiras |
| **crabe** | caranguejo |
| **crevettes** | camarões/pitus |
| **daurade** | dourada |
| **flétan** | linguado |
| **friture** | filhote de arenque |
| **hareng** | arenque |
| **homard** | lagosta |
| **huîtres** | ostras |
| **langoustines** | lagostim |
| **limande** | linguado do mar do Norte |
| **lotte de mer** | lota |
| **loup de mer** | robalo |
| **maquereau** | cavala |
| **merlan** | savelha |
| **morue** | bacalhau salgado seco |
| **moules (marinière)** | mexilhões (com cebolinha ao molho de vinho branco) |
| **raie** | arraia |
| **rouget** | salmonete |
| **saumon** | salmão |
| **sole** | linguado |
| **thon** | atum |
| **truite** | truta |
| **turbot** | rodovalho |

## PEIXE: PRATOS E TERMOS RELACIONADOS

| | |
|---|---|
| **aïoli** | maionese de alho servida com bacalhau e outros peixes |
| **béarnaise** | molho de gema de ovo, vinho branco, cebolinha e vinagre |
| **beignets** | filhoses |
| **la douzaine** | uma dúzia |
| **frit** | frito |
| **fumé** | defumado |
| **fumet** | caldo de peixe |
| **gigot de mer** | peixe grande assado inteiro |
| **grillé** | grelhado |
| **hollandaise** | molho de gema de ovo e manteiga |
| **à la meunière** | ao molho de manteiga, limão e salsa |
| **mousse/mousseline** | musse |
| **quenelles** | bolinhos leves |

## CARNE (VIANDE) E AVES (VOLAILLE)

| | |
|---|---|
| **agneau** | cordeiro |
| **andouillette** | chouriço pequeno |
| **bavette** | bife em tiras |
| **boeuf** | carne bovina |
| **bifteck** | bife |
| **boudin noir** | morcela |
| **caille** | codorna |
| **canard** | pato |
| **contrefilet** | contrafilé |
| **dinde** | peru |
| **entrecôte** | contrafilé de costela |
| **faux filet** | lombo |
| **foie** | fígado |
| **foie gras** | patê de fígado gordo (pato/ ganso) |

| | |
|---|---|
| gigot (d'agneau) | perna de carneiro |
| grillade | carne grelhada |
| hachis | picadinho de carne ou de hambúrguer |
| jambon | presunto |
| lapin, lapereau | coelho, láparo |
| lard, lardons | bacon, tiras de bacon |
| merguez | linguiça picante |
| oie | gansa/pata |
| onglet | corte de carne |
| porc | porco |
| poulet | frango |
| poussin | galeto |
| rognons | rins |
| tête de veau | cabeça de vitelo (em gelatina) |
| veau | vitela |
| venaison | carne de caça |

## BIFES

| | |
|---|---|
| bleu | quase cru |
| saignant | malpassado |
| à point | ao ponto |
| bien cuit | bem passado |

## GUARNIÇÕES E MOLHOS

| | |
|---|---|
| beurre blanc | molho de vinho branco e cebolinha com manteiga |
| chasseur | vinho branco, cogumelos e cebolinha |
| forestière | com bacon e cogumelos |
| fricassée | molho cremoso |
| mornay | molho de queijo |
| pays d'auge | creme e sidra |
| piquante | picles ou alcaparras, vinagre e cebolinha |
| provençale | tomates, alho, azeite de oliva e ervas |

## CARNE E AVES: PRATOS E TERMOS RELACIONADOS

| | |
|---|---|
| aile | asa |
| blanquette de veau | vitela ao molho de creme e cogumelo |
| boeuf bourguignon | cozido de carne com vinho tinto, cebolas e cogumelos |
| canard à l'orange | pato assado com molho de laranja e vinho |
| carré | base do pescoço ou costeleta |
| cassoulet | guisado de feijão e carne |
| choucroute garnie | chucrute servido com linguiça ou presunto curado |
| civet | guisado de lebre |
| confit | conserva de carne |
| coq au vin | galo cozido com vinho, cebolas e cogumelos |
| côte | costeleta ou costela |
| cou | pescoço |
| cuisse | coxa ou perna |
| en croûte | com crosta |
| epaule | ombro |
| daube estouffade, hochepot, navarin e ragoût | todos são tipos de cozido |
| farci | recheado |
| au feu de bois | cozido à lenha |
| au four | ao forno |
| garni | com legumes |
| gésier | moela |
| grillé | grelhado |
| magret de canard | peito de pato |
| marmite | guisado |
| médaillon | medalhão |
| mijoté | em fogo brando |
| pavé | fatia grossa |
| rôti | assado |
| sauté | salteado na manteiga |
| steak au poivre (vert/rouge) | filé ao molho de pimenta-do--reino verde/vermelha |
| steak tartare | carne crua picada com uma gema de ovo crua em cima |

## LEGUMES (LÉGUMES), ERVAS (HERBES) E TEMPEROS (ÉPICES)

| | |
|---|---|
| **ail** | alho |
| **artichaut** | alcachofra |
| **asperges** | aspargos |
| **basilic** | manjericão |
| **betterave** | beterraba |
| **carotte** | cenoura |
| **céleri** | aipo |
| **champignons** | cogumelos |
| **chou (rouge)** | repolho (roxo) |
| **chou-fleur** | couve-flor |
| **concombre** | pepino |
| **cornichon** | pepininho |
| **échalotes** | chalota |
| **endive** | endívia |
| **épinards** | espinafre |
| **estragon** | estragão |
| **fenouil** | funcho |
| **flageolets** | feijões brancos |
| **gingembre** | gengibre |
| **haricots** | feijões- |
| **verts** | -verdes |
| **rouges** | -vermelhos |
| **beurres** | -manteiga |
| **lentilles** | lentilhas |
| **maïs** | milho |
| **moutarde** | mostarda |
| **oignon** | cebola |
| **pâtes** | massas |
| **persil** | salsa |
| **petits pois** | ervilhas |
| **pois chiche** | grão-de-bico |
| **poireau** | alho-poró |
| **poivron (vert, rouge)** | pimentão (verde, vermelho) |
| **pommes de terre** | batatas |
| **primeurs** | legumes temporões |
| **riz** | arroz |
| **safran** | açafrão |
| **salade verte** | salada verde |
| **tomate** | tomate |
| **truffes** | trufas |

## FRUTAS (FRUITS) E NOZES (NOIX)

| | |
|---|---|
| **abricot** | damasco |
| **amandes** | amêndoas |
| **ananas** | abacaxi |
| **banane** | banana |
| **brugnon, nectarine** | nectarina |
| **cacahouète** | amendoim |
| **cassis** | cássis |
| **cerises** | cerejas |
| **citron** | limão |
| **citron vert** | lima |
| **figues** | figos |
| **fraises** | morangos |
| **framboises** | framboesas |
| **groseilles** | groselhas |
| **mangue** | manga |
| **marrons** | castanhas |
| **melon** | melão |
| **noisette** | avelã |
| **noix** | nozes |
| **orange** | laranja |
| **pamplemousse** | grapefruit |
| **pêche** | pêssego |
| **pistache** | pistache |
| **poire** | pera |
| **pomme** | maçã |
| **prune** | ameixa |
| **pruneau** | ameixa seca |
| **raisins** | uvas |

## SOBREMESAS (DESSERTS OU ENTREMETS) E DOCES (PÂTISSERIE)

| | |
|---|---|
| **bavarois** | se refere à consistência; pode ser mousse ou creme |
| **brioche** | pãozinho doce e fofo |
| **coupe** | bola de sorvete |
| **crème chantilly** | creme chantili |
| **crème pâtissière** | creme à base de ovo usado como recheio |
| **fromage blanc** | queijo branco |
| **glace** | sorvete |
| **parfait** | musse gelado ou sorvete |
| **petits fours** | petits fours |
| **tarte** | torta |

CRÉDITOS

# EXPEDIENTE

Traduzido a partir da edição original do *Pocket Rough Guide Paris* (2ª edição) publicada por **Rough Guide Ltd**, 80 Strand, London WC2R 0RL, em 2013.
11, Community Centre, Panchsheel Park, Nova Déli 110017, Índia.



Coordenação do projeto:
**Publifolha**
Editora assistente: Vivian Rocha
Coordenadora de produção gráfica: Mariana Metidieri

Produção editorial:
**Página Viva**
Tradução: Thaïs Costa
Edição: Rosi Ribeiro
Revisão: Laura Vecchioli e Luciane Helena Gomide
Editoração eletrônica: Priscylla Cabral e Bianca Galante

## ROUGH GUIDES

**Edição:** Lucy Kane e Lara Kavanagh
**Projeto gráfico:** Jessica Subramanian e Nikhil Agarwal
**Cartografia:** Ed Wright, Simonetta Giori e Katie Bennett
**Edição de imagem:** Nicole Newman
**Fotografias:** James McConnachie e Lydia Evans
**Produção:** Linda Dare
**Revisão:** Susanne Hillen
**Capa:** Nicole Newman, Daniel May e Mark Thomas

**Dados Internacionais de Catalogação na Publicação (CIP)**
**(Câmara Brasileira do Livro, SP, Brasil)**

McConnachie, James
Paris: o guia da viagem perfeita / pesquisado e escrito por James McConnachie e Ruth Blackmore; com a colaboração de Sam Cook; [tradução Thaïs Costa]. – 2. ed. – São Paulo: Publifolha, 2013.

Título original: Pocket Rough Guide Paris.
ISBN 978-85-7914-364-9

1. Paris (França) – Descrição e viagens – Guias I. Blackmore, Ruth. II . Cook, Sam. III. Título.

12-01888 CDD-914.436

**Índices para catálogo sistemático:**
1. Guias de viagem: Paris: França 914.436
2. Paris: França: Guias de viagem 914.436

Este livro segue as regras do Acordo Ortográfico da Língua Portuguesa (1990), em vigor desde 1º janeiro de 2009.

**PUBLIFOLHA**
Divisão de Publicações do Grupo Folha
Al. Barão de Limeira, 401, 6º andar
CEP 01202-900, São Paulo, SP
Tel.: (11) 3224-2186/2187/2197
www.publifolha.com.br

## OS AUTORES

**James McConnachie** também é autor do *Rough Guide to The Loire*, e viaja por toda a Europa e outros continentes trabalhando para os Rough Guides. Além de guias de viagem, lançou obras como como *Conspiracy Theories* (Rough Guides), *Sex* (Rough Guides) e *The Book of Love: A Biography of the Kamasutra* (Atlantic Books).
**Ruth Blackmore** é coautora de *Rough Guide Paris* e colaboradora do *Rough Guide to France* e do *Rough Guide to Classical Music*.

Foi feito o possível para garantir que as informações deste livro fossem as mais atualizadas disponíveis até o momento da impressão. No entanto, alguns dados como telefones, preços, horários de funcionamento e informações de viagem estão sujeitos a mudanças. Os editores não podem se responsabilizar por qualquer consequência do uso deste guia, nem garantir a validade das informações contidas nos sites indicados.

Os leitores interessados em fazer sugestões ou comunicar eventuais correções podem escrever para a Publifolha, Al. Barão de Limeira, 401, 6º andar, CEP 01202-900, São Paulo, SP, enviar um fax para (11) 3224-2163 ou um e-mail para atendimento@publifolha. com.br.

## CRÉDITOS DAS FOTOS

Todas as imagens © Rough Guides Matthew Hancock e Natascha Sturny , exceto as seguintes:
Capa: Torre Eiffel © Marvin Newman/ Axiom
Contracapa: Pirâmide do Louvre © Stuart Dee/ Getty
p. 2 Museu do Louvre à noite © Photolibrary
p. 5 Jardin du Luxembourg © Sonnet Sylvain/ Photolibrary
p. 6 Sena e Torre Eiffel © J Pratt/Photolibrary
p. 9 Fonte e obelisco na place de la Concorde © Factoria Singular/iStock
p. 12 Café na calçada do Jardin du Luxembourg © Bertrand Rieger/Corbis
p. 15 Pont Neuf © Eleanor Farmer
p. 15 Panthéon © Neilerua/iStock
p.19 Le Gallopin © Le Desk, Alamy
p.19 Le Gaigne © Claire Williams
p.19 Salle Arpège © Aurore Deligny/Courtesy of L'Arpège
p. 25 Point Ephémère © Cortesia do Point Ephémère
p. 26 Notre-Dame com cerejeiras © Bertrand Gardel/Corbis
p. 27 Torre Eiffel no Dia da Bastilha © Arnaud Chicurel/Corbis
p. 27 Paris Plage © John Kellerman/Alamy
p. 27 Nuit Blanche © Directphoto.org/Alamy
p. 27 Patinação no gelo no Hôtel de Ville © Robert Armstrong/Photolibrary
p. 28 Disneyland Paris © Michel Viard/ Photolibrary
p. 33 Place de l'Hôtel de Ville e bicicletas do Vélib' © Sonnet Sylvain/Photolibrary
p. 33 Les Trois Baudets © Cortesia de Les Trois Baudets
p. 36 Pont Neuf à noite © Chad Ehlers/ Photolibrary
p. 39 Catedral de Notre-Dame © Lillis photography/iStock
p. 47 Grand Palais © Matthew Dixon/iStock
p. 64 Salle Arpège © Aurore Deligny/Cortesia de L'Arpège
p.73 Repetto © Paris Marais, Alamy
p. 75 Drouant © Eleanor Farmer
p. 79 Centre Pompidou © Ian Cumming/Axiom
p. 85 Musée Picasso © Sonnet Sylvain/ Photolibrary
p. 90 Maison de Victor Hugo © Eleanor Farmer
p. 94 Ambassade d'Auvergne © Eleanor Farmer
p.95 Le Potager du Marais © Paris Marais, Alamy
p. 131 Wagg © Cortesia de Wagg
p. 152 Bois de Boulogne © Isatis/iStock
p. 158 Jardim em Versailles © Isatis/iStock
p. 160 Poente em Versailles e fonte de Netuno © Anton-Marlot/iStock
p. 161 O pátio de mármore no Palácio de Versailles © Terraxplorer/iStock
p. 163 Atração na Disneyland Paris © Mohammed Ansar/Photolibrary

# Índice

Os mapas estão marcados em **negrito**.

## D



## E



## F



## G



## H

## N



## O



## P



## Q



## R

## S



## T



## V



## Z